废名全集

第九卷

论著（四）

陈建军／编

武汉出版社

（鄂）新登字 08 号
图书在版编目（CIP）数据

废名全集.第九卷,论著.四/陈建军编.— 武汉:武汉出版社,2023.10
ISBN 978-7-5582-6071-1

Ⅰ.①废… Ⅱ.①陈… Ⅲ.①废名（1901-1967）—全集 Ⅳ.①I217.2

中国国家版本馆CIP数据核字（2023）第096934号

| 编　　者：陈建军
| 责任编辑：朱梦珍
| 封面设计：刘福珊
| 督　　印：方　雷　代　涌
| 出　　版：武汉出版社
| 社　　址：武汉市江岸区兴业路136号　　　邮　　编：430014
| 电　　话：(027)85606403　　85600625
| http://www.whcbs.com　　E-mail:whcbszbs@163.com
| 印　　刷：湖北新华印务有限公司　　　经　　销：新华书店
| 开　　本：880 mm×1230 mm　　1/32
| 印　　张：11.25　　　字　　数：260千字
| 版　　次：2023年10月第1版　　2023年10月第1次印刷
| 定　　价：980.00元（全套十卷）

版权所有·翻印必究
如有质量问题，由本社负责调换。

废名和外孙女文璐合影

1956年7月22日,废名(前排左六)与东北人民大学中文系1956年毕业生合影

1962年,废名(左前)在教师会议上发言

废名部分遗物（徽章、印章）

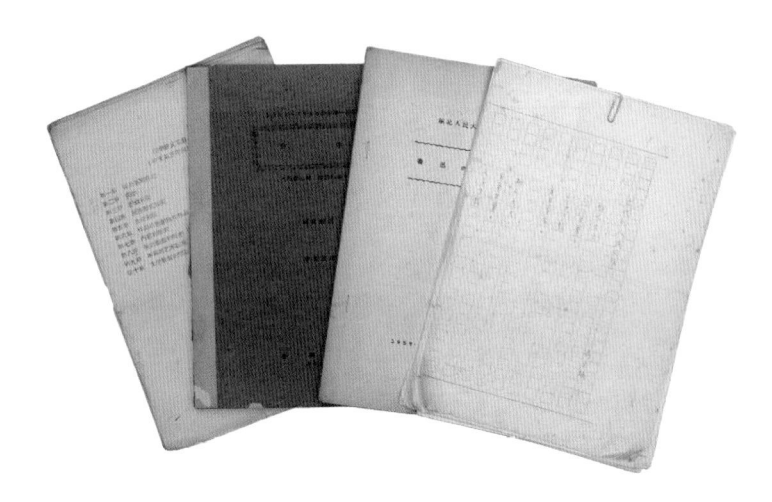

废名部分手稿、讲义

目　录

第九卷　论著(四)

新民歌讲稿 ……………………………………………… (1)
 一　学习新民歌 ………………………………………… (3)
 二　新民歌是革命的现实主义和革命的浪漫主义的结合
   ………………………………………………… (15)
 三　诗的语言问题 ……………………………………… (31)
 四　诗的形式问题 ……………………………………… (40)
 五　歌颂篇 ……………………………………………… (66)
 六　一年之间中国的农民和农村 ……………………… (79)
 七　工矿诗都是政治挂帅 ……………………………… (94)
 八　中国人民子弟兵之一班 …………………………… (109)

毛泽东同志著作的语言是汉语语法的规范 ………… (121)
 一　汉语语法的要点 ………………………………… (123)
 二　毛泽东同志著作的语言是汉语语法的规范 …… (144)

美学 ……………………………………………………… (173)
 第一章　美是客观存在 ……………………………… (175)
 第二章　美学 ………………………………………… (186)

第三章　群众和美 …………………………………（206）

第四章　民族形式和美 ………………………………（222）

第五章　生活和美 ……………………………………（244）

第六章　作品的思想性和作品的美 …………………（286）

第七章　内容和形式 …………………………………（298）

第八章　美的创造和美感 ……………………………（326）

我对建立辩证唯物主义美学的愿望和实践 ……………（340）

新民歌讲稿

作于 1958 年 8 月至本年年底间,未署名。存手稿和打字油印本,未署名。共 8 节,其中《诗的形式问题》一节,载吉林大学中文系编、吉林人民出版社 1959 年 8 月初版《文学论文集(第一集)》,题为《谈诗的形式问题》,署名冯文炳。据打字油印本排印。

一　学习新民歌

学习新民歌，首先要学习毛主席《在延安文艺座谈会上的讲话》。是的，我们现在是婴孩张口要母乳似的懂得要学习《讲话》了。从1942年到1958年，由《讲话》到新民歌的出世，时光是十六年，共产主义的花园给东风吹得盛开，出乎任何人的意外。我们还没有工农化的知识分子，思想没有得到很好的改造，但眼光应该是敏锐的，工农大众的创作，在几个月之内，无论数量，无论质量，呈千古未有之奇观，这难道不是摆事实、讲道理吗？这说明文化还家，无论在哪一个民族里，文学艺术事业本来是劳动人民创造的，所以现在中国的工农大众就开始创造共产主义的文学了。知识分子的作家站在这个无比丰富的花园的门口，只好自己感得一贫如洗！据说有这么一件事，有下放干部把《人民文学》二月号的《农村四首》念给农民听，其中有一首叫"给一条河"，有这样几句：

　　呵，我想抱起你，
　　抱起你紧紧地亲你，
　　因为我们寻求你，呼唤你，
　　已有多少个世纪。

农民听了不懂,有一个青年妇女听懂了,她的反应是:"臊死了!"这就叫知识分子的作家大大地反省,必得再打开毛主席的《讲话》来读:"我们知识分子出身的文艺工作者,要使自己的作品为群众所欢迎,就得把自己的思想感情来一个变化,来一番改造。没有这个变化,没有这个改造,什么事情都是做不好的,都是格格不入的。""许多文艺工作者由于自己脱离群众、生活空虚,当然也就不熟悉人民的语言,因此他们的作品不但显得语言无味,而且里面常常夹着一些生造出来的和人民的语言相对立的不三不四的词句。许多同志爱说'大众化',但是什么叫做大众化呢?就是我们的文艺工作者的思想感情和工农兵大众的思想感情打成一片。而要打成一片,就应当认真学习群众的语言。如果连群众的语言都有许多不懂,还讲什么文艺创造呢?英雄无用武之地,就是说,你的一套大道理,群众不赏识。在群众面前把你的资格摆得越老,越象个'英雄',越要出卖这一套,群众就越不买你的帐。"我们今天读了新民歌才知道什么叫做群众的语言,什么是群众的思想感情,好比这一首歌:

党是眼珠子,
社是命根子,
破坏党和社,
当心脑瓜子!

(北京《农民报》)

这就是劳动人民的语言,这就是劳动人民的思想感情,知识分子不脱胎换骨就休想达到这个地步。

又如这一首：

> 天连水来水连天，
> 青天碧水长相连，
> 党和人民针连线，
> 千年万年心不变。
>
> （湖南益阳）

这里的比喻是随手拾得，是冲口而出，把劳动人民对党的感情表现得极其深厚朴实，不是劳动人民决唱不出"党和人民针连线"的句子来的。

又如这一首：

> 不怕冷，不怕饿，
> 罗锅山得向我认错。
>
> （四川叙永）

这么短的篇幅，这么强有力的语言，这么美丽的形象，把中国共产党领导下的劳动人民昔日在阶级斗争中的坚强今日又完全表现在同自然作斗争，知识分子读了这种诗应该如何地锻炼自己！

又如这一首：

> 白天上厕所，

晚上拿尿盘,

拉金,尿银。

(《吉林日报》)

这第三行四个字该是多么丰富的语言,它的形象性极大,它能以极少的字付与极多的感情,表现农民爱惜一种东西,就是粪肥,而且必得在翻了身自己当家作主才有"拉金,尿银"的海阔天空的神气。这就叫做共产主义的风格,我们知识分子必须在这里训练我们的感觉,看是否如毛主席所教导我们的"由一个阶级变到另一个阶级"。

我们再读下面两首工人的诗:

司炉工人

黑煤在烧,
火焰在笑,
水在沸腾,
汽笛在呼叫。
双手紧紧握住大煤锹,
为社会主义加足燃料,
让生产的快车朝前奔跑。

(上海东火车站青年)

畅　饮

看谁产品迭得高,
感情靠钢铁堆垒。

> 为咱们友谊牢固,
> 嘿!一锤两锤三锤!
> 战场上的对手,
> 我要和你碰杯,
> 为溶化一身劳累,
> 请喝干这杯清水。
>
> (北京第一机床厂青年工人温承训)

这就是咱们国家里青年工人的思想感情和他们的语言!

"山曲好比牛毛多,三年才唱了一只耳朵",这话拿来形容今天新民歌之多最恰当。在数不清的新民歌里,新民歌本身就替我们解决了普及与提高的问题,其中有的属于普及的作品,有的就是提高了的作品。我们准备选出来讲的大约有一百五十首,我们毫不夸张地说它们的价值超过了古代的《诗经》,超过了李白、杜甫。这当然不奇怪,我们有亿万的工农大众嘛!我们要注意的是要学习毛主席的《讲话》:"我们的文艺,既然基本上是为工农兵,那末所谓普及,也就是向工农兵普及,所谓提高,也就是从工农兵提高。用什么东西向他们普及呢?用封建地主阶级所需要、所便于接受的东西吗?用资产阶级所需要、所便于接受的东西吗?用小资产阶级知识分子所需要、所便于接受的东西吗?都不行,只有用工农兵自己所需要、所便于接受的东西。……那末所谓文艺的提高,是从什么基础上去提高呢?从封建阶级的基础吗?从资产阶级的基础吗?从小资产阶级知识分子的基础吗?都不是,只能是从工农兵群众的基础上去提高。也不是把工农兵提高到封建阶级、资产阶级、小资产阶级知识分子的'高度'去，而是沿着工农兵自己前进的方向去提高，沿着无产阶级前进的方向去提高。"毛主席这番话深刻极了，我们过去就是体会不好，仿佛古代的东西、外国的东西是提高的标准，要把工农兵向那个"高度"去提。到了十六年后的今天，事实摆在眼前，我们才算明白了。毛主席说了另一番话："一张白纸，没有负担，好写最新最美的文字，好画最新最美的画图。"新民歌首先是"有诗为证"。我们且举一些作品来同古代诗人比一比罢，我们认为是很有意义的。有一首题目叫做"上夜校"：

民校钟声响，
声震十里岗，
学员四面来，
满身明月光。

（安徽）

这首诗不是把一个山村里上夜校的情景描写得非常出色吗？李白的"床前明月光，疑是地上霜，举头望明月，低头思故乡"比起来不是太旧了吗？它能令我们有一点留恋的余地吗？我们只是以全副精神倾向于民校学员们"满身明月光"！这真是伟大的艺术，表现了新时代新人新事的新气象！

又如一首《春忙》：

地里人一片，
路上人成群，
街上不见人，

村村锁住门。

(河南)

这又是一首要与唐诗比一比的诗,我们一读它就很容易联想到王维的"空山不见人,但闻人语响。返景入深林,复照青苔上。"政治标准我们的新民歌当然超过王维十万八千里,艺术标准呢,也是有过之无不及,它有更大的概括本领,用老话说就是"文章本天成,妙手偶得之。"

又如一首六言诗:

从来瀑布直下,
而今河水上山,
不信你就去看,
山顶种上稻田。

(辽宁,莫(镐)群)

我们把这首诗同王维的《田园乐》七首对比,什么"桃红复含宿雨,柳绿更带春烟,……"真显得暗淡无光了。这是因为生活有伟大和渺小之别。

我们的新民歌有描画人物描画得极生动、极热闹的,在古代诗里简直少有。杜甫有描画人物的诗,如他的《垂老别》里的老年农民的形象就很生动。杜甫另外有一首题作"遭田父泥饮美严中丞"的诗,向来的评诗者认为"夹叙夹述,情状声吻色色描画入神,正使班马记事未必如此亲切。千载下读者无不绝倒。"我们不必抄杜甫的这一首诗,诗写的是杜甫在一个农人家里喝酒,杜甫就写这个农人，又写他的大儿子在前一天刚刚从兵营里放回家来，又写"叫妇开大瓶，盆中为吾取"，又写"高声索果栗，欲起时被肘"，就是说杜甫要告辞给他拉住了。这样的诗就博得那么的好评，司马迁、班固的文章未必如此亲切哩。我们且抄一首我们的新民歌，真是杜甫"记事未必如此亲切"，我们敢断言"千载下读者无不绝倒"，题目是"立功喜报到了家"，全文比所述的杜甫的诗多四十七个字：

立功喜报到了家，
全家老少笑哈哈。
妈妈伸手接过去，
戴上花镜细看它。
爸爸一把夺过来，
比划要往墙上挂。
儿子小柱刚放学，
看见喜报叫喳喳：
"爷爷爷爷我要看"，
说罢伸手抢过它。
小嘴一撅问爷爷：
"这是爸爸得来的，
为啥要往墙上挂？
我要拿去给妈妈，
让她藏在梳头匣。"
妻子闻声走出来，
满面春风心开花，

"柱儿,拿来给妈,
快叫爷爷把它挂。"
柱儿还是不愿意:
"不——妈!"
"傻孩子,你知道啥,
爷爷屋里很显眼,
来人一眼就看见它,
让乡亲们都知道,
柱儿有个好爸爸。"
妻子说完红了脸,
柱儿听了笑哈哈,
妈妈乐的合不拢嘴,
爸爸急忙往墙上挂。

这首诗是解放军战士贾英写的。
我们再读《扁担挑福挑不动》这一首:

扁担本是古人留,
留给后人挑忧愁;
挑到唐宋元明清,
愁如江水向东流。

社会主义大跃进,
扁担挑福挑不动;
来个技术大革命,

千车万车接成龙。

(盐阜)

据说大量的知识分子的作家和读者们喜欢李煜的词,大哼其"雕阑玉砌应犹在,只是朱颜改。问君能有几多愁,恰似一江春水向东流。"又什么"多少恨,昨夜梦魂中,还似旧时游上苑,车如流水马如龙,……"除了说你是剥削阶级的思想感情另外还有什么话可说!你必须在劳动人民的扁担面前自惭形秽!无疑的,这一首扁担的歌是大手笔。

再讲一件事。在古代民歌里,这首诗是有名的:"江南可采莲,莲叶何田田。鱼戏莲叶间。鱼戏莲叶东,鱼戏莲叶南〔西〕,鱼戏莲叶西〔南〕,鱼戏莲叶北。"从前有人评这首诗说是"格奇"。这是形式主义的说法。这首诗表现了一种生气勃勃,在采莲的时候见游鱼之出现,忽而在这边有,忽而又那边有,所以就写得热闹极了,莲叶的东南西北都有鱼儿游戏。我们读了我们今天的新民歌,确实联想到古代民歌原来是如此天真,表现着生之悦乐,并不是什么"格奇",我们举出下面的两首新民歌为证,一首写农村修渠,一首写农村办工厂:

渠水围村转

前天夕阳下,
河水在西洼;
今晨旭日升,
渠水到村东;
中午日正南,

渠水围村转。

　　（河北沧县）

厂里机器响

前天在会上，

决定办工厂；

昨天正晌午，

厂牌挂门旁；

今晚月正南，

厂里机器响。

　　（河北东光）

　　这该是多么有意义的对比，从而知道古代民歌和现代民歌都是真实地反映现实的。我们今天的农村，产生了几千年未有的大兴水利的诗，产生了三天办起工厂（《厂里机器响》是反映东光县曲庄乡三天办起了一个铁木业联合工厂、造出了龙骨水车）的诗，是古代批评家梦想不到的"奇"。他们说着"格奇"，我们叫做社会主义现实主义的奇。中国的文人，向来崇拜古，认为愈古的诗就愈高不可攀，真是"其愚不可及也"，说穿了就是迷信。我们今天的新民歌，是"前不见古人"。

　　以上是我们暂且来一个极其简单的古今评比，（往下的评比多着哩!）证明新民歌已经就是提高了的作品。毛主席在1942年指示我们，所谓普及，所谓提高，只有用工农兵自己的东西，十六年后的今天，工农兵自己，在党的领导之下，完全用事实证明了。

最后，我们学习新民歌，总要记着根本问题，就是要与社会主义建设结合，与生产结合。学习新民歌就是要学习劳动人民，学习社会，学习马克思主义。毛主席在《讲话》里指示我们学习马克思主义和学习社会，说："我们说的马克思主义，是要在群众生活群众斗争里实际发生作用的活的马克思主义，不是口头上的马克思主义。"我们体会得新民歌是工农群众在生活里实际发生作用的，读《如今唱歌用箩装》：

> 如今唱歌用箩装，
> 千箩万箩堆满仓，
> 别看都是口头语，
> 撒到田里变米粮。
>
> （安徽）

是呵，"撒到田里变米粮"，多么动人心魄的歌唱！这就是周扬同志在《新民歌开拓了诗歌的新道路》一篇文章里面说的："大跃进民歌反映了劳动群众不断高涨的革命干劲和生产热情，反过了又大大地鼓舞了这种干劲和热情，促进了生产力的发展。"这是新民歌给我们的教育。

二　新民歌是革命的现实主义和革命的浪漫主义的结合

毛主席提倡我们的文学应当是革命的现实主义和革命的浪漫主义的结合。我们把工农群众在大跃进当中的火热的生活以及反映这种火热的生活的新民歌一看,革命的现实主义和革命的浪漫主义的结合正是从群众中来到群众中去的科学概括。从此,我们完全明白,社会主义现实主义并不是一件脱离群众的事,它的特点正是群众创造文学,它的特点还在于创造文学的群众鼓足干劲力争上游建设社会主义。"万紫千红总是春",可以歌颂这种文学矣。社会主义现实主义的创作方法,就是革命的现实主义和革命的浪漫主义的结合,它不但是今天新中国群众创作扼要的说明,它还发挥了我国过去文学的优良传统,尤其把历史上民间文学的精华都集中进去了。这是一个重要的主题,学习新民歌还得对我国的文学传统有一些了解,然后格外知道,我们的新民歌表现着两种特色,它是社会主义的,它又是我们民族自己的东西。

河南有一首《赞群英》的新民歌,我们认为最能说明这个问题,歌是:

男女老少齐出征，
青年劲头赛赵云，
壮年力气赛武松，
少年儿童象罗成，
老人干活似黄忠，
干部策划胜诸葛，
妇女赛过穆桂英，
社员个个胜古人。

这首歌里的"古人"，应该说都属于民间文学所创造的人物形象，都是现实主义和浪漫主义结合的产品。伟大新中国的劳动人民不认为自己是离开历史上的英雄的，同时自己就双手做前人所没有做过的事业。《赞群英》真应该拿来做大学里"厚今薄古"的动员报告。这里面的"古"鼓舞了"今"，这里面的"今"又确实胜过了"古"。我们知识分子就应该学习劳动人民这样会读古书。赵云、武松、罗成、黄忠……不都是从小说戏剧上读来的、看来的吗？资产阶级的"学者"们或者在那里鄙视我们，认为这算得什么"读书"呢，这都是些不登大雅之堂的东西！这就叫做资产阶级思想，这就叫做"厚古薄今"。"厚古薄今"，其实是不懂得古，当然他们更不可能懂得今。鲁迅才是懂得古的，他也就懂得今，他也就懂得民间的目连戏，他也就从民间艺术学习写人物不写风月，凡这些都是我们大家所熟知的。我们就来考察一下古典文学所表现的现实主义和浪漫主义结合的事实吧。首先看屈原，鲁迅在他的《彷徨》的卷头摘用了《离骚》的话作题词："朝发轫于苍梧兮，夕余至乎玄圃；欲少留此灵琐兮，日忽忽其将暮。

吾令羲和弭节兮,望崦嵫而勿迫;路漫漫其修远兮,吾将上下而求索。"鲁迅有感于此,我们又因为感动于鲁迅而格外爱慕屈原,诗人设想自己走到日落之处,乃令驾车的羲和慢点儿走,"望崦嵫而勿迫",这是浪漫主义,这又是现实主义,在旧社会里就是没有前途,而有理想的人又总为理想之光所照,毫无黄昏之感,思索着奋斗的道路。鲁迅在他的《春末闲谈》里又曾把《山海经》上"刑天"的故事这样发挥着:"假使没有了头颅,却还能做服役和战争的机械,世上的情形就何等地醒目呵,这时再不必用什么制帽勋章来表明阔人和窄人了,只要一看头之有无,便知道主奴、官民、上下、贵贱的区别。并且也不至于再闹什么革命、共和、会议等等的乱子了,单是电报,就要省下许多许多来。古人毕竟聪明,仿佛早想到过这样的东西,《山海经》上就记载着(一种)名叫'刑天'的怪物。他没有了能想的头,却还活着,'以乳为目,以脐为口',——这一点想得很周到,否则他怎么看,怎么吃呢,——实在是很值得奉为师法的。假使我们的国民都能这样,阔人又何等安全快乐?但他又'执干戚而舞',则似乎还是死也不肯安分,和我那专为阔人图便利而设的理想底好国民又不同。陶潜先生又有诗道:'刑天舞干戚,猛志固常在。'连这位貌似旷达的老隐士也这么说,可见无头也会仍有猛志,阔人的天下一时总怕难得太平的了。""刑天"这个形象是古代民间创造的,鲁迅替我们指出了它的意义,而且举出陶渊明的"猛志固常在"作为共同的意见,这就说明古代神话的现实基础,它是从社会斗争当中产生的,是现实主义和浪漫主义的结合。人民总是支持正义的,虽然遭受封建压迫,但人民不以为斗争失败了,这就是古代诗里产生浪漫主义的根源,象《孔雀东南飞》的悲剧最后高唱着:"两家求合葬,合葬华山傍。东西植松柏,左右种梧桐。枝枝相复盖,叶叶相交通。中有双飞鸟,自名为鸳鸯。仰头相向鸣,夜夜达五更。行人驻足听,寡妇起彷徨。多谢后世人,戒之慎勿忘。"梁山伯祝英台的故事也是如此。在我们文学传统里,其实并没有西方所谓悲剧,都是歌颂斗争的,歌颂正义的,都有一种最后胜利的要求,因此是鼓舞人心的。浪漫主义表现在作家的作品里,屈原以后,李白最显著:"大鹏一日同风起,抟摇直上九万里;假令风歇时下来,犹能簸却沧溟水。时人见我恒殊调,见余大言皆冷笑。宣父犹能畏后生,丈夫未可轻年少。"其他如"俱怀逸兴壮思飞,欲上青天览明月","我且为君捶碎黄鹤楼,君亦为吾倒却鹦鹉洲",都有真实的打破环境的气氛。杜甫也有浪漫主义,他在围困在长安的时候写了一首《一百五日夜对月》:"无家对寒食,有泪如金波。斫却月中桂,清光应更多!仳离放红蕊,想象颦青蛾。牛女漫愁思,秋期犹渡河!"这是了不起的浪漫主义的写法,诗人要把月中桂树砍掉,那天下就明亮得多了!杜甫围困在长安是春天,但他相信他一定能同他的爱人安然再会,所以诗里说"牛女漫愁思,秋期犹渡河!"果然这年8月里他就写了《北征》的诗,他还家了。简直可以说中国文学上的浪漫主义就是现实主义,它的倾向性极其强烈,它相信正义,正义必胜!元杂剧《窦娥冤》是关汉卿写的,六月雪的故事则是民间本有,由关汉卿执笔。"若果有一腔怨气喷如火,定要感的六出冰花滚似绵,免着我尸骸现!""这都是官吏每无心正法,使百姓有口难言!""浮云为我阴,悲风为我旋,三桩儿誓愿(按指"一腔热血休半点儿沾在地下"、"雪飞六月"、"亢旱三年"三桩)明题遍,那其间才把你个屈死的冤魂窦娥显!"这是把人民的愤怒都洒在纸上,浪漫主义的写法而是现实主义的基础,表现人民不甘心屈服,要复仇。我们还必须注意,中国民间文学当中现实主义和浪漫主义的结合并不一定表现在故事题材带有神话性这一方面,有时表现在人民的思想冲破了士大夫文人的老一套,因为老一套都是不合理的,人民不要那种不合理的东西,人民要创造自己的合理的东西。这种大胆创造,打破陈规,就是敢于幻想,就是浪漫主义。这种幻想,合情合理,应该如此,就是现实主义。我们举出元杂剧《汉宫秋》和《秋胡戏妻》来说明这个意思。毫无疑问,元杂剧是一些有文学修养的人把民间故事编写出来,换句话说,剧本的主题思想是群众给安排的。在王昭君的故事里,在士大夫文人咏王昭君的诗里,王昭君嫁到匈奴去了,而元杂剧《汉宫秋》王昭君走到番汉交界的江边,叫道:"大王,借一杯酒,望南浇奠,辞了汉家长行去罢。"于是她假装奠酒就跳了江。番王救之不及,叹道:"昭君不肯入番,投江而死,罢,罢,罢,就葬在这江边,号为青塚者。"这里的"青塚",这里的"昭君不肯入番,投江而死",才是人民的思想感情,所以给士大夫的东西来一个翻案。元杂剧《秋胡戏妻》也是把士大夫的一套给推翻了,《列女传》故事是,一个女子,丈夫秋胡出门为官,五年之久,家中就靠她劳动为生,养活着婆婆。五年后秋胡回来,看见路旁有女子采桑,就调戏她,拿出金子来引诱她,她严词拒绝。秋胡到了家,见了他的母亲,"使人呼其妇,妇至,乃向采桑者也。妇污其行,去而东走,自投于河而死。"这么个好女子为什么非投水而死不可呢?她应该活着,把秋胡这个臭男子痛骂一顿。《秋胡戏妻》这出戏就等于由梅英这个女子一生的行为把鲁大夫秋胡痛骂了一顿,虽则她说是"则要整顿我妻纲",其实是骂尽了"夫权"社会。我们认为最有意义的，梅英看穿了秋胡的为人之后，不认他，问他"讨休书"，照我们今天的话就是要离婚，而秋胡的母亲从中调解，"媳妇儿，你若不肯认我孩儿呵，我寻个死处。"于是梅英只得认他，"奶奶，我认了秋胡也。"这就是元曲的伟大处，不要梅英死，这就是人民的思想感情战胜了封建思想，粉弃了因袭的一套。凡这些，证明中国文学最宝贵的传统不在士大夫文人的"正统"里面而在民间，民间文学是真有理想。到了《水浒》英雄，我们谁都知道，都是现实主义和浪漫主义结合的产品了。《西游记》的孙悟空也是一样。我们在这里举武松的故事为例，他是报仇雪恨的被压迫的人民的典型，血溅鸳鸯楼那一回里，写他杀了仇人，"便去死尸身上割下一片衣襟来，蘸着血，去白粉壁上大写下八字道：'杀人者打虎武松也'！"这真是歌颂得好，这应该叫做"此曲只应天上有，人间能得几回闻！"……

到了今天，中国劳动人民彻底翻了身，在党所领导的文化革命的口号下，工农大众人人要做诗人。在古已有之的民间文学的优良传统的基础之上，革命的现实主义和革命的浪漫主义的结合是必然之势。上面我们提到武松的故事，马上我们联想到我们今天一首战士的诗，题目叫做"掏通大山"，诗是：

青年战士打锤狠，
打的大山直动弹。
大山，大山，
掏的两边露天。
一眼望去，
心胸开展。

战士傅汝林在此,

敌人敢来侵犯?!

这决不是什么个人英雄主义,这是受了党的教育、无数青年战士的典型的歌声。这很象小说上的打虎武松,这个打虎武松决定要打美帝国主义纸老虎!

我们要把新民歌里革命的现实主义和革命的浪漫主义结合的代表作品举出一些来。读了这些作品,五四新文学运动以来小资产阶级的新诗作家何去何从,那是非常明白的,必须参加劳动,改造思想,然后新诗大有前途。这里所举的,有的是工人的作品,有的是农民的作品,工人的作品就表现工人的共产主义的风格,农民的作品就表现农民的共产主义的风格。

一条巨龙赶英国

中国人民了不得,

高山敢挑河敢挪,

乘风破浪大跃进,

一条巨龙赶英国。

(广西)

我们感到这首诗就了不得,它来得那么快,真象滚龙一样一下就滚出来了,这代表了中国人民的力量。

起重工

嗨唷! 嗨唷! 齐声唱,

千斤钢板轻轻扛,

脚上踏出上天路,

历史重担肩上抗。

(上海,楚良)

这首诗真是工人的诗,唱出了工人阶级的力量,集体的力量,是"齐声唱"。千斤钢板,然而是"轻轻扛",不是真正做着起重的工作,而且发挥着集体力量,唱不出这种歌来。"脚上踏出上天路",真是上天路,因为人类是要工人阶级来解放的,是要走到美好的共产主义社会去的。脚上踏出上天路,同时也就是"历史重担肩上抗"呀!我们读了这种诗,感到今天诗的力量是同科学结合的,是马克思主义给武装的,群众才是真正的歌手,古代的诗人,"欲上青天览明月"就显得渺小了。我们的话是说得十分公平的。

打　　铁

打铁,打铁,

轰隆轰隆真热烈,

大锤上下象龙戏珠,

小锤忙得象擂鼓。

打铁,打铁,

一天到晚打不歇,

早晨打出万缕红霞,

晚上打出一轮明月。

（江苏，乔楚民）

　　我们读了这种诗,就等于直接从劳动人民受了教育,感觉得自己要劳动,劳动是最美好的生活,劳动人民的精神最高尚。不是"打铁,打铁,一天到晚打不歇"的人,能唱出"早晨打出万缕红霞,晚上打出一轮明月"的句子来吗？这是天未亮就起来工作,工作很久,打了许多铁之后,高兴一看,东方日出了,所以说"早晨打出万缕红霞"。同样,工作到晚不歇,歇了之后,仰见明月,所以说"晚上打出一轮明月"。毛主席说革命的现实主义和革命的浪漫主义的结合,真说出了我们这个伟大时代的每个进步的人的心。

铁打的汉

宝成路,山连山,
关键里面套关键,
管它关键不关键,
工人阶级铁打的汉。
抓着星星山尖站,
蹬着云彩开风钻,
摘下月亮当灯龙〔笼〕,
白天黑夜一样干。
两掌打开老泰〔秦〕岭,
一脚踢倒剑门关。

（四川,王浩）

这首诗末了两句很象李白写的,然而这是"工人阶级铁打的汉"的诗。作为这种诗的源泉的现实生活当然不知更要丰富得多少倍,就是可惜知识分子在以前很少参加到现实中去,有许多人还大哼其李白的"蜀道之难难于上青天","抽刀断水水更流,举杯消愁愁更愁",这就不可容忍!

悬岩上

优胜红旗山上飘,
英雄悬在半山腰,
倒影儿在水中照,
全凭一条安全绳呀,
要把悬岩来斩掉!

(贵州,秦山)

这该是震动古今的图画吧!五四新文学运动初期的一些新诗,当时也有一种新鲜空气,后来就都干瘪了,小巧了,而且"臊死了"!而不知其原因。马克思主义替我们指出来那因为是小资产阶级的东西。而小资产阶级的诗人住在自己的独立的王国里就无论如何不知别有伟大的天地似的。读了这首《悬岩上》应该没有话说吧,要向工人学习,要自己是一个工人,然后保证你新诗源源不断,因为你从而有英雄气概,你生活在不断的革命之中。

技术革新是云梯

老天听吩咐,

大地随心愿,
我那小车床,
更是听使唤。

我要大跃进,
车床快快转,
技术革新是云梯,
飞步上青天!

（四川）

这种诗中国历史上有吗?当然不可能有!要工人阶级才有!要党领导的大跃进的形势之下才有!这是世界上最伟大的诗!当工人阶级的诗还没有出世以前,我们不知道什么叫做工人阶级的诗;工人阶级的诗出世以后,这就是工人阶级的诗!好语言,好思想,好感情!

沂蒙山区短歌

大蒙山,站面前,
昨天你挡我,
今天齐腰砍。

（山东费县）

现在讲农民的革命的现实主义和革命的浪漫主义的结合。这是一首短歌,真是短,但比起昔日楚霸王的"力拔山兮气盖世"来不知力量要大多少倍,因为它代表的是农民阶级的力量,不是某一个人的东西。陶渊明曾经形容中国的农民"言笑无厌时",这首砍大蒙山的诗就表现"言笑无厌时"的风趣,当他们在劳动面前。

送粪曲

东方白,月儿落,
车轮滚动地哆嗦。
长鞭甩碎空中雾,
一车粪肥一车歌。

(河北,李光军)

粪肥是古今之常事,但这一首《送粪曲》是任何人的诗集里找不到的吧?我们如果把古今诗人都召集拢来说要把这一首《送粪曲》作所有诗集的压卷诗,我们敢说没有理由反对!在五四初期光说"白话诗、白话诗",就是不知道什么叫做诗的思想感情问题,所以那叫做形式主义。要等到毛主席指示我们,是由一个阶级到另一个阶级的问题,是思想感情来一个根本改造的问题。而今日又是一穷二白的广大中国劳动人民写出最美丽的新诗来了。在事实面前谁都得承认。

钩夕阳,撬月亮

和冰霜搏斗,
与风暴打仗,
用锄头钩住夕阳,
用扁担撬起月亮。

（湖南武冈）

我们认为这首诗也代表农民的性格,他们就是有力量,而又幽默,就是"言笑无厌时"。"用锄头钩住夕阳,用扁担撬起月亮",是真实而美丽的形象,中国的农村虽还没有机械化,中国的农民已是地球上的"卫星"了,——是的,他们用锄头钩住夕阳,用扁担撬起月亮!

找替工

社员跟太阳比赛跑,
累得太阳把替工找,
月亮露面心里跳,
"啊,我替不了,我替不了!"

（山西黎城,于文相）

这里太阳是太阳的形象,月亮是月亮的形象,而诗所表现的是伟大的劳动人民的形象。而诗只有寥寥四行。这里太阳是真显得累了,尤其难得的是"月亮露面心里跳",她感得她替不了,多么地会写不分白昼黑夜农民的冲天干劲!

庄稼种上天

社员志气坚,
人马布山巅,
锄云又犁雾,
庄稼种上天。

（辽宁）

犁地姑娘云中走

梯田弯弯闪银光，
好似白云绕山岗，
犁地姑娘云中走，
如同织女追牛郎。

（山西，姚明锦）

这种诗很不容易写，因为容易写得空洞。古往今来浪漫主义和现实主义的结合决不是偶然的事。如果把真实的劳动生活说得虚无缥缈，哪里会有感人的力量呢？这两首诗却是令人读了感得人类的生活是真有价值，什么才叫做幸福的生活。一方面是我们的社会主义前途是如此，一方面是人心如此，才能用极美丽的词句反映群众的顽强的劳动，"锄云又犁雾，庄稼种上天"，在古人的诗里是无论如何也不能有这样的想法的，万一有了读起来也必不知所云，连《桃花园〔源〕记》那篇文章里"土地平旷，屋舍俨然，有良田美池桑竹之属，阡陌交通，鸡犬相闻"的描写从来都认为是理想哩。在今天则真是"人马布山巅"，真是"庄稼种上天"。生活当中"云"和"雾"极容易同"犁"和"锄"连结在一起，汉语的表现方法又极容易发挥想象，无任何限制，于是"锄云和〔又〕犁雾，庄稼种上天"成了最节约的句子了，深入人心，毫无夸大之感。"犁地姑娘云中走，如同织女追牛郎"，这个姑娘是真真在那里犁地，昔日织女追牛郎的故事因了今天的现实格外显得美丽了，这个织女自己就是翻了身的牛郎哩。

我们说了算

河水急,江水慢,
还得我们说了算,
叫水走,水就走,
叫水站,水就站,
叫它高来不敢低,
叫它发电就发电。

（辽宁朝阳）

　　所有的知识分子的作家们都要从这首诗学习语言,学习概括生活的本领。当然,首先是思想感情要紧,也就是革命的干劲要紧,远大理想要紧,表现能力和概括能力是随之而来的罢了。"河水急,江水慢",不是信口唱的,你仔细观察过,见着水面不宽的河水是感得水急一些,见了宽阔河床的江流仿佛它还流得慢一些,实际上当〈当〉然江比河急。不管你急也好,慢也好,"还得我们说了算!"谁读了都要心服,是真真对水说的话呵,话真说得可爱,真说得好听,刚而柔和的音乐似的。接着"叫水走,水就走,叫水站,水就站,叫它高来不敢低"都不成问题,今天的现实是如此嘛,然而难得的是接一句"叫它发电就发电",于是水也就心服了,读者也决没有话说了,今天到处兴建水发电站嘛! 这就是古代诗人杜甫所说的"语不惊人死不休"。这也叫做会押韵。所以我们说这里的语言是真好,这里的概括能力是真大。

抗旱歌

千军万马摆战场,
人人上阵战旱王,
瓢瓢清水是炮弹,
命令旱王早投降。

（四川,矢夫,扬烈）

这首诗表现着革命的乐观精神,集体力量的无敌,令人相信在党所领导的一切工作之中没有什么叫做困难。"瓢瓢清水是炮弹",是的,这个清水炮弹成功了文章的奇景!旱王哪有不投降的。现实生活正是如此。我们今天真正需要奇文才能反映我们的现实。

举得起天提得起地

天有把我们举得起,
地有环我们提得起,
毛主席叫我们做的事情,
你看,哪项不胜利。

（唐国玉）

"毛主席叫我们做的事情,你看,哪项不胜利。"这是我们人人心中的一句话。中国人民举得起天提得起地。因此,我们的文学高举革命的现实主义和革命的浪漫主义结合的旗帜。

三 诗的语言问题

在五四初期有一个比较好的现象,除了复古派外,学文学的人都相信新文学,对古典文学一点也不害怕它。其偏差是,那时做新诗的人目中无旧体诗。在解放后,尤其是在党提出"厚今薄古"的号召前一个时期,大学里汉语言文学教学方面资产阶级厚古薄今的气焰很大,弄得古典文学对青年形成了一种威胁,仿佛古书难读,古典文学不好懂,青年难得有"学问"!在大学里搞新文学的人简直有自卑感,没有学问的人才搞,因为新文学的作品里的字句不需要作注释。这明明是迷信。青年们不知道资产阶级的"学者"们根本不知道文学语言是怎么一回事。不懂得语言,还谈什么"学问"呢?就是吓唬青年。古典文学没有什么难懂的,主要的还是自己的政治觉悟,对作品的思想感情的分析,至于文学所用的语言,古代同现代都是汉语,丝毫没有什么古怪的地方。斯大林在他的《马克思主义与语言学问题》里面告诉我们,一个民族的语言,古和今基本上是一个东西,我们完全可以用衡量现代文学语言的办法去衡量古典文学。所谓古典文学"难懂",说穿了不过是典故和难字这两件事。青年们见了典故,见了难字,就给吓唬住了。典故和难字都属于词汇的范围,有的是古人自己本来就不该用的,这就应该置之不理;有的古人用得恰当,今天的"学者"们就应该做出工具书出来,如词典,或者个别重要著作或重要作家的词汇,让青年们一查就了事。问题的实质就是如此。

　　要说文学语言的话,最好的语言应该是不需要典故,没有难字,古典文学和现代文学是一样的,它不是例外。我们拿陶渊明的诗来做例子。陆游有一首《读陶诗》:"陶谢文章造化侔,篇成能使鬼神愁。君看夏木扶疏句,还许诗家更道否?"这把陶诗的语言推崇到极点,确实是经验之谈,话说得极公平。我们把陆游所推崇的这一首陶诗抄下来:"孟夏草木长,绕屋树扶疏。众鸟欣有托,吾亦爱吾庐。既耕亦已种,时还读我书。穷巷隔深辙,颇回故人车。欢然酌春酒,摘我园中蔬。微雨从东来,好风与之俱。泛览《周王传》,流观《山海图》。俯仰终宇宙,不乐复何如?"这里面所有的词汇到今天都是用的,形容树木的枝叶茂盛我们也还可用"扶疏"这个词。陆游也是大诗人,他佩服陶渊明就不过这样佩服,他认为这就是文学语言的标准。苏轼也极称赞陶渊明的这两句:"平畴交远风,良苗亦怀新。"这两句有什么奇呢?它没有别的,它是用语言来刻画形象的,它不用典故,它没有难字,好就因为它包含的形象好。陶渊明另有两句四言诗与苏轼所称赞的两句写的是同样的形象,我们也引了来:"有风自南,翼彼新苗。"这真是好语言的标准,我们认为比"平畴交远风"更有形象性,一个"翼"字把一片的新苗在风吹之下写得太生动了。我们在这里用陶渊明的诗来作例,完全是从古代诗人运用语言这个角度来谈,不涉及其他。语言好要它的形象好,证之于所有的古典文学和现代文学都是如此。

　　形象的重要条件是其直接性,典故和难字就是隔了一层,当然对形象造成了障碍,谈不上一个"好"。有时我们说某个古典作家某个典故用得好,那是说他在安置障碍物的情况之下显得有技巧,不是说表现形象的语言非得有这个障碍物不可。旧诗因为它的体裁的关系,障碍物有时也确有必要,好比律诗一共只有八句,要把事情都说清楚,来一个典故(因为它本来是向知识分子说话的,不怕他们不懂得典故)就可以代替许多叙述。我们举杜甫《自京窜至凤翔喜达行在所》的一首:"愁思胡笳夕,凄凉汉苑春。生还今日事,间道暂时人。司隶章初睹,南阳气已新。喜心翻倒极,呜咽泪沾巾。"这里面五、六两句用汉武光〔光武〕中兴的典故代替唐肃宗中兴,否则要用简单的两句十个字叙述时事就很困难了。至于难字,是作者故意用来遮眼的,有时也是因为困难,受了整齐句子的限制,找不到适当的字。说老实话,典故和难字不但使得读者伤脑筋,要查出处,就作者自己也是查书查出来的,所以李商隐写诗的状况被称之为"獭祭鱼",这三个字就是把一册一册的书摆在面前的形象。陶渊明说他"好读书,不求甚解",我们推想,他写起诗来就不去查书。杜甫说着"读书难字过"的话,就明明是老前辈的辛苦之言,不认得的字没有啥玩意儿,让它过去好了,不理它好了。一个非常显明的例子,谢灵运的诗比起陶渊明来是有难字的,而从来就把他的"池塘生春草"当作好语言,叹为难得,这里面有什么奥妙呢?这个奥妙就是说,语言技巧最难的是不用典故和难字,用眼前现成的东西。古典文学,象《诗经》和楚辞,是干干净净没有典故和难字的,我们今天读起来仿佛处处是典故,处处有不认得的字,那是时代久远,方言差异,传说故事有很大的变化,在《诗经》楚辞当时是普通的词汇,或者家喻户晓一个人或物的名字,到今天对我们说就需要注解。我们推想,在《诗经》里只是词汇丰富,今天我们有许多是不认得的,正同听不懂同时代的方言一样,楚辞里则多的是古代流行的神话故事。《诗经》里一定没有后代文人所谓的"典故",这是容易承认的,因为在它以前有什么汗牛充栋的东西供给它用呢? 它主要的是口头创作。楚辞的语言,我们主要的是指屈原的作品说,我们发现它没有《诗经》里面片言只语的痕迹,这一点同后代的文章比起来大可注意,这就帮助我们说明屈原的作品里面也很难找出后代文人所谓的"典故"。屈原以后的作家,如陶渊明,没有后代文人以古典代今事的表现方法(故意隐晦的诗如《述酒》是例外),但陶渊明的诗同屈原的作品有显著的不同之点,就是陶诗的词汇很多是因袭所谓"六经"上面的东西,特别是《诗经》。我们认为这是陶渊明作诗时遇到的困难,或者也正是很古以来一般文人的习惯,不如此就不行似的。我们可以从陶诗里举些例子。陶渊明挽歌有"在昔无酒饮,今但湛空觞"两句,另外四言诗《停云》的序有"樽湛新醪"的句子,这里面的"湛"字是从《诗经》来的,《诗经》有"或湛乐饮酒"、"荒湛于酒"的句子,"湛"就是贪酒喝。"今但湛空觞"这一句有陶渊明的幽默的感情,爱喝酒的人生前因为家里穷想酒喝而不得,死了自己的灵前一定还摆有空杯子(指祭奠)!所以这句诗本是有形象的,要用五个字一句表现出来,缺乏的是一个动词,如是陶渊明只好从《诗经》里找一个"湛"字,后代人就认为这样的用字是"典雅",不知道这是词汇的贫乏。陶渊明也有用代字的例,如以"不惑"代替四十岁,以"立年"代替三十,以"曰富"代替酒,以"悬车"代替太阳,这种用代字的方法在旧诗里是顶多的,顶不好的,陶诗里好在不多,如果多起来就不成其为陶诗了。陶诗里的四言诗模仿《诗经》很明显,如"薄言东郊"的"薄言"二字,是把《诗经》时代的方言硬搬来凑四个字一句的数,其他如"邈邈遐景,载欣载瞩"里面的两个"载"字也是的。又如"衡门之下,有琴有书,载弹载咏,爰得我娱"四句,头一句完全是照《诗经》的四个字写下来,三句两个"载"字,四句又有一个"爰"字。我们认为这只能算是陶渊明的习作,决不是陶诗的价值。但因为陶渊明没有搞以古典代今事的把戏,所以后来的人谈起用典故来总不想到陶诗。以古典代今事属于后代用典故最大的范围,而这种用典故的方法庾信的《哀江南赋》集其大成。杜甫的五言长律又是从庾信的赋学来的,写的都是时事,用的都是典故,《哀江南赋》正是如此。如果这两个人,不用典故,——当然不能要求他们象《水浒》、《红楼梦》一样用白话,只要求他们用《左传》、《史记》那样的语言,把他们一生的遭遇(个人的,国家的,社会的)写起长篇来,就写长篇的韵文吧,那不知应该写出一种什么样出色的东西,因为他们二人确实是语言形象化的能手。这一层我们想象不到。我们要考察一下他们二人的原品。先看《哀江南赋》,如这一段:"五十年中,江表无事。王歙为和亲之侯,班超为定远之使。(都是用《汉书》的典故叙梁与东魏通好。)马武无预于甲兵,冯唐不论于将帅。(这是说不修武备,上句用东汉光武不许马武言击匈奴的典故,下句是从西汉文帝与冯唐论将帅反过来用的。)岂知山岳暗然,江湖潜沸,渔阳有闾左戍卒,离石有将兵都尉。"这"岂知"以下就是说梁朝岂知有侯景之乱了,渔阳戍卒用陈胜吴广的事,离石都尉用丁宝《晋纪》的话:"彼刘渊者,离石之将兵都尉也。"庾信就是这样用古典叙时事。写侯景攻城,战事激烈,城中梁武帝围起来了,诸子援兵在外,父子兄弟不相接救,就这样写:"昆阳之战象走林,常山之阵蛇奔穴。五郡则兄弟相悲,三州则父子离别。"完全是典故,靠典故造成一种恐怖和悲哀的气氛。再如他自己溯江而上,走三千余里,这样写:"淮海维扬,三千余里,过漂渚而寄食,托芦中而渡水,届于七泽,滨于十死。"都是典故,都是成语,大约也是事实。写他在北朝:"班超生而望返,温序死而思归。李陵之双凫永去,苏武之一雁空飞。"都是典故。庾信的文章就是这样写的。我们再来看杜甫的五言长律,抄他在秦州《寄李白二十韵》的一段:"才高心不展,道屈善无邻。处士祢衡俊,诸生原宪贫。稻粱求未足,薏苡谤何频。五岭炎蒸地,三危放逐臣。几年遭鵩鸟,独泣向麒麟。苏武元还汉,黄公岂事秦〔秦〕。楚筵辞醴日,梁狱上书辰。已用当时法,谁将此议陈。"这些话很愤慨。替李白大抱不平,然而用的都是典故。再抄《夔府书怀四十韵》的一段:"使者分王命,群公各典司。恐乖均赋敛,不似问疮痍。万里烦供给,孤城最怨思。绿林宁小患,云梦欲难追。即事须尝胆,苍生可察眉。议堂犹集凤,贞观是元龟。处处喧飞檄,家家急竞椎。萧车安不定,蜀使下何之。"这一首四十韵,就从我们抄的这一段说,倾向性极大,要把统治阶级剥削老百姓的情况一下都说出来,而统治者也难得维持其统治秩序,杜甫也要把它说出来。确实是如此。表现方法却是用典故。其中"苍生可察眉"一句更引起我们的注意,《列子》,晋有郄雍者,能视盗眉睫之间而得其情,杜甫用"苍生"二字来代替"盗",比他的"盗贼本王臣"一句诗写得更不易得。就用典故说,我们当然不能不说杜甫的典故用得好,同时很分明,古典文学的现实主义也就局限在这里,如果杜甫把他对他的社会的观察都用白描的手法写出来,他就要费更多的思考,用更多的组织,他的思想也就必须有更大的提高。我们不能这样任意设想,不能非历史主义地要求杜甫。然而我们决不能受古典文学的威胁,认为我们今天还非学杜甫"读书破万卷"不可,非做"獭祭鱼"不可,那我们就太没有出息了!庾信的赋,杜甫的长律,是典故的堡垒,我们把它攻下了,还它一个本来面目,其余多得不可计算的古典文学里以古典代今事之作,便可一笔抹杀。让我们用句成语来讥笑那般用典故的人,他们叫做"丑妇效颦"。

然而我们倒应该谈一谈李商隐和黄庭坚这两个人。这两个人是典故大家,他们不属于丑妇一类,是著名的"美人"。这两个人又开了一条用典故的门径,把他们两人用典故的把戏给揭穿,然后我们对中国文学史上用典故的能事全盘掌握住了,从而知道未来的文学不需要这个东西,这个东西正好是旧日知识分子的负担。李商隐、黄庭坚写诗的语言是有形象的,但他们的形象不是直接从生活中来,是从书里的典故上来。他们对生活也有他们的态度,就是逃避,脱离对现实生活的反映而娱乐于典故当中的形象。李、黄用典故的方法是一样,不过李的基本情调是从他的感情出发,黄出发于他的理智方面。李商隐有《复至裴明府所居》一首律诗,三、四两句是"柱上雕虫对书字,槽中秣马仰听琴",一句用"雕虫篆刻,壮夫不为"的典故,一句用"伯牙鼓琴而六马仰秣"的典故,两句对起来象煞有介事似的,剥削阶级的生活都给作诗的人美化了,作诗的人便这样堆了满脑子的"超然物外"的形象。同样黄庭坚有一首律诗写"清明",并没有在清明那一天真正看见了什么因而把它写下来,乃是借典故写了这么的两句:"人乞祭余骄妾妇,士甘焚死不公侯。"前一句引用孟子,有那么一种人,人家上坟,他乞了人家祭余的酒肉,饱饱的,醉醉的,回去骄其妻妾,说是从阔人家里回来;后一句"士甘焚死"用介子寒食断火的传说,同乞祭余的人成一鲜明的对比。所以象李商隐、黄庭坚的做诗,离开书本是不行的,离开书本就没有典故就没有得写,这正表明他们没有生活。再如李诗有这么的两句:"瞥见冯夷殊怅望,鲛绡休卖海为田!"里面有三个典故,冯夷是水神,这是一;鲛人住在海里,不废织绩,时出人家卖绡,这是二;沧海变为桑田,是三。李商隐用了这三个典故写了他的两句诗,意思是说,冯夷在那里着急,怅望着,卖绡人,你赶快回来,不要卖,我们的海要变为田了! 黄庭坚则习于这样写:"愚智相悬三十里,枯荣同有百余年!"用的典故是,曹操看见了曹娥碑上的八个字不懂其义,而杨修懂得,曹操走了三十里之后才懂得,因对杨修曰:"我才不及卿,乃较三十里!"李商隐、黄庭坚就是这样用典故,大体上李是感情起作用,黄是理智起作用,然而没有典故他们的感情他们的理智就没有作用,因为他们谈不上反映社会现实。中国古典诗人用典故的情况就是如此。我们今天应该得一句结论,知识分子从来就是把自己封在空中楼阁里。

我们必须注意,在文学史上,一方面有离不开用典故的知识分子的诗,一方面又有大量的民歌和唱本。民歌和唱本的词汇则是不要典故的,其形式同知识分子的诗歌形式是一样,就是五言诗、七言诗。民间的唱本有许多篇幅是很长的,艺术形象是很了不起的,如梁山伯祝英台的故事。这就是一个事实。这个事实是说,只要真有故事,典故丝毫没有用处。知识分子为什么不从这里吸取经验呢? 诗的语言应该从故纸堆中解放出来。白居易就有这个尝试,我们看他的《新丰折臂翁》:"新丰老翁八十八,头鬓眉须皆似雪。玄孙扶向店前行,左臂凭肩右臂折。问翁臂折来几年,兼问致折何因缘?……"这就是唱本的语言。可惜文人没有朝这条路发展下去。要走这条路不容易,要有诗的内容。有杜甫的三"吏"、三"别"的内容,就可以用老百姓的写法来写。当然,写法上也必须要有一个自觉,于是越是注意内容的重要,越是避免或离开口语所不用的词汇。白居易仅仅走了一步。后来的文人就只知道走文人的路了,于是有什么这家那家的诗,这朝那朝的诗,说穿了是语言风格有差异,其所表现的则同是知识分子的东西。知识分子语言风格的差异,又正是从同一个标准产生的,就是向古典学习。因此,古典文学的诗,从很早就陷入了圈套了。必须向生活学习,向人民学习。但谁能提出这个问题呢?又必须生活给我们提出要求,人民给我们提出要求。这就需要有一个伟大的时代。

五四初期的新诗,是小资产阶级知识分子所欢迎的,不配解决中国诗的问题。

中国诗的问题,工农大众解决了,所以中国共产党有1958年的伟大的采风运动。

这个采风运动,是共产主义文学在中国文学史上开始出现,真是一鸣惊人。其内容是马克思主义的,其形式是民族的。其形式是民族的,其语言则彻底消灭了在口头上不起作用的词汇。具体地说就是:新民歌的语言不用典故,不要难字。除了不用典故、不要难字之外,新民歌的语言充分表现着语言的艺术的继承性。

四　诗的形式问题

　　新民歌之多，是从工农大众的劳动干劲多出来的；这一点我们必须有充分的认识。邵荃麟同志记他在西安访问白庙村的农民，"问他们的诗怎么搞出来的；他们讲得很好，他们有个女生产队长，在车水灌溉麦田时，为了减轻疲劳提高干劲，把感情表达出来，她就说：'我们做诗吧！'劳动刺激了她的感情，她就唱了起来：'水车叮当响，麦苗你快长；我给你喝水，你给我吃粮。'"这确实说明了问题。又如我们曾经引用过的《起重工》这一首："嗨唷！嗨唷！齐声唱，千斤钢板轻轻扛，脚上踏出上天路，历史重担肩上抗。"这也明明是鲁迅所说的"杭育杭育派"的提高。那么，问题很清楚，汉语五个字一句、七个字一句是最合乎歌唱的，所以古代的诗歌是大量的五言、七言诗，今天的新民歌也大量的是五言、七言体了。思想感情是第一件事，是有阶级性的；语言是全民共有的，古代汉语和现代汉语基本上是一个规律，在歌唱的节奏上完全没有差异，五个字一句、七个字一句是汉语的"天籁"，最自然的节奏。话就只有许多。

　　有人说，五、七言体是农民大量用的，用它来歌颂农民的劳动没有什么问题，用它来写工人的劳动就未必够。这话应该作更具体的分析。事实上象《起重工》这首诗有什么叫"不够"呢？

只有这种形式合乎歌唱,合乎劳动的节奏,它就是够的。我们更多的举出工厂的诗来说明,如下面的一首:

早　　晨

苦战一通宵,
早晨春光好;
厂里锣鼓敲,
花开知多少。

（上海）

这首诗是不是受了唐诗"春眠不觉晓,处处闻啼鸟;夜来风雨声,花落知多少"的句子的影响,我们还不敢肯定,但可以肯定的,这首诗十分出色地写出了工厂通宵苦战的积极情调,这个"花开知多少"的花开真开得好！如果写农村合作社农民通宵达旦的干劲就未必写到花开。这一首成功的诗确实有唐诗的风格,然而歌的是新中国上海工厂跃进当中的朝气。

又如:

花布赞

莫非霓虹现眼前,
五彩缤纷耀目眩。
若问春天何所在？
布面花开齐争艳。
印染工人真不凡,
巧夺天工色不变;

剪裁花布缝衣衫，

姑娘身上是春天。

（陕西，田天，原载《工人文艺》）

这就不是农民的诗，是很好的新民歌体的工人的诗。

又如：

纺织花插天安门

比先进，学先进，

纺织花开一片锦，

花儿开在纺织厂，

掐朵插在天安门。

（陕西，国棉一厂杨祥林）

在古代诗人的诗里，七言诗常常插进三言的句子，这首诗决不象是学古人的形式，只是很自然地歌唱出来。这开在纺织厂的花，"掐朵插在天安门"，该有多么可爱，是诗的思想感情好，是语言好，诗的节奏好。

又如：

放炮工

我们放炮工，

走遍露天坑，

哪里岩石硬，

哪里放炮崩。

进入炮区间,
劳动干的欢,
男的装药快,
女的紧充填。

红旗迎风飘,
岗哨警戒牢,
绿旗发号令,
地动又山摇。

硝烟满天飞,
岩石咧了嘴,
剥开皮来看,
嘿嘿都是煤。

(辽宁,赵韵翔)

放炮工的工作状况,通过这首五言诗都表现出来了。最后两句"剥开皮来看,嘿嘿都是煤",不是亲自崩开岩石亲眼看见东西决写不出来,写出来就写得那么快,把表示欢喜的两个声音("嘿嘿")放进诗里去成功一个诗行,这不是内容决定形式的证明吗?这是一首五言诗的"试验田",这比《诗经》里以"于嗟"两个字的象声词加进去写 句"于嗟麟兮"、比杜甫以"呜呼"两个字加进去写一句七言"呜呼古人已粪土"要绘声绘色得多!

又如:

铁路线

红漆白杉竿,

根根紧相连;

东起河口站,

穿过乐都县,

沿着黄水湾,

绕过"青海"边……

翻山又过岭,

栽到大柴旦。

这是做什么?

来量铁路线。

(青海,新生铁工厂王庆和、赵世丞)

我们读这一首《铁路线》感到热闹极了,仿佛跟着红漆白杉竿一根一根插下去似的,插到祖国的边疆青海边,而我们读着感到亲近极了!这确是五个字一句的效果。当然,诗的思想感情使得我们与之共呼吸那是不成问题的。有人强调民歌体的局限性,我们认为持这种论调的人是他自己局限在某个圈子里,实际上工农大众的思想感情不可限量,他们的诗冲破唐人的平沙万里,"来量铁路线"了。

又如:

跃进数字亮人心

字架字,密钉钉,

我摘码字象摘星,
1 2 3 4 5 6 7,
跃进数字亮人心。

加油拣,加油拼,
顺位码字象骑兵,
加鞭跃进再跃进,
一刻翻了一个身。

拣码字,乐在心,
我的干劲拼命升,
今夜干他个通宵,
明早捷报传北京。

(福建,福州第一印刷厂工人张传兴)

我们说强调民歌体的局限性的人是他自己有局限,从这一首印刷工人的诗也可以证明,因为这首《跃进数字亮人心》是无限的自由,在七个字加三个字的句子里。这首诗写得多么有个性,不但有工人诗人的个性,而且有印刷这个工作的个性,同时诗的政治性是多么强,通宵干劲总记得"明早捷报传北京"!

我们在讲革命的现实主义和革命的浪漫主义结合的时候已经引过《技术革新是云梯》这首诗,现在讲诗的形式还应该把它读一遍:

老天听吩咐,

大地随心愿；
我那小车床，
更是听使唤。

我要大跃进，
车床快快转，
技术革新是云梯，
飞步上青天！

这是五言夹一句七言。这是工人的诗，不是农民的诗。所以诗的形式可以是一样，诗的个性不一样。

以上举了七首工人的诗来作例子，说明工人的诗同农民的诗一样很自然地采用了五、七言体。所谓五、七言体，念起来是这么的一种节奏，每两个字（一个字是一个音）为一节，最后一个字独自为一节。即是七言是四节念，五言是三节念，二、二、二、一和二、二、一。合并起来就是四、三念和二、三念。古典诗的五、七言是如此，新民歌的五、七言也是如此。这是汉语的极其自然的十分容易的歌唱的节奏。新民歌当中，有时有句的字数不只七个字的，但还是七言诗的节奏，因为字虽不只七个，而是读成七个字的拍子。如这一首《新水井》：

新水井，亮闪闪，
好象姑娘水汪汪的眼：
看得玉米露牙笑，
看得地瓜浑身甜，

看得谷子垂下了头,
看得高粱羞红了脸;
看得粮食堆成山,
看得日子象蜜甜。

(山东临清,张志鹏)

这首诗第二句虽是九个字,"水汪汪的"四个字念得很快,等于念两个字的拍子,所以还是七言的拍子。五句、六句都是八个字,但"垂下了"和"羞红了"念快些等于两个字,还是七言的节奏。

如果有这样的情形,一句虽然是七个字,而念起来我们感觉得它不象七言诗,那必定是其中的句子无论如何不能分作四、三的节奏来念,如《昆仑山上彩云飘》这一首:

昆仑山上彩云飘,
手风琴拉的真好;
探勘队员眯眯笑,
一天疲劳忘掉了。

(青海大柴旦,文风)

这首诗第二句,"手风琴"是一个节奏,"拉的真好"是一个节奏,无论如何是三、四的节奏,不能是四、三的节奏,这就是不同乎七言体的事实。又如我们曾经引用过的《立功喜报到了家》,是七言体,其中"傻孩子,你知道啥"一行,就决不能念成四、三的节奏,是七言体诗例外的诗行了。我们认为这种例外的诗行是很自然的,而且是很必要的,为得要表现我们今天的生活。我们今天的生活太丰富了,表现丰富生活的词汇当然要丰富,因之诗的节奏不能太简化,要善于推陈出新。

下面我们更举出六首工人的诗,都是五、七言体,而有所变化:

约翰骑牛我骑马

约翰骑牛,

我骑马;

赛不过它,

象么话。

(湖北,大冶钢厂)

这首诗其实是两句七言,但作者分作四行,是很完全的一首诗,把赛英国的思想感情写得很有气概,从咱们国家工人看起来,老牌资本主义的英国不在话下了。这首诗的奥妙在哪里呢?四、三的节奏,把它停顿一下,停顿之后又快念,这就是奥妙,善于变化两句七言而成一首诗。当然,主要是思想感情的豪迈,因而极其生动地用了作者当地——湖北的口语"象么话"三个字,于是就成功这样的节奏。从这种诗看起来,七言句子确乎是从汉语产生的,属于全民的,不是古代文人单独擅长的,今天农村的民歌更不是因陋就简搞出来的,它表现了极大的继承性。

拖拉机出了厂

拖拉机,新生号,

四月二十日出了厂；
拖拉机，身子小，
拐弯抹角真灵巧；
拖拉机，是件宝，
耕地运输都能搞；
拖拉机，真正好，
带动电滚如飞跑。
新生厂的干劲高，
群众努力党领导，
大胆试制拖拉机，
大部零件自己造，
只用三十零八天，
安装完毕田间跑。

（辽宁复县）

　　这首诗是七言加三言，这是古今共同的。我们应该注意的是"四月二十日出了厂"这一句，这一句在这里劲拔极了，仿佛在许多诗行当中它挺身而出，因而全身都有力量似的。如果把八个字改为这样的七个字："四月二十出了厂"，那也没有什么不可以，然而显得太有诗气了，好象作者着意写一句七言诗似的。现在我们读着"四月二十日出了厂"，如读了当天的报纸，极其高兴这个消息，大为之吸引。这八个字还是七个字的拍子，"二十日"三个字读成两拍，依然是四、三节奏。我们不要以为这是偶然的事，这是作者要真实地反映我们国家的现实，故完完全全地写下"四月二十日出了厂"这一句。

太平村的新客人

搬家马车到街头,
好多家属下了楼,
有的帮助抬箱子,
有的带路走前头。
隔壁走出蔡大娘,
和厂长书记握了手,
口叫老曾和老盛,
今后咱们交朋友。

(辽宁,鞍钢一炼钢厂)

这首诗用极经济极自然的手法把故事展开,而且歌唱得好听极了,七个字一句,到第六句"和厂长书记"五个字等于四的节奏,格外显得不呆板。

翻砂工的干劲

别看我脸黑赛炉膛,
咱就爱上这一行,
一天要是不抓砂,
手心就是真痒痒。
厂要班产一百辆,
嘿!看我老黑膀一晃,
明年赶过"福特"厂!

(吉林,长春汽车厂张亚超辑)

这首诗第一句"别看我脸黑"五个字等于四的节奏。第六句句首加一个象声词,那么地喊一下,把语气一顿,接着连唱两句七言。凡这些都充分证明诗歌是从劳动产生的,什么样的劳动者唱什么样的歌。强调新民歌有局限性的人是坐在室内还没有大见外面世界的阳光。

织布谣

小小布机没多高,
齐到姑娘半中腰,
它是姑娘小伙伴,
叽叽喳喳谈不了。

叽叽喳喳谈不了,
说的话儿谁知道,
只有姑娘听懂它,
一边织呀一边笑。

一边织呀一边笑,
大红喜报车上飘,
瞧那下机正品率,
又一个新纪录出现了。

(上海,国棉十九厂工人李根宝)

这首诗一连串四、三的节奏,象滚珠似的,滚到最后一句来一个"又一个新纪录"六个字等于四的四、三节奏,就唱完了。

生　炉

　　开动鼓风炉,
　　火苗呼呼响,
　　炉火四放光,
　　汗珠脸上淌,
　　捧出赤诚心,
　　献给亲爱的党。

　　　　(江苏,彭保中)

　　这一颗赤诚心该歌唱得多好!前五句是二、三节奏,声音响亮,最后一句真有顶天立地的力量,站住了,"亲爱的党"四个字等于三的节奏,"亲爱的"读得快,一个"党"字就读得重。

　　根据以上的分析,我们体会到最近党指出中国新诗应该在民歌和古典诗歌的基础上去发展,应该采取民族形式,对新诗的前途是有巨大的指导意义的。

　　另一方面,党的文艺方针是百花齐放,主张形式多样化,风格多样化,因此,在以民歌为主流的号召之下并不排斥自由诗,对自由诗采取自由竞赛的方法。然而究竟什么叫做自由诗?大家似乎还没有一定的意见。虽然没有一定的意见,但决没有人认为把散文分起行来写就叫做自由诗。可见确乎有一种东西分起行来写而同民歌的节奏不同,称之为自由诗。我们观察所有写得成功的自由诗,它有一个特点,它是写一件具体的事情的,很象旧日所分的"兴、比、赋"当中的"赋","赋者,敷陈其事而直言之者也。"自由诗就是敷陈其事而直言之。当然,敷陈其事而直言之同样可以用民歌体,如我们前面所引的《立功喜报到了家》便是。但自由诗决定是敷陈其事而直言之,当下没有这件事就决写不出这首诗来。我们读《毛主席参观汽车厂》这一首诗:

太阳温暖着大地,
万物浴着灿烂的阳光,
毛主席参观了汽车厂啊!
我们的心花迎着春风怒放。

毛主席走进厂房,
我们的心要跳出胸膛,
我们只顾激情的高呼,
却忘掉了鼓掌……

我们看见了他那魁梧的身躯,
宽大肩膀,丰润的脸庞;
象大海里轮船的舵手,
领着人民朝着理想远航……

毛主席走到工人的身旁,
慈祥的眼睛把每人视望。
张师傅想和毛主席握手,
又不知把手往那儿放。

毛主席走进张贴大字报的长廊,
微微地笑了,
笑得那嗡嗡的机床也来伴着鸣唱。

毛主席走了,
我们望着毛主席走过的路上,
留下通往共产主义社会的脚印。

（长春,第一汽车制造厂工人张忠祥）

这一首诗非常宝贵,它充分表现着自由诗的价值,我们决不肯在新中国新诗歌的宝库里减少这一首自由诗,它把群众对领袖的热爱、领袖对群众的热爱都写得多朴实呵！歌颂毛主席的诗多是民歌体,是音乐般的欢呼之声,第一汽车制造厂工人张忠祥的这一首则是一篇记录。我们推想这首诗的作者平日总记得毛主席,想会见毛主席,然而不是毛主席这天到汽车厂参观,诗人就不能写这一首诗,这首诗是敷陈其事而直言之。千千万万歌颂毛主席的民歌的产生过程同这首诗的产生过程显然是不同的。

我们再读这一首《送礼物》[①]：

白石岩生在红河南岸,
岩洞就在那雄伟的哀牢山,
洞里有三匹枣红马,
马背上配着黄金鞍。
拉出红马驮礼物,

驮去北京送亲人：

一匹驮绿子，

一匹驮石灰，

一匹驮槟榔；

送给亲人毛主席，

献上彝家一片心，

毛主席啊，祝您万寿无疆！

（彝族，李成林唱，普阳整理）

①原注：彝族人民喜欢把绿子、槟榔、石灰掺合在一起吃，味美，可助消化，常以待客。

这首诗写得质朴而又美丽，把彝族人民对亲人毛主席的爱情都写出来了。如果有人排斥自由诗，我们对这一首《送礼物》就不能割爱！有人问，那么自由诗同散文到底有什么分别？象这一首《送礼物》，首四句还有韵，到了下面"一匹驮绿子，一匹驮石灰，一匹驮槟榔；送给亲人毛主席，献上彝家一片心，毛主席啊，祝您万寿无疆！"就完全是散文，不过分起行来写罢了。是的，分行写不是一个形式问题，是诗的本质问题。如果是诗，就分行。如果是散文，分起行来就不行，哪怕是极有价值的散文。我们举一个例子，10月4日的《光明日报》上有余江县血吸虫根除的报道，里面有这几句话："余江县人民懂得灾难是怎么消灭的，美好幸福的日子是怎么来的，他们对干部说：'今后只要共产党和毛主席发出号召，你们扶梯子，我们就敢上天！'"余江县人民对干部说的话谈〔该〕有多美丽，"你们扶梯子，我们就敢上天！"是伟大人民的伟大的声音！很明白，这是散文。象这样有价值的散文,我们不想到把它分行,分起行来并没有意义。所以散文,它从本质上是不分行的。诗则分行,哪怕是一首小诗。中国古代的诗其性质都是分行的,四言诗就是四个字一行,五言诗就是五个字一行,七言诗就是七个字一行。(外国诗更不用说,它是分行印出来的。)分行并不是什么稀奇事,对联就是分行写的了。我们看旧版的章回小说,在它的每一回的前面常常有诗,就是分行印出来的了。新诗分行则是五四初期学外国诗的形式。我们认为古今中外的诗有一个极其简单的公共的形式,就是分行。韵脚也应该是诗所共有的,然而有时诗还不一定要押韵,象"鱼戏莲叶东,鱼戏莲叶西,鱼戏莲叶南,鱼戏莲叶北"便是的,因为它来不及要韵,它可以说是天然没有韵的。如果在这里推敲韵不韵的话,那就不能说是得其要领了。很有趣,我们的新民歌《渠水围村转》后四句"今晨旭日升,渠水到村东;中午日正南,渠水围村转"也就没有韵,——你能说它是模仿古民歌"江南可采莲……"吗?当然不是的,这其间丝毫没有关系,我们讲诗的人这么联系起来讲罢了。然而它们有一个共同之点,就是它们是天然没有韵的。作诗不要勉强押韵,我们认为这一点也是应该提出来的。张忠祥《毛主席参观汽车厂》最后一行没有韵,我们认为是顶自然的。总之自由诗不是散文。

下面我们从《诗刊》4月号《工人诗歌一百首》里选出六首诗来看看,我们认为这些诗都表现了自由诗的"敷陈其事而直言之"的性质:

学徒的问话

新来的学徒站立在机器边,

好奇的眼光把机器上下打量,
忽然他指着车头上的防护罩问我:
"师傅,你看这是什么?"

学徒的问话使我想起往日的悲伤,
我的心又象滴着血一样。
望着他明亮稚气的眼睛,
我不知道应该怎样来回答。

我低下头一声不响,
深深地想了又想。
我把一只手搂住他的脖子,
又伸过去另一只只有三个指头的手掌:

"……看见了吧,看见了吧,
八年前,机器上哪有防护罩,
那时候机器比老虎的嘴巴还凶,
多少个工人的手指头被它吃掉。……"

年轻的学徒紧紧握牢我的手掌,
不断地抚摸又抚摸。
他瞧着我,我瞧着他,
这时,我们的喉咙里哽着多少知心话。

(上海第一制药厂工人李成荣)

这不是顶好的诗吗？这种诗的思想感情如果用民歌体我们想也可以表达得出来,但这样推想没有必要,现在的问题是,我们要认识这是一首顶好的自由诗。自由诗的语言的特点在于它完全同写散文一样,一点没有限制,只要把当时的事情写得出来,能够怎么写就怎么写,不怕句子长,不怕句子的附加成分多,不怕形容词象写散文时的形容词一样好象没有诗意似的,这些都不怕,越写得真实、越写得紧张越好。如这一首里"我把一只手搂住他的脖子,又伸过去另一只只有三个指头的手掌",把它分作两行,我们读起来非常欢迎它,欢迎它是好诗行；如"我的心又象滴着血一样","那时候机器比老虎（的嘴巴）还凶,多少（个）工人的手指头被它吃掉",我们非常爱这里的比喻,不嫌它字多,只觉得这种动人心弦的话诗人偏能替我们说得出；如"好奇的眼光把机器上下打量","望着他明亮稚气的眼睛",这里面"好奇的"、"明亮稚气的",都是写散文时用的形容词,都用得令我们心服,用得好。象"我低下头一声不响,深深地想了又想",多么地表现着一个戏剧当中的人物呵,一位老师傅! 很明白,如果是一首民歌,不论它上下文还有什么,单看这两行：

我低下头一声不响,
深深地想了又想。

它一定不是好民歌,好民歌决不会有这样表现一个人物的动作的语言。好民歌如《起重工》的语言是："嗨唷! 嗨唷! 齐声唱,千斤钢板轻轻扛,脚上踏出上天路,历史重担肩上抗。"当然,自由诗《学徒的问话》用的是现代汉语,《起重工》的语言也是现代汉语,但前者是"敷陈其事而直言之",它好象是写散文,它应该分行,因为它是诗;后者你不把它分行它也还是诗,因为它是歌。说到这里,我们可以进一步说明问题,新民歌是从民歌和古典诗发展下来的,是汉语的歌唱系统,所以它应该是今天诗的主流;自由诗本来是学外国诗行来的,但外国诗有它自己的歌唱系统,用汉语言而学外国诗行,乃走出了我们现在所谓"自由诗"这条路径,事实证明这条路径很有前途。

矿山跨上千里马
——写在跃进大会上

敲响所有的锣鼓,
举起所有的彩旗,
一齐涌向咱们的"跃进大会",
报喜!报喜!报喜!

花炮为矿山的春天开道,
五彩纸好似鲜花满地,
决心书、保证书、挑战书……
一摆摆了好几里。

夏桥煤矿来了,
高举着五年里的成绩,
五年内超产二十万吨,
老矿变得年轻,充满朝气!

韩桥煤矿来了,
用超产的厚〔原〕煤向大会献礼,
高举着红色的"跃进规划",
决心与夏桥矿比个高低!

青山泉煤矿来了,
高举着向各矿发起的倡议,
这个不满半周岁的矿井,
样样都要争取第一。

矿工的小儿女们,
都穿着妈妈缝的新衣,
跑到讲台上张开小嘴:
"加油呵,叔叔,阿姨!"

成千上万的决心书,
纷纷交给大会主席,
这是一场大竞赛的开始,
准备吧,亲爱的兄弟!

磨好钻头,擦亮机器,
赶英国,我们矿工跑在头里,
等着听吧,我亲爱的祖国,
等着听煤矿工人胜利的消息!

(江苏贾汪夏桥煤矿工人孙友田)

这首诗本身就是"千里马",读起来令人精神振奋。象"决心书、保证书、挑战书……一摆摆了好几里!"明明象写散文似的,但摆在这里做诗行令我们感得好似鲜花满地,一摆摆了好几里!"老矿变得年轻,充满朝气!"也完全是散文的写法,在这里作诗行摆起来就是令人觉得好!"这个不满半周岁的矿井","妈妈缝的新衣",象这样名词带有长的附加语,在民歌体里就不需要,为节奏所拒绝,在自由诗里则非常合适。

在地球深处

从矿上出来了一群姑娘,
她们嘻嘻哈哈,边走边唱,
谁会相信这群毛丫头,
敢和那乌黑的煤层打仗!

记得她们初下井,
胆小害怕炮声响,
放炮员一喊:"放炮啦!"
她们就忙把耳朵捂上。

黑色的金子多难采呵,
淘气的小伙子故意不帮忙,
姑娘们咬咬牙接受磨练,
不愿当"碴",愿当"钢"。

采出一吨煤不怕流一身汗水,
严冬的日子也湿透了几层衣裳,
炮声中她们高喊:"再来一个!"
手里的电钻呀,笑得嘎嘎地响。

把皮带扎在腰里,
把小辫子盘在头上。
"小伙子,你们不服气吗?
好!那咱就较量较量!"

把青春献给生产的洪炉,
她们的劲头如同炉火烧得正旺。
她们挖掘的那些煤块呀,
正在地球深处闪闪发光。

(江苏贾汪夏桥煤矿工人孙友田)

  自由诗好比长江大河一泻千里,所有的句子都不能离开它的奔流的。好比这首诗,你如果硬要把它拆开来看,"谁会相信这群毛丫头,……"那它当然就太是散文了。自由诗的造句的技巧,就正在它的每一句不怕象写散文那样地写,可以写"放炮员一喊:'放炮啦!'她们就忙把耳朵捂上。"当然,其中也可以有"不愿当'碴',愿当'钢'"的四、三节奏的句子,但这种句子多了反而不好,那就不如用民歌体来写了。

工业子弟兵

我把枪擦了三遍告别了同志,
从兵营来到矿工城,
在前线我领着一连人打了十年仗,
在这里我是个新兵。

戴上矿工帽象戴上钢盔,
"钢盔"上少了一颗红星,
在那红星的位置上,
我插上了一盏发亮的矿灯。

进入了深深的矿井,
看到了金闪闪的煤层。
我举起一块煤向党宣誓:
在地下的战斗里定要建立功勋!

"给我风镐,师傅!"
突突突,向煤层发起冲锋,
嘭!嘭!这一百公尺的地下,
我又听到前面的炮声……

脸上淌着黑亮的汗水,
抱着风镐,露着热腾腾的前胸。
亲爱的祖国呵,您看!
您的工业子弟兵多么豪迈英勇!

（江苏贾汪夏桥煤矿工人孙友田）

这首诗是一个子弟兵自己"敷陈其事而直言之"。《诗经》三百篇里不可能有我们今天这样的"赋"了。

黎明的笑声

屋里拥出一群工人，
朗朗的笑声唤来了黎明。

他们是节约突击队，
一夜间修复两部引擎。

甜甜的风儿吹入每个工人的心，
哒哒的脚步响进车间的大门。

当朗朗的笑声落在机床边，
机器的轰鸣飞出了屋檐。

生产组长

一夜惊醒了三次，
三次都没有听见鸡鸣。

他实在耐不住了，
赶快点亮桌上的油灯。

拿出大家讨论了的"挑战书",
一字一句抄写得多么工整。

大地还漆黑漆黑,
他把红色"挑战书"捧出了房门。

走向那静静的车间,
听见身后有无数的脚步声。

他把"挑战书"贴上大门,
看见了千万双应战者的眼睛。
　　(安徽屯溪汽车保养场车床工人向群)

　　这是作者总题着"**大跃进素描**"里面的两首,都是"敷陈其事而直言之",具有自由诗的特点。我们所谓"敷陈其事而直言之",有时就是"素描"的意思,它可以写得很简练,如这两首诗便是。

五　歌颂篇

　　谁要说要做出一首诗来歌颂共产党歌颂得心满意足,毫无缺欠,那是无论如何不可能的事。以新民歌的量之多,质之高,就从我们所已经讲过的来说,是任何人都心悦诚服的,是古今中外未有之奇观。而且新民歌的本身,它的总和,它的每一首,就其本身来说本来就是对共产党、对毛主席的歌颂。然而中国的劳动人民,谁都有个思想感情要直接写一个题目,歌颂党,歌颂毛主席。这件事就太难太难。我们容易想到的是太阳,也容易想到亲生的爹娘,穷苦人翻了身之后又容易有"恩人"的词汇,凡这些都自然而然地出在劳动人民的诗篇里头了。如山东有两首《共产党象太阳》的诗,其一首是:

　　　　共产党象太阳,
　　　　毛主席是爹娘,
　　　　领导我们翻了身,
　　　　改造自然有力量,
　　　　满山树株红又绿,
　　　　荒岭变成果树行。

水库塘坝连成片,
旱地已成水浇田,
亩产千斤过江南,
昔日穷庄变乐园。

其二首是:

共产党,象太阳,
照到哪里哪里亮。
照到俺的身,
全是花衣裳;
照到俺的家,
一片新瓦房。

这两首诗可以说是把歌者的心都唱出来了,第二首还很可能是小孩子唱的,所以说着"花衣裳"的话。这确乎是歌颂共产党、歌颂毛主席的诗。山东还有一首《歌颂共产党》,歌是:

大沟修的排成行,
小沟修的组成网,
不靠老天来吃饭,
每亩都产千斤粮,
锣鼓声中庆丰收,
歌唱恩人共产党。

这也确乎是中国农民的心之声,"歌颂恩人共产党"。凡这些,够了吗?显然是不够!没有人认为歌颂党歌颂毛主席能够说够了的。所以我们有许多许多的歌唱,有各族人民的歌唱。各族人民的歌唱,因语言的关系,经过翻译,恐怕难得传神,我们就难以挑选。就我们曾经讲过的彝族人民《送礼物》那一首来说,我们就认为是值得百读不厌的。自由诗如工人张忠祥的《毛主席参观汽车厂》,我们也已经介绍过了。我们现在在"歌颂篇"所选的都是新民歌体,其中《给原油安上金翅膀》稍为有些变化。

共产党本领大

共产党本领大,
天大问题都不怕,
打的高山低头,
治的江河搬家,
盐碱变成粮川,
沙荒长出庄稼,
想尽办法为人民,
胜于爹娘操心大。

(河南兰考)

这首诗写得非常朴素,说的是老乡们的老实话,歌颂共产党的伟大气魄歌颂得近似。"想尽办法为人民,胜于爹娘操心大",非老乡们从亲身的体会当中说不出的。

真正道路只一条

地上路儿有千道,
真正大路只一条,
只要跟着共产党,
不出错来不抛锚。

（江西,方振格）

这首诗我们认为难得,道出了相信共产党领导的人的思想感情。"真正大路只一条",这句话本身就象"大道直如矢",说得非常可爱。"只要跟着共产党,不出错来不抛锚",多么有益的话呵,谁能不出错,谁又能不抛锚,中国人民有了五十年的经验教训,只有跟着毛主席、党中央！"不抛锚"这个形象是经验极丰富、对党的事业有极亲切的体会的人才描绘得出的,共产党高举不断革命论,老百姓在不断革命的实际教育之中确实慢慢懂得了"不抛锚"的道理。

太阳的光芒万万丈

太阳红,太阳亮,
太阳的光芒万万丈。
我们如今俩太阳,
两个太阳不一样,
一个太阳在北京,
一个太阳挂大上,
天上的太阳暖身上,
北京的太阳暖心房。

（山东，郭澄清）

　　这首诗的思想感情以及表达这个思想感情的语言，便同太阳一样，是与天下人以共见。我们认为这一首与天下人以共见的诗，真不容易写，是真真要一枝大笔。我们感谢这一位诗人，他的诗是中国人民共同的语言。

踏上梯田上云霄

踏上梯田上云霄，
去摘王母大蟠桃，
送给亲人毛主席，
愿他长生永不老。

（辽宁盘山）

　　我们感到这一首诗好，感到这首诗亲切、美丽，仔细研究它，发现在这里首先是要你脚踏实地，真正在那里"踏上梯田"，才能起这个诗思，换句话说要你是山地的农民。其次，这个农民是在共产党领导下的中国翻了身的农民，才有那么的豪迈，"踏上梯田上云霄"！至于"去摘王母大蟠桃"，那是自然而来的，因为想到了亲人毛主席，要送给他老人家一件东西，"愿他长生永不老"！所以这首诗的思想感情非常之切实，看他用的"亲人"字样，看他用的"踏"、用的"梯田"字样。诗人虽未必会见过亲人毛主席，但他心里总惦记着亲人毛主席，愿他老人家长生不老。

沽河水

沽河水,长又宽,
流入莱阳平度边。
古时河水一丝丝,
如今流水一片片。
片片绿水灌土地,
片片土地变稻田。
打着锣鼓扭秧歌,
扎起松门红灯悬,
迎接领袖毛主席,
快到咱这来参观。
闻闻稻花香不香,
尝尝稻米甜不甜?
斟杯米酒请您喝,
祝你健康万万年。
稻米粘个大喜牌,
献给领袖挂门前。

(山东平度,庞希敏)

这首《沽河水》把农村中的一片欢乐景象都写出来了,人民在欢喜的时候就想到自己的领袖。这种写得极热闹的诗令人不觉得是文字,只是感得人们的声音笑貌如在纸上,这就写出了中国社会的本质。

毛主席几时到我家

一对喜烛结红花,

毛主席几时到我家;

看看我家红日子,

听听我们知心话。

（江西修水）

这一首抒情诗该有多好！把人民的红透了的心完全写出来了！不是原来是贫雇农不能写这样的诗！中国的劳动人民最懂得自己的领袖！这首诗表现了伟大的中国、伟大的人民、伟大的领袖！新中国真是美丽！美丽的画图只有劳动人民画得出！谁不信谁就读这一首抒情诗！

四川出现双太阳

阳春三月好风光,

四川出现双太阳,

青山起舞河欢笑,

人民领袖到农庄。

（《通川报》）

这首诗所说的太阳是人民真正看见毛主席了。歌颂毛主席到农庄我们认为这首诗就是杰作。这就是毛主席说的,"一张白纸,没有负担,好写最新最美的文字,好画最新最美的画图。"知识分子的诗人就是有负担,首先读的书就是负担,读了这一首《四川出现双太阳》就知道自己读的那些书是负担,大都是剥削阶级的装饰物,做梦也梦不见今天的"青山起舞河欢笑,人民领袖到农庄"。知识分子的诗人今天首先要懂得歌颂,多读一读劳动人民歌颂毛主席的诗。

从这一首歌颂毛主席的民歌看,我们确实知道民歌体是新诗的主流。同时,毫无疑问,象工人张忠祥的《毛主席参观汽车厂》,我们也不能割爱,一排斥自由诗我们又有损失了。我们的话是十分公平的。

下面我们再选五首诗,看看中国人民在自己的生活里,在自己的工作中,怎样总是想到自己的领袖,想到北京。五首诗中,《纺织花插天安门》和《跃进数字亮人心》两首我们在讲诗的形式的时候曾引用过。

夜半起来看星星

夜半起来看星星,
星星还在半天云,
望着星星我又想,
毛主席还在动脑筋。

(四川叙永,徐恩良)

这首诗表示中国人民在任何时刻想到毛主席,人民又知道毛主席在任何时刻在那里为人民谋幸福。历史上有过这样的诗吗？不可能有的。要人民中国才能有。这种诗不是著作权所呼唤出来的,这是深入人心的诗。诗本来有四句,就诗的感情说只有一个极大极大的句子,就是举头向天上一望,什么都包括在里头,只看"星星还在半天云"的"还在"二字便知道,这"还在"二字就已经包括"毛主席还在动脑筋"的意思了。

给原油安上金翅膀

戈壁滩上歌声亮，

五一节，

各样的礼物献上。

原油安上金翅膀，

飞北京，

毛主席闻闻油香。

（青海大柴旦，文风）

这才是伟大的诗，它写在戈壁滩上！我们读了都为之心动，要去闻闻油香！同时我们就有一个感觉，给原油安上金翅膀，"飞北京，毛主席闻闻油香。"这说明在我们国家里，每个工作人员，都是息息相通，心心相印，建设社会主义祖国，记着北京，记着领袖。这首诗实起了这么的作用。

风送歌声到北京

河边杨柳绿荫荫，

一片水田亮晶晶，

人赶牛儿田中走，

风送歌声到北京。

（芦山）

这首诗在唐诗里头难找。我们当然不是就题材说，不是就诗的内容说,唐朝的诗怎么会有"风送歌声到北京"呢？我们是就诗的写法说,这首诗的写法比起李白的绝句来要"神速"多了！我们为什么这样同李白比呢？因为李白的绝句向来认为是有"神来之笔"。如他的《越中怀古》:"越王勾践破吴归,战士还家尽锦衣,宫女如花满春殿,只今惟有鹧鸪飞。"前三句完全是写勾践的凯歌,而最后以一句拗回来,做旧诗的人都认为不容易写。我们读着也确实感觉得李白费了力写这一句。而我们读我们的《风送歌声到北京》,该写得多么容易呵,多么得意呵！它足以抵抗全唐诗。我们中国人民谁都感得"快哉此风"！这要有极大的鼓舞力量才能写,写这个诗的诗人是"人赶牛儿田中走"。

纺织花插天安门

比先进,学先进,
纺织花开一片锦,
花儿开在纺织厂,
掐朵插在天安门。

跃进数字亮人心

字架字,密钉钉,
我摘码字象摘星,
1 2 3 4 5 6 7,
跃进数字亮人心。

加油拣,加油拼,
顺位码字象骑兵,

加鞭跃进再跃进,
一刻翻了一个身。

拣码字,乐在心,
我的干劲拼命升,
今夜干他个通宵,
明早捷报传北京。

　　这些诗,充分表现了两件事,一是中国人民的劳动热情,一是中国人民的政治热情,中国人民在忘我的劳动当中总记得北京。又充分表现两件事,一是政治标准达到极高的高度,一是艺术标准达到极高的高度。
　　下面我们选三首诗,一首是歌颂合作社的,一首歌颂社会主义,一首歌颂人民公社。

社是山中一枝梅

我是喜鹊天上飞,
社是山中一枝梅,
喜鹊落在梅树上,
石滚打来也不飞。

（湖北）

　　在1958年一年当中,中国农村的集体事业已由农业合作社一跃而为人民公社,这一首歌颂合作社的诗将在中国文学史上永垂不朽。劳动人民的心该有多么爱美,歌唱出这样美丽的形象的诗来,把合作社比作一枝梅,自己则"我是喜鹊天上飞"。中国的画向来爱取喜鹊集在梅花树上的题材,给农民记住了,今天合作社就好比这一枝花,喜鹊就从天上飞下来了。"石滚打来也不飞",石滚是农村里习见的大石头,它象牛一样,它虽体重,但它从来不惊动人,所以这里的石滚的形象就有着安如泰山的意味,"石滚打来也不飞"就是不飞,有着相依为命的意思。这个爱社的农民进一步就一定爱人民公社。

比　　赛

耕三遍,

锄九遍,

禾苗天天长,

劲头日日添;

木船赶轮船,

轮船赶汽车,

汽车赶火车,

火车追火箭,

快得看不见,

社会主义早实现。

（淮海农场）

咱们中国的社会在共产党领导之下进步的速度,很难得用话来形容,而这一首《比赛》的诗,其劲头确实大,足以形容咱们的社会进步的快,不能不说是杰作。这不是偶然写得出来的,是具有十足的劳动干劲,所以开始是说"耕三遍,锄九遍"。干劲鼓足了，乃如箭在弦上，一触即发，就写得那么快，把木船、轮船、汽车、火车、火箭都搬出来了。火箭是打去年十月里苏联人造卫星上天之后才知道的，其余的从木船数起，都是中国老百姓在一个时代里同时看见的，把这些东西来比速度，最反映中国老百姓的心理，最表现中国社会进步的快，一个半殖民地半封建的落后国家，一旦有共产党领导，由新民主主义革命而社会主义建设。在写这首诗的时候，还没有人民公社，而人民公社就在写诗的这一年普遍成立了。真是"快得看不见"！中国人民好喜欢！

公社好比一只船

公社好比一只船，
东风鼓起船上帆，
舵手是咱毛主席，
赶船的人六万万。

（河北抚宁，董为璧）

这是一首伟大的诗。这首诗的气魄大，其语言是一样的伟大。这首诗配得上歌颂人民公社。作者的匠心足以锦绣山河，因为毛主席说了"东风压倒西风"的话，他把"东风"这一词汇用来了，于是一帆风顺，中国六亿人民，咱毛主席，都写在一个船上，伟大的诗！

六　一年之间中国的农民和农村

我们现在选出二十二首诗来,从这二十二首诗看1958年一年之间中国的农民和农村,历史家难得写这样惊天动地的真正的历史!

花也舞来山也笑

一声爆竹连天响,
四十条纲要传到乡,
花也舞来山也笑,
人换思想地换装。

（江苏江浦）

"人换思想地换装",一年大事一句话显示出来了。我们认为这是毛主席的思想对六亿人民、对锦绣山河起的促进作用,换句话说是哲学的力量。难得的是新民歌一点没有哲学气,它就象一声爆竹似的,非常显得中国气派。

把把市秤星子明

把把市秤星子明,

又有两数又有斤,
农村开展大辩论,
大是大非分得清。

（江西）

　　这首诗就表明哲学要什么新民歌就歌什么,新民歌简直是哲学的形象化。因为它是形象化,所以它一点也不教条,它总取得了民族形式。这首诗表现相信群众这一个伟大的道理。这个伟大的道理老百姓用一杆秤来说明白,这杆秤是中国老百姓用的东西。

困难是杆秤

困难是杆秤,
看你硬不硬,
你硬它就软,
你软它就硬。

（四川什邡,陈宵搜集）

　　这又是一杆秤,又是中国的东西,又说明了一个大道理。我们把《花也舞来山也笑》、《把把市秤星子明》、《困难是杆秤》这三首诗联系起来读,对我们该有多大的教育作用,鼓舞作用！主要是"头脑"这个东西,要把它武装起来。农业纲要武装了广大农民的思想,辩清是非是更进一步的武装,不怕困难又更进一步。
　　下面六首诗表现中国农民的劳动干劲:

挑塘泥

挑塘泥，
象挑米，
汗湿衣，
心里喜。

（湖南）

这四句，一十二个字，该表现了多么高贵的思想感情呵！我们知识分子光读书是不中用的，要去挑塘泥，这一首《挑塘泥》胜过所有的圣贤书！

汗透衣衫心才欢

山风为我打锣鼓，
流水为我拉丝弦，
我迎寒雪洗个脸，
汗透衣衫心才欢！

（福建，程崇福）

今天的劳动的汗真是教育诗！它已经没有在旧社会里所谓的"血汗"的意味，它完全是进步人类的欢喜的海洋！这一首七言诗，同前面的《挑塘泥》的三言诗，把忘我的劳动时的"心里喜"表现得太可爱。

拼命干

抓晴天，

抢阴天,

毛风细雨当好天。

大雨小干,

小雨大干,

无风无雨拼命干。

(江西)

这首诗,前一半,"抓晴天,抢阴天,毛风细雨当好天",是中国老农的经验之谈。后一半则完全是今天的集体力量的表现,"小干"、"大干"、"拼命干",都是口号!是行动的呼声!

村村一片山歌声

挖泥一片响土声,

送肥一片脚板声,

犁田一片吆牛声,

村村一片山歌声。

(湖南武冈,曾莺)

古典文学里头不可能有这样的诗,五四初期的新诗也不可能有这样的诗,首先是没有这样的社会现实,作诗人不可能有我们今天的劳动观点也是一件事。我们有了劳动观点,热情地反映我们伟大的社会现实,我们就会发挥汉语的特长写出只有汉语才能写得出的诗来,这首诗就是证明。伟大的时代配合变化丰满的语言,新诗将有无限的歌唱前途,参加劳动就一定能促进我们攀登最高峰。

一匹大山装得下

一挑鸳兜不多大，
修塘开堰挑泥巴，
莫嫌我的鸳兜小，
一匹大山装得下。

（四川明德）

这首诗怎么这样写得生龙活虎似的？仔细一看，原来我们的诗人，我们的劳动者，对小鸳兜太爱了，好象母亲爱孩子似的，所以说着"莫嫌我的鸳兜小"的话。同时这"一匹大山装得下"的"一匹"二字起着非常大的作用，小鸳兜能把一匹大东西（它是一座山呵！）挑得跑了，我们读起来怎么不感得这首诗生龙活虎似的！

哪里飞来一座山

哪里飞来一座山，
这山座落社旁边，
今天看来屋样大，
明天看来遮住天。
不是山来不是山，
铲来草皮十万担。

（湖南湘潭韶山社）

这首诗表示农民费了巨大的劳动以及对自己的巨大的劳动

成果的巨大欢喜,真是再好没有了。"铲来草皮十万担",除了共产党领导的中国农民哪里有这样的豪举?要把这十万担草皮写成一首诗,又是怎样的豪举,这个诗人不伟大吗?这首诗并没有作者的名字,诗是顶天立地一首诗,"哪里飞来一座山"!

下面两首诗写劈山凿石:

龙王山上出真龙

轰隆隆,轰隆隆,
一股青烟进天空,
石头开花树搬家,
龙王山上出真龙。

(山西,江旋)

千年岩石把家搬

火炮一响震动天,
千年岩石把家搬,
清泉象匹白棉布,
天上挂到地平川。

(湖北郧县)

这两首诗的题目就象征古老中国的大跃进。"石头开花"啦,"树搬家"啦,都表现群众语言的特点,把巨大事件说得极不费力,必须勤劳的劳动者才说得出的。"清泉象匹白棉布,天上挂到地平川",好象是写景似的,但不是写景,等于前一首的"龙王山上出真龙",是同自然作斗争的喝采,这是新民歌同一般写景的诗不同的。

下面我们再选一首诗,如果光看它的题目,那是不会知道它是歌唱什么的,它是同《送粪曲》一类的美丽的诗:

自己编曲自己唱

猪儿圈圈满,

俺是司令员;

猪儿要开饭,

厨师我来担;

母猪生娃娃,

俺是接生员;

预防猪生病,

又把医生兼。

瞅瞅肥猪赛小象,

望望粪堆似小山,

自己编曲自己唱,

一遍一遍唱不完。

(桓仁县文化馆)

我们真欢迎"一遍一遍唱不完"这样的诗,我们相信这样的诗是真正唱不完,看这里面的生气勃勃呵!"瞅瞅肥猪赛小象,望望粪堆似小山",世界上哪里有这样的好形象,表现出劳动人民的美感和壮观!这不叫做共产主义的风格吗?

下面选六首诗,都是反映农村办工厂的:

办地方工业歌谣二首

一

人勤能叫鬼推磨，
俭省能攒金满窖，
不花大钱办大事，
开个工厂呱呱叫！

二

三月初三去赶会，
一进庙门事不对。
往年将台上坐泥象，
今日个将台上搁机器。
噢！
这是社里办工厂，
怪不得庙里都一股跃进气！

（陕西凤县，马进德）

党号召勤俭生产，这两首诗便充分表现勤俭生产的乐观精神。"怪不得庙里都一股跃进气"，这首诗的跃进气就利害，是毛主席说的，"从来也没有看见人民群众象现在这样精神振奋，斗志昂扬，意气风发。"

农民办工厂

农民办工厂，
简单又便当；
闲时当工人，

忙时把地上；
本钱自己积，
原料不出乡；
工具十来样，
古庙做厂坊；
为了钻技术，
进城跑一趟；
学习三五天，
白把变内行；
颗肥能自造，
农具会改装；
土产自加工，
还能烧硫磺；
钢磨碾米面，
机器缝衣裳；
天黑喇叭响，
电灯明晃晃；
农民办工厂，
生产大变样！

（山西晋城，马国良辑）

全民动手办工厂

肥东县，丁劲强，
"兴修"打个漂亮仗，
开春以来劲头转，

转手又来办工厂。
全党全民齐动手,
镇乡合作出力量。
想点子,出主张,
腾出民房做厂房,
又快又省又便当。
缺少资金难不住,
大家一齐来解囊。
献铜元,献银洋,
破铜烂铁也献上,
投资运动如火热,
银行人员日夜忙。
铁工厂,针织厂,
被服厂,肥料厂,
新式农具修配厂,
社社都建面粉厂,
镇上建个发电厂,
一厂一厂又一厂,
大大小小几十厂。
行动快,信心强,
高山也难把路挡,
五月一日电灯亮,
照得人心亮堂堂,
亮堂堂!

(安徽肥东,唐吉章)

这些诗虽然不是一个地区的，是来自各省的，但农民办工厂是各地区同时响应党的号召。《农民办工厂》和《全民动手办工厂》两首同"怪不得庙里都一股跃进气"已经大不同，声势浩大起来了，从"三月初三去赶会"到了五一节，"五月一日电灯亮，（照得人心）亮堂堂，亮堂堂！"我们要注意一件事，中国农民已经认清了大势，黄金和白银对个人说已经没有用处，所以报纸上有农民献出从日寇侵入时留下的金砖的事，肥东县全民办工厂的诗便反映"献铜元，献银洋，破铜烂铁也献上"。今天中国农村的现实是：私有财产的观念从农民心里打破了。"破铜烂铁也献上"，不是瞧不起"破铜烂铁"，是把"破铜烂铁"和银洋铜元等量齐观，对个人没有啥用，对全民办工厂便各有各的用处。所以"破铜烂铁也献上"写得极有气概。

高山角里办工厂

平地一声春雷响，
枫堂要建造纸厂，
每日造纸四万担，
孩子听了拍巴掌，
老人听了把话讲：
山角里头办工厂，
哪里这么便当？
不用十五年，
也得十年长。
老人话音还未落，

汽车呜呜开进山。
车门一开人群下,
一来就是几百个,
都是工人老大哥。
他们身强力又壮,
七手八脚力量多,
破庙里头安机器,
机器轰轰光唱歌。
歌声一起响十湾,
吓得老虎连夜逃荒坡,
响得枫堂人民笑呵呵。
高山角里办工厂,
金银财宝山区多!

（浙江庆元）

　　这首诗反映了两种人,一是孩子,一是老人。孩子对新鲜事物总接受得快些,老人总有些保守。然而"老人话音还未落,汽车呜呜开进山",枫堂的老人自然也"笑呵呵"了,这时有经验的老人们想必更是懂得"高山角里办工厂,金银财宝山区多!"

　　在《花也舞来山也笑》那首诗里,预言着四十条纲要将促进"人换思想地换装"。果然,中华人民共和国1958年农产品产量成倍、几倍、十几倍、几十倍地增长,而同时人们思想解放,眼看合作社已不能适应形势发展的要求,大型的综合性的人民公社就应时而起。下面我们选五首歌唱人民公社的诗:

人民公社有四多

生产资金积累多,
互相协作人力多,
大力革新农具多,
统一领导经验多,
到处都是活诸葛。

（上海曙光社张泽民）

在歌出了四多之后,来一句"到处都是活诸葛",把所有的好处都形象化了,"活诸葛"就是办法多。在以前,知识分子的诗人就瞧不起这种词汇,以为这种词汇何能入诗,今天的情况大不相同,知识分子开始知道要从人民的语言里学习人民的思想感情。

人民公社属人民

人民公社属人民,
人民当家作主人;
社员团结似兄弟,
乡乡社社一家人。

（上海曙光社张泽民）

我们认为这一首极朴素的诗写出了极大的理想,我们的人民公社就是如此,它表现着多么美丽的中国作风和中国气派呵!它是从群众中来到群众中去!

工农业一齐搞

人民公社就是好,

工农业一齐搞,

地里庄稼比牛壮,

工厂烟囱比天高。

(河北怀来东风公社乔福钰)

这首诗的思想感情就是好,所以它取了那么好的形象,把地里庄稼用"牛壮"来比,烟囱之高用"天高"来比,"牛壮"与"天高",从来没有这么美丽的词汇!

人民公社发电厂

青砖墙,红瓦房,

烟囱竖到蓝天上;

门口挂上白漆牌:

"人民公社发电厂"。

发电厂,真漂亮,

晚来电机突突响,

全社电灯一齐亮,

好似星群落地上。

(江苏淮阴,沈彦)

这首诗给人以极新鲜的感觉,对新鲜事物缺乏敏感的人也应该刺激他感觉敏锐。何以呢?因为诗人把新鲜事物一下都给与读者了,青的,红的,高的,蓝的,白的,青的是砖墙,红的是瓦房,高的是烟囱,烟囱竖到蓝天上,再是新的人民公社发电厂的白漆牌,还有晚上"全社电灯一齐亮,好似星群落地上"! 不是诗人用整个的灵魂爱新起的人民公社不能有这么新鲜的感觉写这么的好诗。

民兵不缺少

人民公社好,

民兵不缺少,

社内有大队,

生产建设保,

行动军事化,

到处是英豪。

（陕西大荔,扈世德）

帝国主义者见了我们的诗要发抖。见了我们这首诗的题目就要发抖,"民兵不缺少"是一种修辞法,语气极其朴质可爱,意思是我们的民兵多得很,"到处是英豪"!

七　工矿诗都是政治挂帅

我们现在再选十八首工矿新民歌,所有这些诗篇都说明一件大事,就是政治(挂)帅。

八不怕

不怕厂房小,

不怕设备老,

不怕钱不多,

不怕材料少,

不怕技术低,

不怕经验少,

不怕宿舍挤,

不怕食堂小,

为了支援农业发展纲要四十条,

露天干活也不叫。

（河南,耿汉荣）

为了国家工业化

不怕太阳象火烧,

不怕铁驳象火烤,

为了国家工业化,

心里就象凉水浇。

（湖北宜昌,装卸工人黄声孝）

　　这两首诗,是我们把它们抄在一块儿,其实一首是写在河南,一首写在湖北。《八不怕》的作者我们另外还读了他一首诗,里面有"情愿夜晚不睡觉,也要制造出万能拖拉机全国跑"的话,我们知道他是拖拉机制造工人,《为了国家工业化》的作者则是装卸工人,他们的诗的意义要使得帝国主义者发抖,就是反动到了极点的家伙从中国劳动人民的诗也应该知道中国的人心!

一颗红心跳蹦蹦

一片灯火一片红,

一颗红心跳蹦蹦,

跳得瓦刀点头笑,

跳得红砖满天跑。

跳得砖墙随风长,

转眼烟囱入云霄;

心啊心啊为啥跳?

总路线宣布了!

（黑龙江富拉尔基,建筑工人朱迪）

　　这里又是一颗红心,从这样的人心看,什么事业做不成?这些诗登上了新中国的诗坛,很分明,是元帅升了帐。剥削阶级的文坛成了历史上的陈迹了。

运材人儿日夜忙

绵绵森林如大海,
雪花飞舞一片白,
运材人儿日夜忙,
车车木材运下山。

（内蒙古）

这首诗是2月1日《林业工人报》上刊载的,那么写的时候正是"雪花飞舞一片白"的时候。雪花飞舞一片白,又是在内蒙古"绵绵森林如大海"之上。因此,"运材人儿日夜忙,车车木材运下山",令我们要拿什么样的感情来读它？我们想到一首唐诗,那诗是:"慈母手中线,游子身上衣,临行密密缝,……"一针一线密密缝,针针线线都付出了母亲的情意,那是旧时代的事情,今天我们伟大祖国的运材人儿,我们读了他们的诗,他们对于茫茫大雪森林大海的一根一根的木材付出的运送感情,不很象唐诗"临行密密缝"的密意吗？是的,在我们国家,在一切工作之中,都是政治挂帅。

抬木工人歌

大家哈腰挂哟,
腰板挺得圆哪;
迈步往前走哟,

看准登跳板哪；
两脚要站稳哟，
小心别踩翻哪；
心里不发慌哟，
注意保安全哪。

伐木本费力哟，
装车不轻闲哪；
大家一个劲哟，
力量大如山哪；
不怕木头粗哟，
不怕抬的远哪；
人人使劲抬哟，
一会装满车哪。

前边往旁拐哟，
后边甩一边哪；
木头要调正哟，
稳放才安全哪；
圆木要放稳哟，
别让滚转转哪；
砸脚碰了腿哟，
耽误搞生产哪。

劲儿要用足哟，

力量要使全哪；
精神别溜号哟，
眼睛要瞪圆哪；
双脚高抬起哟，
双腿别发颤哪；
一齐往起抬哟，
圆木悠向前哪。

红旗空中飘哟，
瞪眼望着咱哪；
两手不懒蛋哟，
双肩是好汉哪；
一棵一棵抬哟，
刹时车装满哪；
一车一车装哟，
任务提前完哪。

记住党的话哟，
劲头往上窜哪；
不怕北风吹哟，
不怕流血汗哪；
你要当英雄哟，
我要争模范哪；
将来享幸福哟，
现在得流汗哪。

祖国大建设哟，
各地开矿山哪；
煤矿用坑柱哟，
工厂盖车间哪；
大楼平地起哟，
飞机和轮船哪；
处处用木材哟，
都得咱支援哪。

一九五八年哟，
生产搞的欢哪；
高潮掀起来哟，
快马又加鞭哪；
咱们提倡议哟，
保证全兑现哪；
干劲加干劲哟，
向前再向前哪。

（吉林）

　　这一首《抬木工人歌》是高唱，然而也是"临行密密缝"的密意，一唱一叮咛，太密了，我们一面读着一面感得我们自己爱祖国还爱得不够，替祖国做的事情太少，想到同一首唐诗里的另外两句话："谁言寸草心，报得三春晖？"这一首抬木工人的歌确确实实给了我们这样的教育作用。

玉门关上立标杆

跃进红旗招展，

力争一马当先。

我们的歌声震天动地，

石油工人向大地宣战。

战胜戈壁滩，

钻透祁连山；

快马加鞭进军吐鲁番，

玉门关上立标杆。

（甘肃玉门油矿）

处处盛开石油花

抓住区域把网撒，

汽车毛驴骆驼化。

大钻小钻人工挖，

自喷抽油辘辘把。

大厂小厂锅子熬，

处处盛开石油花。

（甘肃玉门油矿）

熟读《唐诗三百首》的人向来是哼着"春风不度玉门关"，如今我们歌唱玉门关的诗是"处处盛开石油花"。当然，我们还是承认唐诗的价值，但厚古薄今那就不对，那样的人岂不就是"遗老"！我们的《玉门关上立标杆》、《处处盛开石油花》，完全是党的总路线的光辉所照耀,发挥了革命的现实主义和革命的浪漫主义结合的力量。"抓住区域把网撒,汽车毛驴骆驼化",我们除了受了油矿工作同志的干劲的鼓舞之外,又受了祖国语言的鼓舞,咱们汉语就是什么地方都能撒网,"汽车"也很容易"毛驴骆驼"化,能够多快好省地发挥语言的作用,发挥语言的形象性的作用。

戈壁滩吓的动弹

勘探队员一声喊,
戈壁滩吓的动弹;
整个盆地要踏遍,
万宝儿都见蓝天。

(青海柴达木,丁林)

我们读了这首诗,真正感到"戈壁滩吓的动弹"!诗人的心是要把整个盆地都踏遍,要宝藏都见天日!好诗就是能说出心里话,你心里有非说不可的话你就非把非它不可的形象指出来决不甘休,就是"语不惊人死不休",这首诗的"万宝儿都见蓝天"的形象就是。主要还是政治挂帅,中国人民在共产党领导之下什么都要拿出来,矿产要从地下挖出来,诗也要写出来。

石油香薰透沙梁

春风吹来百花放,
戈壁滩草儿不长;
别看这里没花香,

石油香薰透沙梁。

（青海大柴旦，文风）

这首《石油香薰透沙梁》的作者，我们在讲诗的形式的时候曾经引过他的另一首诗："昆仑山上彩云飘，手风琴拉的真好；探勘队员眯眯笑，一天疲劳忘掉了。"所以他是亲眼见过昆仑山上彩云的人。现在他又叫我们闻闻戈壁滩上石油香似的，"别看这里没花香"。

中国矿产实在多

中国矿产实在多，
　走路都挨矿踢脚，
　口渴河边舀碗水，
　错把石油当茶喝。

（广西，曾昭文搜集）

前面的四首歌唱石油的诗来自甘肃和青海，这一首《中国矿产实在多》来自广西。这一首诗有搜集者的名字，没有作者的名字，这位诗人"口渴河边舀碗水，错把石油当茶喝"，他自己并不怪他这一错，是爱他这一错，他错是因为在工作当中他感到中国矿产实在多，他喜不过。我们读了他的诗也喜不过，受了很大的教育，我们身临其境将也和他一样，很喜欢这个油味！

装满了矿工的希望

轻便轨道如蛛网，

坑道又伸到前方。
车车的铅锌放光芒,
装满了矿工的希望。

（青海柴达木,蔡瑞芳）

我们一读到"坑道又伸到前方"这一句,就感到矿工同志的欢喜,我们也欢喜,因为坑道又前进了。到得蛛网般的轻便轨道之上"车车的铅锌放光芒",都是矿工同志平日的希望,此刻装满了,我们也就如身临其境,无限的欢喜。我们中国人民是同一颗跃进的心。

风钻工

一把风钻握在手,
风钻随着双手抖,
对准山腰开个眼,
黄金白银往外流。

风钻越吼越劲足,
剥山皮,挖山肉,
吼得岩石开了花,
吼得高山低了头。

（湖北,田禾）

诗的产生过程是言之不足则歌唱之,一唱之不足再唱之。这一首《风钻工》唱到"黄金白银往外流"感到不足,再来一段"剥山皮,挖山肉,吼得岩石开了花,吼得高山低了头",就足了,所以诗就完了。新民歌一点也不能掺假,必须有十足的劳动干劲才能有新民歌,这个规律证之所有的佳作而不爽。

五亿农民都爱你

天也喜,地也喜,
咱们农民格外喜;
西安机器制造厂,
造出万能拖拉机。
这种万能拖拉机,
好处你就没法提;
能抽水,能排水,
能磨面,能耕地,
能扬场,能打谷,
能发电,能开渠,
能割草,能耙地,
水地旱地都能犁。
带上拖车能拉货,
大路小路跑的美。
"秦川牌"拖拉机,
五亿农民都爱你;
愿你长上翅膀飞,
把咱祖国建设美。
愿你长上翅膀飞,
赶过老英和老美。

(陕西,西安机器制造厂农光)

　　有的时候人们的一股欢喜仿佛不知道从哪里来的似的,其实是从政治热情来,这首诗的欢喜就是如此。看它一开头"天也喜,地也喜,咱们农民格外喜",真是喜欲狂。而原因是"西安机器制造厂,造出万能拖拉机"。说出原因来已经迟了,所以诗首先是狂喜。狂喜逼得诗要这么写。写了一大阵之后再叫"秦川牌"拖拉机的名字,而一叫"秦川牌"拖拉机的名字,就愿他长上翅膀飞,因为"五亿农民都爱你"！这首诗就是用翅膀飞的诗！

定要机器早换牛

农民兄弟干劲足,
钢铁工人要加油,
支援农村多炼钢,
定要机器早换牛。

(湖北,大冶钢厂)

　　这首诗只有四句,比起前一首《五亿农民都爱你》来好象用缰子把感情的奔马勒住了,然而它另是一种风格,用旧式的评语来说,它是掷地作金石声,"定要机器早换牛"！

有砂型就有铁水

铁水长流,
浇活不断头。
有砂型就有铁水,

哪管它八个钟头!

（河南新乡，维新机械厂大炉工）

这首诗没有作者的名字,这就是中国工人的诗!

铁水奔流似浪涛

高炉直立高又高,

炼铁工人炉前跑。

大锤打开出铁口,

铁水奔流似浪涛。

浪涛滚滚闪金光,

一颗红心砰砰跳。

跃进红花炉前开,

红花朵朵自己栽。

铁水流不完,

花儿开不败。

赶上西方英国佬,

炼铁工人站前哨。

（湖北，大冶钢厂刘华凤）

这首诗反映着,跃进是党领导的,同时又是"红花朵朵自己栽",工农群众都是自觉的。所以毛主席说:"由此看来,我国在工农业生产方面赶上资本主义大国,可能不需要从前所想的那样长的时间了。除了党的领导之外,六亿人口是一个决定的因素。人多议论多,热气高,干劲大。从来也没有看见人民群众象现在这样精神振奋,斗志昂扬,意气风发。"

"华山牌"照象机

"华山牌"照象机,
美观、精巧又经济。
中国能造照象机,
第一架先送给咱毛主席。

"华山牌"照象机,
包装好了装飞机,
空运终点来比锡,
中国博览会添了新产品。
国际友人齐称赞:
"新中国工业一日进千里。"

(陕西,羊角)

雪白的羊毛放上

三层大楼玻璃的窗,
一堆堆,
雪白的羊毛放上。
开动机器轰隆隆响,
打成包,
送到出口的岸上。

(青海小桥,谢福善)

我们读了《"华山牌"照象机》和《雪白的羊毛放上》，真正感到骄傲，在我们国家里到处都是政治空气，因而到处都是诗。在自制的照象机的包装之中，在羊毛打成包送到出口的岸上，每个动作都是祖国在那里鼓舞着。

八　中国人民子弟兵之一班

在党的教育之下成长起来的中国人民子弟兵,其性质,其每个战士的品质,为全世界(包括资本主义国家在内)的人所尊敬,所赞美。中国的战士证明了"人"的价值。我们现在选出十二首诗来,虽然不够全面,但这十二首诗,都是战士自己的诗言志,足以说明问题的本质。

练兵如炼钢

太阳毒似火,
汗水浃背流,
地皮烫脚板,
操场赛火炉。
战士不怕烫,
顶火进操场,
火下把兵练,
练兵如炼钢。
要想炼好钢,
火力要加强,
要想练好兵,

苦功要用上。

（段思明）

"练兵如炼钢",这句话很容易从口里说出,但《练兵如炼钢》这首诗实实在在是钢在火中炼,我们读着就很恨自己铁不成钢似的,这是战士的意志教育了我们,是战士的行为教育了我们。战士都是自觉的,所以能教育我们自觉。因为自觉,才有诗。"被动",不能有诗。在我们国家里,被动认为是耻羞。

多谢风雨来帮忙

风似刀,雨似箭,
刀箭齐飞路人断,
战士练兵操场上,
刀箭怎挡英雄汉!

刀刺骨,箭射脸,
刀箭织网把路拦,
战士挺胸向前进,
刀山箭海也要钻。

风发疯,雨发狂,
练兵场上笑声扬,
坏天能练真本领,
多谢风雨来帮忙。

（廖德林）

我们曾经说过,诗就是能说出心里话,你心里有非说不可的话你就非把非它不可的形象指出来决不甘休,这首《多谢风雨来帮忙》就是这样,"风发疯,雨发狂,练兵场上笑声扬",语言真是有力量描绘真实的形象,而语言是心之声,要有战士的美丽的灵魂呵!

成绩长翅膀

　　智慧赛过诸葛亮,
　　干劲赛过五虎将,
　　智慧加干劲,
　　成绩长翅膀。

　　　　　(廖德林)

"成绩长翅膀",这是中国的现实。我们曾经读过《五亿农民都爱你》的诗,那上面有"愿你长上翅膀飞"的话,这一首战士的诗也是自然而然地唱出"成绩长翅膀",——其实我们的成绩并不是翅膀追赶得上的,但"成绩长翅膀"这一句诗足以说明中国人民的公共的一颗飞的心。

日月出海又落山

　　春风抚摸桅杆,
　　浪光拍打船舷。
　　两眼盯住炮镜,
　　看穿万里蓝天。

眼比星星更亮,
心比太阳更红。
日月出海又落山,
唯我在炮前不动。

（中伟）

　　这里是一个战士的形象屹立于天地之间！日月不能比他有灵魂,一张整个的海给他的勇敢、智慧的双眼管住了。我们用散文这样来加以赞美,也并不是不知道是辞费,但实在是忍不住,不这样就对不起一个读者的良心似的。他的眼睛实在是比星星更亮,他的心实在是比太阳更红,日月出海又落山,而我们的战士在炮前不动,这一点也没有夸大,就是敌人（如果是这一首诗的读者的话）也要承认的！伟大的中国人民子弟兵！

擦大炮

雪停了,天亮了,
起床忙来擦大炮,
炮卧阵地似白虎,
身上披着白龙袍。

炮脚板上落雪花,
好象绿布生白毛,
炮弹躺在木箱里,
盖着雪被睡大觉。

瞄准镜,玻璃造,
　　光手擦炮最周到,
　　风吹手背象猫咬,
　　镜儿对着战士笑。

　　炮脚板上结冰花,
　　使劲擦来不见效,
　　嘴呼哈,冰雪化,
　　替炮洗个干净澡。

　　　　　　（牛成明）

　　任何知识分子的诗人(包括古今中外)都应该学习这一首《擦大炮》吧,首先要学习这一位满身都是乐观主义精神的战士,其次学习这一首美丽的诗！是的,读了这一首诗,你如果是诗人的话,你一定要投笔,要去擦大炮！这首诗首先告诉我们"雪停了,天亮了",那么眼前是个什么形象呢？是"炮卧阵地似白虎,身上披着白龙袍"！白虎衣以龙袍,世上哪里有这样生龙活虎似的生物？而我们眼前的大炮就是！要注意,这个生物是我们的战士的驯养物,是他手下的东西！"炮弹躺在木箱里,盖着雪被睡大觉",这个炮弹该有多么安全,保护得多好,我们读者感觉它非常温暖,而它身上是盖着"雪被",——奇怪,这里的"雪"为什么没有一点寒意的侵袭呢？这是我们的战士的勇敢、是我们的战士的乐观主义精神所笼罩着。美丽的形象,加以十分称意的语言！往下的"战士笑"、"嘴呼哈",就无须我们的笨拙的言辞作介绍了。

风雨架线

滴滴哒哒雨纷纷,
雨打青山路泥泞;
风雨里老鹰不敢飞,
电话兵架线脚不停。

搭起"人梯"丈八高,
手把电线挂树梢;
铁锨刨土深一尺,
电线穿过车马道。

翻山越岭绕村庄,
铺设电线百里长,
胶鞋带泥千斤重,
雨似瓢泼风更狂。

风追雨送跑如飞,
只顾架线不知累,
手摇机子电铃响,
珍珠满脸笑微微。

谁说风雨透心凉,
士兵斗志最高昂,

回营路上天已晚,

歌声更比雨声响。

（乐娃）

这又是一首充满乐观主义精神的诗。我们的新民歌有一个特点,它非常表现着个性,但它的个性不属于某个人的,是人民事业的个性,歌唱某一种工作的诗就有某种诗的个性。个性通过诗的形象。前一首《擦大炮》,是生龙活虎的形象,从其形象我们爱我们的诗人,接触了诗人的个性。这一首《风雨架线》,是"风追雨送跑如飞"的形象,是"歌声更比雨声响"的形象,当其"手摇机子电铃响"的时候又是"珍珠满脸笑微微"的形象,——好一个"珍珠满脸"！我们的工作者在工作当中把困难当作什么呀！困难是满身的光辉,是珍珠满脸！

诗的夸张有时夸张得极其可爱,好比"胶鞋带泥千斤重",我们谁都感得这"千斤重"不算重,也就是不算夸张,因为"翻山越岭绕村庄,铺设电线百里长","雨似瓢泼风更狂",这时最重的重量就莫过于足下一双胶鞋,所以说"胶鞋带泥千斤重"。而这个负有如此重量的一双脚的人,显得非常幽默。所以我们的诗人接着便说"风追雨送跑如飞"。但诗人是不自觉地写出了自己的步伐。并不象我们此刻这样分析诗。"风追"的"追","雨送"的"送",都用得非常之好。这样的人们,当其胜利时,风呀雨呀,雨呀风呀,只不过装饰得"珍珠满脸"！此之谓英雄人民。

幸福泪湿眶

列兵看纲要,

脸上泛红光，
边看边思想，
幸福泪湿眶。
纲要四十条，
条条好主张。
荒野和沙漠，
要变大粮仓。
光山和秃岭，
披上绿衣裳。
儿童挂书包，
走进新学堂；
壮年上民校
从此无文盲。
这样的生活，
从前哪敢想？
为了实现你，
永远紧握枪。

（蒲世麟）

这一首《幸福泪湿眶》把我们战士的平日思想直接说明白了，说明白就是政治挂帅。

读报快板

三天不看报，
啥也不知道，

思想不开通,
说话没味道。

（李哲搜集）

这首快板没有作者的名字,我们觉得非常有味道,耐人深思。我们平常看了我们的《人民日报》,确确实实使得自己的思想不往庸俗的边缘走,是开通,是向上。

大校政委眯眯笑

举起枪,瞄准靶,
谁在我的身边爬?

"握好枪,静下心";
谁在身后细叮咛?

"砰"一响,中红心,
哪来低低叫"好"声?

放下枪,往后瞧,
大校政委眯眯笑!

（262部队,余人辑）

望着连长叫了声娘

我们的连长叫宋江,
爱兵观点实在强。

同志们睡觉他不睡,
恐怕我们着了凉。
给这个同志盖被子,
给那个同志拾衣裳,
有位同志说梦话,
望着连长叫了声娘。

(林少芝)

《大校政委眯眯笑》和《望着连长叫了声娘》这两首诗把我们解放军的官兵关系都表现出来了,谁读了都爱好。当然也爱好这两首诗,因为诗写得好,实在我们读者的感情已离开了诗,进到解放军之间存在的骨肉关系里面去了。

我们的宿舍

墙壁白又洁,
好象涂了漆,
洁白精神爽,
似见六月雪。

地板擦得亮,
好象溜兵场;
叫来摄影师,
给它照个象。

窗下暖气包,

擦得真正好,
闪闪发着光,
见我总是笑。

床铺真干净,
整齐象模型,
内务卫生好,
奖了优秀证。

(陈岳)

从旧社会过来的有年纪的人,在解放后,在他们参观解放军的宿舍的时候,有一个突出的感觉,这里不是"兵营",象资本主义国家里最整齐的学校,最讲究的医院似的,因为在旧观念里所谓"兵营"是最糟踏人的地方,人们在这里是"弃之若敝屣"。接触中国人民解放军的生活之后,知道解放军是所有最好的教育集中的学校,是进步的人类的典型,内务卫生好是当然的事。然而我们有必要选《我们的宿舍》这一首诗,作为内务卫生的示范。

我们的手

我们的手,
是战斗的手,
敌人见了就发抖!

我们的手,
是劳动的手,

移山填海不用愁!

我们的手,
是智慧的手,
科学技术握在手!
　　　　（王荣祥）

这是新中国每个人的手,由中国人民子弟兵歌唱出来了。

毛泽东同志著作的语言是汉语语法的规范

打字油印本,署名冯文炳。共两节,文末署"一九六〇年四月"。

一　汉语语法的要点

当我动手写这篇文章的时候，读到《人民日报》社论《一定要继续跃进，一定能继续跃进》，见其中引用了毛主席的这一句话："一个粮食，一个钢铁，有了这两个东西就什么都好办了。"我真感到我这篇文章非写出来不可。我们必得理论联系实际地讲讲汉语语法。我经常想到这个问题，今天要讲汉语语法，首先要能够欣尝〔赏〕毛泽东同志著作的语言，它是汉语语法的规范。好比在这里引的《人民日报》社论引用的毛主席一句话，它是多么代表毛主席的语言风格，而毛主席的语言风格又多么显得汉语的美！可惜中国自讲语法以来，都是一些欧化的东西，根据这种欧化的东西不能分析毛泽东同志的语言所代表的汉语语法的要点，因之对汉语的美也就说不出所以然来。"一个粮食，一个钢铁，有了这两个东西就什么都好办了。"这句话的美我想是有目共尝〔赏〕。其实这句话的语法也是从《诗经》，从孔夫子到今天工农大众的新民歌所共同的汉语语法。把汉语语法依外国语（特别是英语）语法的样子画葫芦，就不能说明汉语的美了。这确是一件古怪的事，为什么汉语语法不从汉语的实际建立起来，而相习成风一直是无的放矢？到今天此风没有扫尽。我想努力说明汉语语法的要点，一开始就得同欧化的汉语语法交锋，立的同时就是破,破的同时就是立。

我们首先还是观察毛主席这一句话所代表的汉语语法的要点:

一个粮食,一个钢铁,有了这两个东西就什么都好办了。

这句话里面代表汉语语法的三个要点,有两点应首先提出来,其第三点留在后□。哪两点是应该首先提出来的呢?就是:
一、在汉语里,语法地位的主语不是必要的。
二、在汉语里,语法地位的连词是没有的。

这是汉语语法的两件大事。汉语的美每每从这两件大事产生出来。好比我们所引的毛主席的话,"有了这两个东西"就是"有了这两个东西",这样话就说得非常好,意义明白,感情盛重,不能考虑"有了"前面应该有一个什么叫做语法上的主语。在汉语里,语法地位的主语不是必要的。在外语里就非要不可。这是一件大事。再一件大事,"一个粮食,一个钢铁",两个名词连起来说,其间不需要连词。"有了这两个东西就什么都好办了",这里面是两个句子连起来说,其间不需要连词。(这里面有一个有承接意义的副词"就",在汉语里这也不是语法上所必须的,有它是修辞上的理由。)在外语里,两个或两个以上的东西,非用语法地位的连词来连接不可。

为什么在汉语里语法地位的主语不是必要的呢?道理很简单,本来应该有主语的时候就有主语,本来应该不要主语的时候就不要主语,所以在汉语里语法地位的主语不是必要的。我们今天之所以必须这样提出问题来,是因为一向讲汉语语法套西语语法的架子,一个句子首先要从它的"主语"来谈,而没有仔细去思考西语语法一个句子首先要规定它的主语乃是与此主语相适应的作为谓语的动词的形态的关系。在汉语里,作为谓语的东西没有形态变化的问题。因此,在汉语里,一个句子如果以不要主语为最好,它的语法地位的主语当然就没有必要,反正它的作为谓语的东西是绝对使用的,不跟着有什么形态的变化。我们读《论语》,在它里面有如下一类的句子:

(1)是礼也!
(2)是知其不可而为之者与?
(3)是谁之过与?
(4)是鲁孔丘与?

在古代汉语里这些句子都是道地的汉语句子,这些句子的特色是不要主语。因此,在讲语法的时候,在这里提出"主语"的问题,岂不是没有问题而提出问题?其所以没有问题而提出问题,岂不因为在西语语法里句子的主语问题是大问题之故(决定作为谓语的动词的形态变化)?

像上面所举的古代《论语》里不要主语的句子,在今天的《红旗歌谣》里也有的是,如《指路明灯》的这两句:

放近耳边听一听,
莫不是毛主席的说话声?

这是一位老汉拿着农业发展纲要四十条说的话。"莫不是毛主席的说话声?"多么表现着汉语的美呵!这个句子就是不能有主语。

又如《哪里飞来一座山》:

哪里飞来一座山?
这山座落社旁边,
今天看来屋样大,
明天看来遮住天。
不是山来不是山,
铲来草皮十万担。

这里面的"不是山来不是山"该是多么美的句子,它的特点就是不要主语,它不能有主语。

再抄《大学生拉粪》的四句:

树枝上喜鹊叫喳喳,
前垴上人儿笑哈哈,
我当是谁家迎新人,
原来是女学生把粪拉。

这里面"谁家迎新人"前面的"是","女学生把粪拉"前面的"是"都不能有主语。

上面我们特地从古今汉语里举出动词"是"前面不要主语的

例子,说明一个句子的"主语"问题在汉语里不成问题,同西语语法绝对不同。西语语法因为与作为谓语的动词形态相适应的原故,主语恰恰是问题。把西语语法上的事情搬到汉语上来讲,就不能说明问题,就是理论脱离实际。

在汉语里,因为语法地位的主语不是必要的原故,没有主语的句子□多得很,而且好得很。在《论语》的开头就有一句有名的句子:"有朋自远方来,不亦乐乎?"这一句里面包括两个分句,两个分句都没有主语。我们且从《诗经》里面抄出如下的句子:

(1)参差荇菜,左右采之。
(2)有子七人,母氏劳苦。
(3)出其东门,有女如云。
(4)一日不见,如三月兮。

这些句子到今天都是极其吸引人的,显得汉语的美。像(2)例的"有子七人",不但语法地位上没有主语,从意义上也不能填出主语来,不能说下句"母氏劳苦"的"母氏"是"有子七人"的主语。我们说汉语的极大多数的好句子是语法地位的主语不必要因而产生的,确实没有疑问。

读《红旗歌谣》里面的一首《收徒弟》:

做了一辈子工,
想都没敢想,
收了个徒弟是厂长。

这首诗该多么表现汉语的长处！它就是不要主语。"做了一辈子工"，"想都没敢想"，"收了个徒弟"，从意义上是可以填出"主语"来的，可以填一个"我"字，然而这叫做天下本无事，庸人自扰之。你一定要填，"收了个徒弟是厂长"，"是"字你替它填一个什么做主语呢？所以我们说根据欧化的汉语语法来讲汉语，就不懂得汉语的美，这话并不冤枉。

上面的话我们是说，在汉语里，语法地位的主语不是必要的，讲汉语语法的时候不要让西语的语法习惯先入为主，重要的是对具体的句子作具体的分析。对具体的句子作具体的分析，有些句子就需要主语，这些句子又因为有主语而显得汉语的美。但不是语法地位上非有主语不可。一个句子语法地位上非有主语，是西语语法的规律。在《论语》里，孔夫子的一位学生说了这样一句话："吾日三省吾身。"这句话读起来很响亮，西语语法里所讲的句子的成分在这个句子里都有，我们现在只讲它有主语"吾"。陶渊明也有这样的诗句："众鸟欣有托，吾亦爱吾庐。"这一句"吾亦爱吾庐"同《论语》的话一样，一个句子里两个"吾"字用得响亮，我们现在只看它有主语"吾"。所以我们如果说，在汉语的句子里主语不重要，或者说它可有可无，那都是不正确的。正确的说法是，要它的时候就应该要，而在汉语的语法地位上主语不是一定要的。我们看下面《诗经》里的句子：

(1) 五月斯螽动股。

六月莎鸡振羽。

七月在野，

八月在宇，

九月在户,

　　十月蟋蟀,

　　入我床下。

(2)昔我往矣,

　　杨柳依依。

　　今我来思,

　　雨雪霏霏,

　　行道迟迟,

　　载渴载饥。

　　我心伤悲,

　　莫知我哀。

《诗经》里的这些句子都是极能代表汉语的风格的,向来都很□名,它们当中有的有主语,有的没有主语,有主语就显得有主语的好,没有主语就显得没有主语的好。(1)例的"七月在野,八月在宇,九月在户",从意义上当然可以填出"主语"来,就是"蟋蟀",但是汉语的规律不要这样填,这里四个字就是一句,共是三句,没有主语,因为语法地位的主语不是必要的。其实"十月蟋蟀,入我床下"也是两句,根据汉语规律"十月蟋蟀"四个字是可以成为一句的,正同"参差荇菜"四个(字)可以成为一句是一样,——如果问,"参差荇菜"怎么成为一句呢?那末只看"参差荇菜,左右采之"八个字便可明白,八个字明明是两句。这却说到汉语的另一个规律上面去了,关于这个规律我们以后要谈到。

我们再读我们的《红旗歌谣》里面的《一对喜烛结红花》:

一对喜烛结红花，
　　毛主席几时来我家，
　　看看我们红日子，
　　说说心里翻身话。

　　这首诗一二两句要主语，三四两句就不要。要是意义上要，不要意义就不明白，不是语法地位上非有主语不可。因为语法地位上的主语不是必要的，所以三四两句就不要了，不要而它的意义非常明白，它是汉语的最好的句子，最普遍的句子。

　　再读这一首《螺丝要告你》：

　　螺丝满地飞，
　　不看在眼里，
　　若问何处来？
　　真正勿容易；
　　鞍山到此地，
　　遥遥几千里。
　　你若再浪费，
　　螺丝要告你。

　　这首诗里面的句子，有有主语的，有没有主语的。我们注意第二句，它不要主语，非常灵活。再注意第七句，它一定要用"你"来作主语，第八句也一定要用"螺丝"作主语，该用得多么好！如果把第二句"不看在眼里"前面加一个"你"作主语，就笨极了。懂得汉语的人当然不这么笨，因为汉语的重大规律之一就是语法地位的主语不是必要的东西。

以上说了汉语语法的第一个要点。

再说第二个要点,就是,在汉语里,语法地位的连词是没有的。我们必须说清楚,汉语的词类里是有连词的,但它同西语语法的连词绝对不一样,西语的连词是语法地位上非有它不可,针对着西语连词的功用说,在汉语里却绝对不要这样的东西。自从有欧化的汉语语法以来,对汉语产生了一种混乱,就是在汉语里误用了连词。为得说明问题起见,我们从报纸上抄出两条报道来作比较:

中国共产党代表团和日本共产党代表团今天下午在北京签署了中国共产党、日本共产党联合声明。……

签署两党联合声明时,中共方面在场的有:周恩来、朱德、彭真、王稼祥、廖承志、刘宁一和伍修权同志。(1959年10月20日新华社讯)

中共中央今晚设宴为日本共产党代表团全体同志饯行。……

……中共方面参加宴会的,有刘少奇、周恩来、朱德、邓小平、彭真、王稼祥、杨尚昆、廖承志、刘宁一、伍修权等。(1959年10月22日新华社讯)

我们注意这两条报道里面对诸多名字连在一起的记叙方法,前一条把汉语欧化,在最后一个名字之前加一个"和"字和前面的名字连结,而且共用着"同志"两个字,实际上照汉语的习惯读起来不是如此，这样的欧化只造成了混乱；二条则是道道地地的汉语，意义明确，诸多名字之间用不着连词，后面用一个"等"字。如果在"等"字后面加"同志"两个字，当然是可以的。这证明汉语有它自己的语法规律。遵照汉语自己的语法规律，两个以上的相等性质的东西连叙起来，其间不需要连词来连结。

原来这里关系着汉语的一件大事。和外语不同，汉语的结合性是绝对的，名词可以同名词连，动词可以同动词连，形容词可以同形容词连，代词可以同代词连。在实际生活上只有代词连说的情况比较少，但也还是有，如"你我"就常常连在一起说。在元曲里且说"他他他，伤心辞汉主；我我我，携手上河梁。"这里三个"他"字就是结合在一起，三个"我"字就是结合在一起。如"古今中外"，"前后左右"，"日日夜夜"，"说说唱唱"，"你的我的"，"其人其事"，"周公之才之美"，"工农商学兵"，"农林牧副渔"，"多快好省"，那真是巧，也说不尽汉语此中妙用，其关键就在于，在汉语里语法地位的连词是没有的。语法地位的连词之所以没有，其原因是，在汉语里，词和词，词以上的东西和词以上的东西，它们之间的结合性是绝对的。词以上的东西和词以上的东西的结合，如句子和句子的结合，那也是最显著的，互相结合起来，不需要连词。如《论语》第一章，"子曰"以下共是七句，只有"人不知而不愠〔愠〕"两句间有连词"而"（这个连词"而"不是语法上规定要有的，有它是语言风格的关系，换一个说法就可以不要它），其余都是两句相关联，两句之间都没有连词。《诗经》第一篇《关雎》，共有三章，三章里面没有一个连词。我们把话这样说，可谓笨极了，古人如果听了我们这样的话，就一定觉得奇怪，这到底说些什么呢？是的，我们有我们的苦心，我们的苦心又一定为今天的青年所理解,因为我们是同情他们的,欧化的汉语语法把他们指入了迷途,听了我们的话他们将得到解放,在"连词"这个问题上:要讲汉语语法,语法地位的连词是没有的。中国的诗,为什么以五言七言为最普遍,除语音的原因之外,有语法的原因,语法的原因有多种,句子的主语非必要和句与句之间没有连词是两个大原因。"结庐在人境,而无车马喧",陶渊明的这两句诗是诗里面很特别的句子,其所以特别,是因为里面用了一个连词"而"。可见连词在汉语句与句之间少用。有人以为这两句诗像散文,这是缺乏科学分析的说法,在汉语里,散文的句与句之间也少用连词,如《论语》中的句子就是。不过每一种语言的诗,集中地表现其语言的特点,是事实。如果句与句之间非有连词来连结不可,语法地位的主语非要不可,很明显,汉语的律诗便不能写,难写成那样充满了对仗的五个字一句或七个字一句了。

我们在讲汉语的第一个要点——语法地位的主语不是必要的时候,引了《红旗歌谣》里面的许多例子来证明,现在讲第二个要点——语法地位的连词是没有的,几乎所有的新民歌都是例证。是的,我们打开《红旗歌谣》看,看它的一首又一首,一句又一句,就是少见连词的面,这难道不足以说明汉语的特点,由这个特点而产生它的美吗?为什么在讲汉语语法的时候不提出这个要点来,因为西语有连词我们也就照人家的样子讲"连词"呢?我们读《大海我们填》:

干部能拿梯,
我们能上天。

干部能下海,
大海我们填。
干部能翻山,
我们把山翻。
村看村,户看户,
群众看的是好干部。

这首诗里面有四个句号,也就是四句。前三句每句有两个分句,第四句有三个分句。分句与分句之间都不要连词,这在西语里是不许可的,这说明在汉语里语法地位的连词是没有的。

再读《人心齐,泰山移》:

人心齐,
泰山移。
一根竹竿容易弯,
十根纱线难拉断。
一人心里没有计,
三人肚里唱本戏。
一块砖头难砌墙,
一根甘蔗难榨糖。
一家盖不起龙王庙,
万人造得起洛阳桥。
人多主意好,
柴多火陷〔焰〕高。
一人一条心,

穷断骨头筋。

这都是道地的群众的语言,它表现汉语的优点,句与句之间不要连词,一连串的句子读起来非常好听,格外觉得亲切。

再读《我来了》:

> 天上没有玉皇,
> 地上没有龙王,
> 我就是玉皇!
> 我就是龙王!
> 喝令三山五岳开道,
> 我来了!

这首诗在歌谣里是很特别的,诗的气魄而是散文的语言风格。所以句句相连不要连词,并不因为五七言体诗的原故,句与句的绝对结合本是汉语的一般规律,《我来了》就是证明,六个句子其间用不着连词来连。

我们读《引水上山再结婚》的最后四行:

> 叫声哥哥你放心,
> 我也不是落后人;
> 不当模范不见你,
> 水不上山不结婚。

这是群众的语言,这是道地的汉语的句子,"不当模范不见你,水不上山不结婚",分析起来这里面有四句,不要连词而结合得非常之自然。

"不当模范不见你,水不上山不结婚",是句与句连,读得快。若《好姑姑》里面的"妈妈问她苦不苦,她说不苦不苦很幸福",则有一连串的词连,一样读得快,这在西语里都是不可能的,在汉语里极其自然。在古代汉语里也是如此,如《论语》有:"信乎?夫子不言不笑不取乎?"这里面"信乎?"和"夫子不言不笑不取乎?"是句与句连,"不言不笑不取乎"是一串的词连。凡这些,都证明:汉语部分与部分之间的绝对结合性。所谓绝对的结合性,就是说它们的结合是自己结合,不需要连词。

然而汉语的词类里有连词。既然有连词,语法地位上又不需要连词,那么汉语的连词有什么用呢?它是说话时意义上有必要,修辞上有必要。因此它是相对的必要,不是绝对的必要。西语的连词是绝对的必要,就是语法上非有它不可。绝对的必要,当然包括相对的必要,表现某种意义时应该用某个连词就用某个连词,用了这个就不用那个,这是选择作用,是相对的。必需要用一个,这是绝对的。汉语的连词都产生于意义上的选择作用,或修辞上的选择作用,不是语法上必须要它。如这一首民歌:"头发梳得光,脸上擦得香,只因不生产,人人说她脏。"头两句是平列的,其间没有连词,因为语法上没有必要。第三句的"只因"二字就非常有力量,同第四句紧接着,把意义表现得极其深刻,这就是汉语的连词作用,是说话时意义上有其必要。我们如果掉换一句,改为:"头发梳得光,脸上擦得香,坐着不生产,人人说她脏。"语法上完全没有问题,完全不要连词,就是意义差多了,力量减弱了。如《请你们爱护"家"》的这六句:"童音没变离开家,年纪虽小决心大,舍下爹,舍下妈,要翻身,把枪拿。"倘若把第二句里面的连词"虽"去掉,改为"年纪小,决心大",在语法上毫没有问题,就是不及"年纪虽小决心大"来得动听,这说明汉语的连词有时在修辞上有其必要。又如《妇女运输队》的这四句:"提起昨天英雄会,炼钢英雄叫王奎,大姐若是心有意,妹去送信不收费"。如果把四句七言改为五言:"昨天英雄会,英雄叫王奎,大姐心有意,送信不收费。"去掉了连词"若是",意义并无重大损失,从修辞上说就不及七言的句子好了。这也证明汉语的连词有时有其必要,但不是语法上的必要。这举的都是连词在句与句中的作用的例证。再看它在词与词中到底有何必要。我们读《当心果子碰着头》:"昨天山边光溜溜,今天栽起杏桃榴。再过几个春和秋,干高枝绿果成球。……"这里面"杏桃榴"连在一起说,中间不要连词,正是汉语的一般规律。而"春"与"秋"之间却加了连词"和",成为很好听的一句七言诗,很分明,这个"和"不是语法上所必须的,因为七个字一句的原故,修辞上它就真不可少。如果是五个字一句,那"再过几春秋"就行了。再把"渠水流,流走农民忧和愁"同"扁担本是古人留,留给后人挑忧愁,挑到唐宋元明清,愁如江水向东流"作比较,问题也很清楚。"忧愁"是连在一起说的,"唐宋元明清"也是连在一起说的,汉语规律词与词有绝对的结合性,而"流走农民忧和愁"又是一句七言好诗,在修辞上把"忧"和"愁"特地分开了,中间加了一个连词"和"。若如《与北风斗狠》的这一段:

  谁说五更风更冷,
   下起力来汗气蒸,

> 为何我要这样干，
> 亲眼看到古和今：
> 想起过去旱灾苦，
> 北风难冻火热心，
> 尝到今日水的甜，
> 风吹更觉爽精神。

我们注意"亲眼看到古和今"这一句，这里面的连词"和"就不完全是修辞上的作用，同时有意义上的必要，它表明亲眼看到过去，又亲眼看到今天，就是古和今的对比。同样我们读《唱着歌儿去放羊》的头一段：

> 清早天气好凉爽，
> 山畔太阳放红光。
> 手拿书本和铁铲，
> 唱着歌儿去放羊。

这第三句里面的连词"和"，不完全是修辞上的作用，同时有意义上必要，它表明今天的放羊人，不但手拿铁铲，而且要拿书本，所以下文便是："山是我的好学堂，打开书本念文章。（羊）儿咩咩叫什么，你不会念书只会唱。"那末，从语法上说，词与词的结合以不要连词为原则，汉语的词类里却是有连词的，它是说话时意义上的必要，修辞上的必要。

因为修辞的原故，因为着重某种意义的原故，在三个名词连在一起的时候，可以连用两个连词，古代汉语如此，现代汉语也是如此。古代汉语如《论语》的这一句："子（罕）言利，与命，与仁。"现代汉语如鲁迅的这一个题目："聪明人和傻子和奴才"。在汉语里就是不应该把西语的连词用法移过来，如不说"马、牛、羊"而说"马、牛和羊"，那就听不懂说的是什么，给汉语造成混乱。偏偏有人在自己写的文章里引用鲁迅的"聪明人和傻子和奴才"把鲁迅的题目改为"聪明人，傻子和奴才"，这说明欧化的汉语语法害人！

以上说了汉语的两件大事，语法地位的主语不是必要的，语法地位的连词是没有的。

下面我们再谈汉语五个要点，都是关于语法方面的，古代汉语和现代汉语是一样。

一、在汉语的词类里应该没有介词，一般当作介词的几个词都是动词。汉语之所以没有介词，也正因为汉语的词与词的结合是绝对的，丝毫不受限制，这样，当然就没有"介词"。西语的介词就是介绍这个词与那个词的关系的。好比"杨柳"和"枝子"，在西语里是不能直接结合起来的，中间需要有介词，汉语则不成问题说着"杨柳枝子"，简单些就是"柳枝"、"竹枝"等。汉语的天上，地下很容易说，把名词与形容词连起来就好了。从前人描写细雨，"点点不离杨柳外，声声只在芭蕉里"，"杨柳外"三个字是一起，"离"是动词，同样"芭蕉里"三个字是一起，"在"是动词。欧化的汉语语法有所谓"介词结构"，那末"在芭蕉里"如果是介词结构，"声声只在芭蕉里"就没有动词了。我们读新民歌，如"螺丝满地飞，不看在眼里"，"眼里"分明是一起，"看"和"在"连读，不能把"在眼里"当作介词结构。又如"天干也要吃饱饭，干〔乾〕坤掌在人手中"，"人手中"分明是一起，"掌"和"在"连读，不能把"在人手中"当作介词结构。"老汉望麦头仰上,草帽落在麦场上","落"和"在"也应该连在一起读,"麦场"和"上"结合,"麦"和"场"结合,实在没有什么叫作介词。"天上红云挤乌云,地上东风压西风",其中"天上"就是"天上",一个名词同一个形容词结合,"地上"就是"地上",一个名词同一个形容词结合。"炮火下面入了党,学校门外学文化",其中"炮火"同"下面"结合,"学校"同"门外"结合,"门"同"外"结合。更有"脚上鞋子","头上帽子","山外山","楼外楼","心中事","意中人",都是要怎么结合就怎么结合。在汉语里,哪里还有"介词"立足的余地呢?现在一般叫作介词的几个字,是几个特别的动词,其后要有补足的东西意义乃算完全罢了。

在现代汉语里,加了"对于"和"关于"这两个词,应该算作汉语语法的发展。"对于"和"关于"这两个词是从翻译西语的介词来的。所以我们现在假定汉语有介词这一类,是可以的。从实用上说,承认汉语有介词,对汉语无损失,同欧化的"连词"大不同,汉语本有连词这一词类,而欧化的"连词"给汉语造成了混乱。

二、汉语的动词以一种绝对的状况被使用着,无任何形态的变化,因之它可以有西语的名词的功用,如做主语;可以有西语的形容词的功用,如形容名词。这一来也就符合了词与词的绝对结合性的规律,古今汉语是一样。在西语里,动词也是可以变作名词,变作形容词的,不过有形态的变化罢了。

三、汉语的形容词,于形容名词之外,又有西语的名词的功用,有西语的动词的功用,这种功用也是从词与词的绝对结合性产生的。例如一个"红"字,一个"绿"字说"红花",说"绿叶",是它同名词结合,形容名词,是形容词本有的性能。若说"桃红""柳绿",结合的地位换一下,它便有西语的动词的功用了,就是形容词作了谓语。它并可以带宾语,如"红了樱桃,绿了芭蕉。"在其他的结合之下,如"绿肥,红瘦",形容词在汉语里就做了主语,起了西语的名词的功用。

四、词与词的绝对结合性当然也表现在名词上面,所以在汉语里,一个名词与另一个名词(当然可以各带有附加成分)结合可以成为一个句子,也就是一个名词做了另一个名词的谓语。如"孔子鲁人也",是一个句子。"今天星期六",是一个句子。"一年三百六十天",是一个句子。"太阳的光芒万万丈",是新民歌的句子。"我们如今俩太阳",是新民歌的句子。"一车粪肥一车歌","一车笑声一车煤",都是新民歌的句子。"灯笼千只眼,蜡烛一条心",是两句。"妹妹英雄哥好汉",也是两句。因为词与词有绝对的结合性,再加以五七言的声调关系容易停顿,在诗歌里就很容易由两个名词结合成句,一个名词做另一个名词的谓语。由此我们还可作一推论,根据汉语的特点,声调是影响语法的因素。读得顺口每每是一个句子的标准。如鲁迅的《狂人日记》的第一句:"今天晚上,很好的月光。"这个句子经得起汉语语法的分析,一个名词同另一个名词结合成句,如果改为:"今天晚上月光",这还是一个名词与另一个名词结合,但读起来不顺口,因之不能成句。鲁迅曾说他写作的经验,"自己觉得拗口的,就增删几个字,一定要它读得顺口"。我们认为这是一个宝贵的经验,对学习汉语语法有实际的指导作用,汉语有它自己的造句的规律,而声调足以影响句子的构造。本来在任何语言里声调同造句总是有关系的,所以学习语言离不开"读"。

五、在汉语里,有单词句。《论语》里面的单词句就很多,如一个"辞"字是一句,等于我们今天说着"不要",是动词单词句。一个"陋"字是一句,是形容词单词句。有"阶也"、"席也"的单词句,有"彼哉!彼哉!"的单词句,是名词、代词的单词句。我们在前面曾说《诗经》里的"十月蟋蟀","参差荇菜",都应该当作句子,就因为它们是带有附加成分的名词单词句。其他如"关关雎鸠","君子好逑〔述〕","趯趯〔喓喓〕草虫,喓喓〔趯趯〕阜螽"(两句),"麟之角",都是带有附加成分的名词单词句。在我们今天的新民歌里,"老汉今年七十九,钢打的膀子铁打的手",就由一个单词句,带有附加成分的两个名词构成的单词句。在鲁迅的小说里,"庵和春天时节一样静,白的墙壁和涂〔漆〕黑的门",就由一个单词句,带有附加成分的两个名词构成的单词句。这已说到单词句做了复句的组成部分上面去了。《诗经》的"敝,予又改为分〔兮〕",《论语》的"过则勿惮改",都是单词句做了复句的组成部分的例子。我们还应该特别注意一种类型,它在现代汉语里还表现着强大的生命力,如我们这篇文章一开始所引的毛主席的话:"一个粮食,一个钢铁,有了这两个东西就什么都好办了。"这一句话,根据汉语语法的规律,它是复句包含了名词单词句。它是现代汉语的句子。在古代汉语如《论语》里,就有不少这样包含了名词单词句的复句。我们举出一句来:"夏礼,吾能言之,杞不足征也;殷礼,吾能言之,宋不足征也。"这里面的"夏礼"、"殷礼"立于"吾能言之"的组织之外,同时它就是这个组织里面的"之"。同样,"一个粮食,一个钢铁"立于"有了这两个东西就什么都好办了"的组织之外,同时它就是这个组织里面的"这两个东西。"《诗经》的"参差荇菜,左右采之",属于这同一类型的句子。毛主席的句子之美,是有目共尝〔赏〕,毛主席的句子所显示的汉语语法的规律,我们还应该研究,毛主席的句子是汉语语法的规范。

二　毛泽东同志著作的语言是汉语语法的规范

我们提出了汉语语法的七个要点，并证明古今汉语是一致。关于汉语规范化，根据国务院的指示，以典范的现代白话文为语法规范。我们认为毛泽东同志著作的语言是现代汉语的语法规范，现在我们就详细地说明我们的原故。当然，这还不过是第一次把问题摆出来。

我们所提出的七个要点，其中有三点是大家一致公认的，即汉语的动词的特点（如作主语），汉语的形容词的特点（如作谓语），汉语的名词的特点（如作谓语），在毛泽东同志的文章里都容易找出许多的例证，我们就无详说之必要，我们集中研究四个要点，即汉语的主语问题，汉语的连词问题，汉语的介词问题，汉语的单词句问题。这四个问题中又以主语问题、连词问题、单词句问题等三个为最重要，是分析汉语、运用汉语、欣尝〔赏〕汉语的三椿〔桩〕大事，我们在下面的次序就先谈这三个问题。至于汉语有无介词，在实用上关系不大，在现代汉语里承认有介词，对汉语的发展上可能有好处，但从汉语的性质上说，我们认为还是没有介词这一词类的，我们从毛泽东同志的文章里也能得到证明。总之，汉语是有汉语自己的语法规律的，毛泽东同志的美的白话文章,就充分显示汉语的语法规律,所以它是现代汉语的语法规范。

第一是主语问题,这就是说,在汉语里,语法地位的主语不是必要的。我们从毛泽东同志的文章里选出下面的句子来读:

(1)谁使长征胜利的呢?是共产党。

(2)那末所谓文艺的提高,是从什么基础上去提高呢?

(3)在阶段〔级〕社会里,不是这一阶级的功利主义,就是那一阶级的功利主义。

(4)对人民,基本上是一个教育和提高他们的问题。

在上面的句子里,我们注意动词"是",没有一个东西作为它的主语,也填不出什么东西来。在这里说着"填",就是把汉语语法欧化,根据汉语它自己的语法,主语在句子里不是必要的。

再读:

(5)没有贫农,便没有革命。

(6)没有共产党,这样的长征是不可能设想的。

(7)但又必然地有完全新的条件和形势出现。

(8)有三种人,一种是敌人,一种是统一战线中的同盟者,一种是自己人,这第三种人就是人民群众及其先锋队。

我们注意(5)至(8)四个句子中的动词"有"(包括"没有"),它是没有主语的。

以上举了"是"字和"有"字,这两个动词在很多的场合下是没有主语的。有时从上下文仿佛可以替它们填出主语来,但填出之后意义上大有损伤,所以我们必须注重这个问题,汉语的不要主语有其重大的语言价值。如毛泽东同志用强烈的语言赞美湖南农民运动的话:"孙中山先生致力国民革命凡四十年,所要做而没有做到的事,农民在几个月内做到了。这是四十年乃至几千年未曾成就过的奇勋。这是好得很,完全没有什么'糟',完全不是什么'糟得很'。"这最后两句,一句里面的"完全没有",一句里面的"完全不是",就是"有"和"是"这两个动词带有附加成分,从上文看,仿佛可以填一个"这"字来作它们的主语,如果填出来,那就太可惜了,损害了原文的神圣不可侵犯性!原文在这两句里就是没有主语。"这"是"奇勋"的主语,是"好得很"的主语,与"糟"在〔和〕"糟得很"则不同在一个字典上,所以"完全没有什么'糟',完全不是什么'糟得很'"。我们于此可以体会毛泽东同志语言的伟大,汉语的语法规律所包含的实际确是精深。

下面句子里的"不到"和"到达"和"要到达",都是没有主语的(要填也填不出):

(9)不到具备了政治上经济上一切应有的条件之时,不(到)转变对于全国最大多数人民有利而不是不利之时,不应当轻易谈转变。

(10)到达这一天,决不是很快和很容易的,但是必然要(到)达这一天。

再读下面的两句：

(11)由于错误地否认小游击和小流动，就来了一个大游击和大流动。

(12)十月革命一声炮响，给我们送来了马克思列宁主义。

像这样的好句子，都最能表现毛泽东同志语言风格，发挥汉语的优点。我们注意(11)里面的"来了"，和(12)里面的"给"，这两个动词都没有主语，来得非常活泼。在我国初学英语的时候，把汉语都照英语来分析，一切唯英语之命是听，对于"就来了一个大游击和大流动"，就一定说"主语"在后面，就是"一个大游击和大流动来了"。这是荒谬的。这样就失去了汉语的美。在新民歌里有这样的诗句："小斑鸠，咕咕咕，我家来了个好姑娘。"这里面的"来了"是"好姑娘来了"吗？显然不是。同样，"来了一个大游击和大流动"就是"来了一个大游击和大流动"，其中"来了"没有主语，按语法秩序不是什么"一个大游击和大流动来了"。(12)里面的"给"就只有"给"，没有主语，如果填一个"十月革命"做它的主语，那就太死板了。

有的句子没有主语，因为语法地位的这个东西本来是可以没有的，但从上下文可以填得出来，如：

(13)总而言之，一切从前为绅士们看不起的人，一切被绅士们打在泥沟里，在社会上没有了立足地位，没有了发言权的人,现在居然伸起头来了。不但伸起头,而且掌权了。

(14)站在他们的前头领导他们呢?还是站在他们的后头指手画脚地批评他们呢?还是站在他们的对面反对他们呢?每个中国人对于这三项都有选择的自由,不过时局将强迫你迅速地选择罢了。

(13)的第二句,"伸起头"没有主语,从第一句填得出来。(14)的前三句,"站在"没有主语,从下文可以填一个"你"字。凡这些都属于修辞性的原故,因为语法地位的主语不是必要的,在修辞上决定没有它好的时候,当然就没有它了。

读下面的:

(15)十月革命帮助了全世界的也帮助了中国的先进分子,用无产阶级的宇宙观作为观察国家命运的工具,重新考虑自己的问题。

(16)团结国内国际的一切力量击破内外反动派,我们就有生意可做了,我们就有可能在平等,互利和互相尊重领土主权的基础之上和一切国家建立外交关系了。

(15)后部分的动词"用"和"考虑"没有主语,按意义,前部分的宾语"中国的先进分子"是其主语。这种场合的主语,不要它,是有道理的,后部分句子是前部分句子的结果。(16)前部分的动词"团结"没有主语,后部分的主语"我们"应该也就是它的主语。这种场合的主语,不要它,是有道理的,前部分句子是后部分句子的原因。

读下面的四句:

(17)土豪劣绅的小姐少奶奶的牙床上,也可以踏上去滚一滚。

(18)动不动捉人戴高帽子游乡,"劣绅!今天认得我们!"

(19)在野兽面前,不可以表示丝毫的怯懦。

(20)或者把老虎打死,或者被老虎吃掉,二者必居其一。

这些句子所表现的倾向性非常之强,极尽长自己的志气,灭敌人的威风之能事。从语法上分析之,"踏上去","捉人","在面前","表示","把","被",其前都不要主语。按意义都可以填得出主语来的。强烈的倾向性,高度的革命乐观主义精神,就与句子的语法地位上不要主语有关系。如果把(17)(18)的主语地位填出"农民"来,那就有些显得作者居于客观叙述的地位,虽然用了"土豪劣绅"字样。若把(19)(20)的前两个分句都填出"我们"来,那就不显得我们藐视敌人的神气。

若如下面的句子:

(21)不承认这一条真理,就不是共产主义者。

(22)钻进去,几个月,一年两年,三年五年,总可以学会的。

(21)的意义等于说"我们是共产主义者,所以我们承认这一条真理。"(22)的意义等于说"我们钻进去,我们不久就会的。"这样的句子是跟自己人说话的语气,有一种极其肯定的精神。不能替这些句子填出主语来。例如,把(21)改为"谁不承认这一条真理,谁就不是共产主义者。"或者改为"你不承真〔认〕这一条真理,你就不是共产主义者。"那就对原文的意义大有损伤,因为共产主义者不是那么容易的,真理也不是谁都容易承认的,给你一个条件你就是共产主义者吗?那只是荒唐的说话。

有时说的是当前一件具体的事情,而通过当前这件具体的事情实是代表着普遍的真理,说这种话的时候句子里常常不要主语。如:

(23)为什么要把工农共和国改变为人民共和国呢?

(24)剩下一个民族资产阶级,在现阶段就可以向他们中间的许多人进行许多适当的教育工作。

(25)用什么东西向他们普及呢?用封建地主阶级所需要、所便于接受的东西吗?用资产阶级所需要、所便于接受的东西吗?用小资产阶级知识分子所需要、所便于接受的东西吗?都不行,只有用工农兵自己所需要、所便于接受的东西。

(26)无产阶级是不能迁就你们的,依了你们,实际上就是依了大地主大资产阶级,就有亡党亡国的危险。只能依谁呢?只能依照无产阶级先锋队的面貌改造党,改造世界。

(23)里面的"要把",(24)里面的"向"、"进行",(25)里面"用什么东西"的"用",(26)里"依谁"的"依",所有这些动词都没有主语,没有句子里语法地位的主语,然而从意义上是很可以填出主语来的。填出来了却又失却了真正的意义,没有哪个笨人想到要这样做的。汉语的伟大处就在于它不表现一丝一毫的"形式主义",然而它有规律。

关于语法地位的主语不是必要的这个问题,我们再举两个例子:

(27)为着说清我们在下面所要说的问题,在这里顺便提一下这个人类进步的远景的问题。

(28)本来在九月间就给这本书写好了一篇序言。到现在,过了三个月,那篇序言已经过时了,只好重新写一篇。

这两个例子代表汉语的一个极其普通的不要主语的情况,就是作者自称的代词不要了,如(28)"给这本书写好了一篇序言"之前有一个"我"字不要,"只好重新写"之前也有一个"我"字不要。这都是修辞上的原故,不要好些。容许这样的修辞作用,是因为汉语有它的语法规律,语法地位的主语不是必要的。若在西语里,首先就有这个主语的问题,"我"叫做第一声〔身〕代词。

以上我们说明了第一个问题,在汉语的句子里主语不是必要的。从这个规律所产生的汉语的美,如我们所举的毛泽东同志的句子就是典范。说它不是必要的,有的有主语又是最好的文章,关于这一层我们就不必多有论述,因为没有人不承认句子中有主语的地位的。我们只是加了一层,在汉语里语法地位的主语不是必要的罢了。我们不多占篇幅来说明有主语的句子之美,但我们也舍不得不从毛泽东同志的文章里选出一些带有主语的句子来,以见有主语有时又有如何的必要。我们选的是:

(29)那末,中国革命战争的特点是什么呢?
我以为有四个主要的特点。

这两个句子,照原文分作两段。我们为什么选这两句呢?需要加一点说明。请注意"我以为有四个主要的特点"这一句。这一句里面有主语"我"。这一个"我"字是多么地有必要。我们想说出一个理(由),就是著者的谦逊的表现。如果省掉"我",改为"有四个主要的特点",那倒是很普通的说法,然而是绝对肯定的话。不知我们说错了没有?总之这个主语不是语法地位所必要,是肯定的。

(30)我坚决地回答:赞成统一战线,反对关门主义。

很显然,这个主语"我"又是有必要的,没有它就不能表示话说得坚决。

(31)这是四十年乃至几千年未曾成就过的奇勋。
这是好得很。

(32)这是值得庆祝的,因为这是人民的胜利,因为这是在中国这样一个大国的胜利。

(33)它是站在海岸遥望海中已经看得见桅杆尖头了的一只航船,它是立于高山之巅远看东方已见光芒四射喷薄欲出的一轮朝日,它是躁动于母腹中的快要成熟了的一个婴儿。

(34)全世界共产主义者比资产阶级高明,他们懂得事物的生存和发展的规律,他们懂得辩证法,他们看得远些。

(35)革命的人民如果不学会这一项对待反革命阶级的统治方法,他们就不能维持政权,他们的政权就会被内外反动派所推翻,内外反动派就会在中国复辟,革命的人民就会遭殃。

(36)但是,中国共产党和中国人民并没有被赫〔吓〕倒,被征服,被杀绝。他们从地下爬起来,揩干净身上的血迹,掩埋好同伴的尸首,他们又继续战斗了。

第二关于连词问题。主要是说,在汉语里语法地位的连词是没有的,因为欧化的"连词"给汉语造成了混乱,在这个问题上我们也必须研究毛泽东同志的文章。先看句与句的连结。不成问题,汉语的句子是无条件自己结合的,有连词的时候是有要连词的条件,就是意义上有其必要。我们回头再读上面引的毛泽东同志的句子,如(30)里面"赞成统一战线,反对关门主义。"就是两个分句自己结合。如(33)是三个分句自己结合。如(34),是四个分句自己结合。若(32)里面的两个"因为",(35)里面的

"如果"，(36)里面的"但是"，都是意义上有其必要，"因为"有"因为"的条件，"如果"有"如果"的条件，"但是"有"但是"的条件，语法的结构上则完全不依靠它们。排比是汉语的优点，汉语所以最容易排比之故，就因为语法地位上没有连词。在意义上需要连词的时候，这个连词又可以接连用两次，连词本身又起了排比作用了，所以它是从意义上产生的，从修辞上安排的，去掉它语法上并无损失，如(32)里面用的两个"因为"。我们必须懂得汉语的连词的性质，汉语有连词，而汉语的美，如它的富于排比作用，产生于语法地位的连词之无有。

句与句自己结合的情况我们认为上面的一段话已经说清了。我们再看句以下，词以上的东西，以及词与词，它们的结合都是自己结合，不要连词。我们读：

(37)向日本、英国、美国、法国、德国派遣留学生之多，达到了惊人的程度。

(38)时大时小时缩时伸是经常的，此起彼落也往往发生。

(39)革命和革命战争从发生到发展，从小到大，从没有政权到夺取政权，从没有红军到创造红军，从没有革命根据地到创造革命根据地，总是要进攻的，是不能保守的，保守主义的倾向是应该反对的。

(40)为了进攻而防御，为了前进而后退，为了向正面而向侧面，为了走直路而走弯路，是许多事物在发展过程中所不可避免的现象，何况军事运动。

(37)里面有"日本"、"英国"、"美国"、"法国"、"德国"五个名词自己结合,在汉语是不成问题的,这样提出问题来反而是无中生有的问题。针对西语的连词在汉语造成的混乱,这样提出问题来又是必须的。(38)的"时大时小时缩时伸"念起来多么好听,意义又非常明确,充分表现汉语的长处,就是同类的词自己结合不要连词。"此起彼落",也是两个同类的东西自己结合。其实还有"往往",一个字用了两个,是它跟它自己结合,表现汉语词的绝对结合性,向来没有把这个规律提出来罢了。(39)的四个"从……到……";(40)的四个"为了……而……",都是自己同自己连起来,充分发挥了汉语的排比作用,其原因是语法地位的连词在汉语里没有。

我们再把连在一起的汉语的两个好句子抄在下面:

(41)这种任务的完成,依靠全党的努力,依靠全体党员、党的干部、党的各地各级组织实行不屈不挠再接再励的斗争。我们相信,有了十八年经验的中国共产党,在它的有经验的老党员、老干部和带着新鲜血液富有朝气的新党员、新干部相互协力的情况下,在它的经历过风浪的布尔塞维克化的中央和地方组织相互协力的情况下,在它的坚强的武装力量和进步的人民群众相互协力的情况下,是可能达到这些目的的。

这样的句子读起来真是好听,富有吸引力,其关键在于有各种各样的一连串的东西自己结合不要连词。第一句两个"依靠",动词自己跟自己结合;"全体党员、党的干部、党的各地各级组织",三个带有附加成分的名词的结合,其中"各地各级"又自相结合;"不屈不挠再接再历〔励〕"是四层结合。第二句,四〔三〕个"在它的……下"是结合;"老党员、老干部",是结合;"新党员、新干部",是结合;还有"新鲜血液"和"富有朝气"、"经历过风浪的"和"布尔塞维克化的"都自己结合了起来。这就说明汉语的绝对结合性。会写文章的人自然会这样写,"一定它读得顺口",可能就是作文的秘决〔诀〕,汉语的绝对结合性很可能不在考虑当中。然而讲汉语语法,替汉语分词类,有一类叫做连词则决不能不把汉语的绝对结合性的规律指出来,指出来之后,汉语的连词的性质才能明白,它不是语法地位上规定要的。如我们所引的毛泽东同志的句子,谁读谁都要说好,分析起来,有许多的结合成分,就是没有连词。

自从有欧化的汉语语法以来,特别在连词"和"上面引起人们犯错误,在几个相等性质的东西(最普通的是几个名词)连结在一起的时候,总是在最后两个之间加一个"和",许多的青年们几乎习以为常,把汉语本来的写法反而忘记了。我们必须以毛泽东同志的写法为规范,把不正确的欧化的连词改正过来。下面我们引一些毛泽东同志的句子加以研究:

(42)我这回到湖南,实地考察了湘潭、湘乡、衡山、醴陵、长江〔沙〕五县的情况。

这是汉语本来的写法,于叙述了五个县名之后总以"五县"二字,意义明显而确切。如果写作"湘潭、湘乡、衡山、醴陵和长沙",是汉语所能容许的吗?

(43)如湘潭、湘乡、浏阳、长沙、醴陵、宁乡、平江、湘阴、衡山、衡阳、耒阳、郴县、安化等县,差不多全体农民都集合在农会的组织中,都立在农会领导之下。

这是汉语本来的写法,于叙述了诸多地名之后,加"等县"二字,这合乎汉语语法的规律,又合乎逻辑。

(44)人民赞助,良好阵地,好打之敌,出其不意等条件,都是达到歼灭(目)的所不可缺少的。

这是词以上的东西的结合,也是数完了以后加一个"等"字。

(45)运动战的实行方面,问题是很多的,例如侦察、判断、决心、战斗部署、指挥、荫蔽、集中、开进、展开、攻击、追击、袭击、阵地突击、阵地防御、遭遇战、退却、夜战、特种战斗、避强打弱、围城打援、佯攻、防空、处在几个敌人之间、超越敌人作战、连续作战、无后方作战、养精蓄锐之必要,等等。

这是在数了许许多多之后,加"等等"二字。加一个"等"字,是合乎语法规律的,合乎逻辑的。加两个"等"字又完全(合)乎语法规律,因为"等"与"等"又自相结合,一般叫做词的重迭。

(46)此阶段内的重大事变,是学生界、文化界、舆论界的救亡运动,红军的进入西北,共产党的抗日民族统一战线政策的宣传和组织工作,上海和青岛的反日罢工,英国对日政策之趋向比较的强硬,两广事变,绥远战争和援绥运动,南京在中日谈判中的比较强硬的态度,西安事变,最后是南京国民党的三中全会。

这是把十件事情一齐叙述起来,叙(述)第九件事"西安事变"之后再接一句"最后是……",这个组织形式非常之好,一连串读下去,读□"最后是……"就自然停读了,十件事情都知道了。这告诉我们在西语里需要连词的时候在汉语里没有它。汉语有它自己的叙述方法。我们必须学习毛泽东同志的叙述方法。

请注意,在(46)里,是有三个连词"和"的,"共产党的抗日民族统一战线政策的宣传和组织工作"中一个,"上海和青岛的反日罢工"中一个,"绥远战争和援绥运动"中一个。我们已经交代过,汉语词类里有连词,但针对西语连词的性质说,汉语却是没有这个东西。下面我们从毛泽东同志的句子里把"和"字研究一番,看它到底是在什么场合下才有必要。

(47)准备阶段中的主要的问题,是红军的准备退却,政治动员,征集新兵,财政和粮食的准备,政治异己分子的处置等。

这叙述了五件事,在写了第五件事"政治异己分子的处置"后加一个"等"字,所以五件事的结合,中间没有连词。"财政和粮食的准备"中间有一个连词"和",很显然,这个"和"是有必要的,不是语法规定它必要,是意义上需要它,因为"准备"是"财政"和"粮食"两项共同的"准备",在这样说话的时候就非有一个连词"和"不可。(46)"共产党的抗日民族统一战线政策的宣传和组织工作"和"上海和青岛的反日罢工"里面的"和",属于这同一类型的作用。"绥远战争和援绥运动"则是另一类型,因为是两件相关联的事,故中间用一个连词。附带说及下面句子里的"或"字:

(48)主要的条件是准备充足,不失时机,集中优势兵力,包围迂〔迂〕回战术,良好阵地,打运动中之敌,或打驻止而阵地尚不巩固之敌。

这里一个连词"或",它是"打运动中之敌"和"打驻止而阵地尚不巩固之敌"中间的连词,两个"打"有关联,故用"或"之一词。不可误以为这一个"或"像西语连词的用法,它和其余条件并无连结关系。针对西语连词的用法,毛泽东同志的这个句子里正好没有那个东西。

(49)中国百分之八十至九十的人口是工人和农民,所以人民共和国应当首先代表工人和农民的利益。
(50)帝国主义的力量和革命发展的不平衡,规定了这个持久性。
(51)不答复中国革命根据地和中国红军能否存在和发展的问题,我们就不能前进一步。
(52)我们的眼力不够,应该借助于望远镜和显微镜。马克思主义的方法就是政治上军事上的望远镜和显微镜。

很显然,上四例中有诸种用"和"来结合的东西,这个"和"都不是语法地位上规定它要有的,它是意义上的需要。意义上的需要云者,如"帝国主义的力量和革命发展的不平衡",是说有"帝国主义的力量"这个因素,还有"革命发展的不平衡"这个因素,两个因素加拢起来,规定了革命战争的持久性,余类推。

(53)今后革命发展的速度,也一定比过去要快得多,因为中国的和世界的局面都是临在战争和革命的新时期了。

在这一句里,"中国的和世界的局面",其中"和"是连结"中国的"与"世界的",共一个"局面",而"战争和革命的"是连结"战争"与"革命",共一个"的"。

(54)广大根据地的丧失和红军的转移,这是暂时的和局部的失败,不是永远的和全部的失败,虽然这个局部是包括了党和军队和根据地的百分之九十。

我们引出这一句来,是说明汉语的连词可以接连用两个,如"党和军队和根据地"。如果把毛泽东同志这个道地的汉语表现法依照欧化改为"这个局部是包括了党、军队和根据地的百分之九十",那就不成话,"百分之九十"读起来是属于根据地的!

(55)到达这一天,决不是很快和很容易的,但是必然要到达这一天。

我们引这一句,是想说明语法对汉语拼音的实践有指导作用。"决不是很快和很容易的",其中"很快"与"很容易"用"和"来结合,共一个"的",很显然,拼起音来,"的"不能同"容易"拼成一个词。

第三,谈单词句。

单词句在汉语里是一种很有生命的东西,古代汉语如此,现代汉语也如此,毛泽东同志文章里的单词句就都是强有力的表现,是现代汉语的规范。我们读:

(56)一个有纪律的,有马克思列宁主义的理论武装的,采取自我批评方法的,联系人民群众的党。一个由这样的党领导的军队。一个由这样的党领导的各革命阶级各革命派别的统一战线。

这就是三个有名的句子。这就是三个名词单词句各带有附加成分。

(57)战争——从有私有财产和有阶级以来就开始了的,用以解决阶级和阶级、民族和民族、国家和国家、政治集团和政治集团之间、在一定发展阶段上的矛盾的一种最高的斗争形式。

这也是一种名词单词句,它有极高的表现力量。我们相信没有其他的形式比这个名词单词句更能表现出这样丰富的内容来。

(58)很奇怪,为什么先生老是侵略学生呢?
(59)要彻底地解决这个问题,非有十年八年的长时间不可。
(60)又发展又困难,这就是矛盾。

(58)里的"很奇怪"是个单词句。(59)里的"非有十年八年的长时间不可"包含两个分句,"不可"是单词句。(60)里的"又发展又困难"是两个单词的单词句。

(61)第一个特点,中国是一个政治经济发展不平衡的半殖民地的大国,而又经过了一九二四年至一九二七年的革命。
(62)战略退却,在干部和人民还没有经验时,在军事领导的权威还没有达到把战略退却的决定权集中到最少数人乃至一个人的手里而为干部所信服的地步时,说服干部和人民的问题是一个十分困难的问题。
(63)这件事,中国人民的经验是太多了。
(64)革命的专政和反革命的专政,性质是相反的,而前者是从后者学来的。
(65)任何政党,任何个人,错误总是难免的,我们要求犯得少一点。

(66)被推翻,例如眼前国民党反动派被我们所推翻,过去日本帝国主义被我们和各国人民所推翻,对于被推翻者来说,这是痛苦的,不堪设想的。

在上面的六个句子里,(61)的"第一个特点",(62)的"战略退却",(63)的"这件事",(64)的"革命的专政和反革命的专政",(65)的"任何政党,任何个人",(66)的"被推翻",我们认为都是单词句。

我们在说"汉语语法的要点"的时候,曾经把《诗经》《论语》里面复句包含名词单词句的一种类型(即"参差荇菜,左右流之"的类型)提请大家注意。这一类型的句子确实是汉语的很自然的句子。我们再举《论语》的这一句:"老者安之,朋友信之,少者怀之。"这一句里面有三个分句,主语"我"都没有写出来,写出来是"我安之","我信之","我怀之",而"老者"、"朋友"、"少者"是名词(或等于名词)单词句。这一类型的单词句作为分句,其名词(或等于名词)就是另一分句里面的代词之所代,如"老者安之"的"老者"就是"安之"的"之"之所代。在现代汉语里,就有毛泽东同志的如下的名句:

(67)一切危害人民群众的黑暗势力必须暴露之,一切人民群众的革命斗争必须歌颂之,这就是革命文艺家的基本任务。

(68)歌颂资产阶级光明者其作品未必伟大,刻画资产阶级黑暗者其作品未必渺小,歌颂无产阶级光明者其作品未必不伟大,刻画无产阶级所谓"黑暗"者其作品必定渺小,这难道不是文艺史上的事实吗?

这些句子就同《论语》的"老者安之"是一个类型,名词单词句是在前的分句,在后的分句里面的代词指在前面的名词单词句的名词。如(67)的"一切危害人民群众的黑暗势力"是在前的带有附加成分的名词单词分句,在后分句里面"暴露之"的"之"就指它;"一切人民群众的革命斗争"是在前的带有附加成分的名词单词分句,在后分句里面"歌颂之"的"之"就指它。(68)里面,拿"歌颂无产阶级光明者其作品未必不伟大"来分析,"歌颂无产阶级光明者"是名词性的名词单词分句,后分句的"其"就指它,余类推。

我们再读:

(69)战争——这个人类互相残杀的怪物,人类社会的发展终久要把它消灭的,而且就在不远的将来会把它消灭的。

(70)红军的敌人国民党,它的情况是怎样呢?

(71)商品这个东西,千百万人,天天看它,用它,但是熟视无睹。

(72)一个人只要他对别人讲话,他就是在做宣传工作。

(73)资产阶级,小资产阶级,他们的思想意识是一定要反映出来的。

这些句子都是多么的有精神,令人不能不感到汉语的美,英语(语)法特点就是在前的分句是名词单词句,在后的分句有代词"它",或"他",或"他们",所代的就是在前分句名词单词句的名词。当然,作为名词单词句的名词不必是一个单单的词儿,它可以是(71)的"商品这个东西",它可以是(69)的"战争——这个人类互相残杀的怪物",也可以如(73)有两个名词,总之是属于名词这个单位的。

(74)战略的持久战,战役和战斗的速决战,这是一件事的两方面,这是国内战争的两个同时并重的原则,也可以适用于反对帝国主义的战争。

(75)一个强大的中国共产党,一个强大的解放区,全国人民的援助,国际人民的援助,在这些条件下,我们的希望能不能实现呢?

这两个句子里的单词句,是单词句的另一种类型。(74)里两个单词,各带有附加成分,即"战略的持久战"和"战役和战斗的速决战",有后分句的"这"以指之。(75)里四个单词,各带有附加成分,有后分句的"这些条件"以指之。

第四,介词问题。汉语应该是没有介词这一词类的。在现代汉语里,有"对于"和"关于"两个词,是翻译外语的介词来的,一般使用这两个词的时候确实是当作介词结构来考虑。汉语自己的"从"、"用"、"为"等字也都因为外语的影响认为是介词。这对汉语并无损失。说它是介词,在句子里它还是起着汉语本来的作用,并没有"同化"汉语语法。根据斯大林《马克思主义与语言学问题》,语法这个东西不能够同化。"对于",本来也就有"对","关于",本来也就有"关"。而且我们认为加了一个"对于",加了一个"关于",是外语的影响促进汉语的发展,在汉语本来作用的范围之内增加了表现的形式。如毛主席的这些句子:

(76)所以,普遍地深入地研究马克思列宁主义的理论的任务,对于我们是一个亟待解决并须着重地致力才能解决的大问题。

(77)对于这些,我们还是小学生。

(78)这对于一班见异思迁的人,对于一班鄙薄技术工作以为不足道、以为无出路的人,也是一个极好的教训。

上面三个句子里的"对于",都可以依照西语语法当作介词来分析,它能帮助我们在造句子的时候加强逻辑性。在现代汉语里,承认有介词这一词类,我们认为是好的。不过话应该说清楚,根据汉语的性质,从古代汉语和现代汉语去研究,汉语没有介词。在毛泽东同志的句子里就可以得到汉语没有介词的证明。比较下面的句子:

(79)对自己,"学而不厌",对人家,"诲人不倦",我们应取这种态度。

(80)对于人,伤其十指不如断其一指;对于敌,击溃其十个师不如歼灭其一个师。

(79)的"对"当然不是介词。(80)的结构当然等于(79),"对于"当然等于"对",不是介词。

又如:

(81)对于好谈这种空洞理论的人,应该伸出一个指头向他刮脸皮。

(82)我们的文艺工作者对于这些,以前是一种什么情形呢?

这两个句子都是由两个分句组成的,其中"对于"在古代汉语里是一个"于"字,如《论语》里有:"始吾于人也,〈不〉听其言而知〔信〕其行!今吾于人也,听其言而观其行。"分析起来,古代汉语的这个"于"是动词,毛泽东同志的这个"对于"也是动词。

我们再考察一个"用"字。我们读:

(83)用什么东西向他们普及呢?用封建地主阶级所需要、所便于接受的东西吗?用资产阶级所需要、所便于接受的东西吗?用小资产阶级知识分子所需要、所便于接受的东西吗?都不行,只有用工农兵自己所需要、所便于接受的东西。

如果从"用什么东西向他们普及呢?"这一句来看,很可以说其中"用什么"是介词结构,"用"是介词。但再往下读,问题就来了,"用"字的汉语的本来的词类就规定出来了,它是动词,不过这类动词要在后面有补足的东西意义乃算完全,当行文需要省略的时候,就只能省略后面补足的东西,不能省略这个动词"用",所以毛泽东同志的句子是:"都不行,只有用工农兵自己所需要、所便于接受的东西。""从什么基础上去提高"的"从"字也是一样,我们就不必多说。总之我们认为,根据汉语的性质汉语无介词,在现代汉语里可以承认有介词,因为这是一个发展的趋向,在实用上对汉语有益而无损。

以上我们把我们所提出的四个问题说完了。

最后我们还应该说一说毛泽东同志对汉语语法的推陈出新以及欧化方面的事项,推陈出新言其三,在汉语里已经习惯了的欧化实例言其二。

我们如果仔细考察,所谓白话,所谓文言,到底有怎样的差别?从语法上回答,是没有差别的。只有一个最显著的现象,白话里助词"的"多得很,文言里没有。这一个助词,本来是一个音,我们现在分两个字来使用,一个"的",一个"地",形容名词的,后面加"的",形容动词的,后面加"地"。毛泽东同志在这个基础上大量地用了加"地"的词,如"科学"加一个"地",就同"科学的"不同,对汉语的表现上起了极大的利益。我们读这一句:

(84)只有马克思科学地研究了它,他从商品的实际发展中作了巨大的研究工作,从普遍的存在中找出完全科学的理论来。

这一句里有"科学地"和"科学的","科学的理论"是一般所习惯的,"科学地研究了它"则是毛泽东同志推陈出新,现在也普遍采用了,习惯了,大大加强了汉语的表现能力。这是毛泽东同志对汉语语法推陈出新的范例之一。

其次,毛泽东同志对文言虚字的推陈出新。这是非常有必要的。我们看"其"字。如这一句话:"既然文艺工作的对象是工农兵及其干部,就发生一个了解他们熟悉他们的问题。"这里面的"其"字,证明它到今天还是有生命的,简直非用它不可!如果嫌"其"是文言里的字,换为"他们的干部",那与"了解他们熟悉他们"里的"他们"就混乱了。现在因为前面用的是一个"其"字,所以"了解他们熟悉他们"的"他们",很明确的是指"工农兵及其干部。"毛泽东同志著作里面,"之"和"而"字都很不少,都是推陈出新,证明这些字到今天都是有生命的,我们要学习。

古代汉语里有这一类型的句子:"深恶而痛绝之","锄而去之",两个动词用"而"连结共一个宾语"之"。毛泽东同志对这个类型有推陈出新,把宾语不限于代词"之"的范围,把"而"改为"和",如"孙中山和我们具有各不相同的宇宙观,从不同的阶级立场出发去观察和处理问题",这里面有"观察"和"处理"两个动词,后面共一个名词,"问题"做宾语。现在这种结构大量地采用起来了。对这个类型毛泽东同志又更有推广。适用到连词"或",如"有利于巩固人民民主专政,而不是破坏或者削弱这个专政","破坏"和"削弱"两个动词,中间有连词"或者",后面"这个专政"是共着的宾语。这些在今天都是极其有用的结构。

欧化的两事项指的是什么呢?一是动词被动式的使用,一是"虽然"分句放在后面的欧化,毛泽东同志肯定了。先看动词被动式:

(85)但是,中国共产党和中国人民并没有被吓倒,被征服,被杀绝。

(86)我们认为在日本侵略者被打败并无条件投降之后,为着彻底消灭日本的法西斯主义、军国主义及其所由产生的政治、经济、社会的原因,必须帮助一切日本人民的民主力量建立日本人民的民主制度。

动词被动式在汉语里本来是有的,如《水浒传》的"那两间草厅已被雪压倒了"便是。我们所引的毛泽东同志的句子,则在汉语里把被动式突出了,因为欧化而发展了一步。"被雪压倒了",其中有一个"雪"字,(85)的"被吓倒"、"被征服"、"被杀绝",中间没有类似"雪"的东西,就以三个动词被动式做谓语,"中国共产党和中国人民"是主语。我们如果接着读下一句,就格外懂得这个结构的好,下句是:"他们从地下爬起来,揩干净身上的血迹,……"这里面的"他们",一读就知道是指上句的"中国共产党和中国人民",因为没有类似"被雪压倒"的"雪"在中间混淆着。同样,(86)的被动式"被打败"很有好处,它在分句里同"无条件投降"结合起来做"日本侵略者"的谓语,写起来极其简便,读起来极其明白,不如此就一定有困难,有缠夹。这说明欧化要有汉语自己的基础,又要能对汉语起方便作用,毛泽东同志对汉语动词被动式的欧化范例。

"虽然"分句放在后面是汉语的欧化,毛泽东同志肯定了这个欧化的句法,如"广大根据地的丧失和红军的转移,这是暂时的和局部的失败,不是永远的和全部的失败,虽然这个局部是包括了党和军队和根据地的百分之九十。"很显然,这个句法很有方便作用,习用起来又很自然,这是汉语从欧化得来的利益。

以上我们认为是摆出了事实。根据这样的事实,或者引起人们的纳罕,现代的白话文同古代文章岂不没有多大的区别吗?平常总是听说"欧化","欧化",真正的欧化难道就只这样两条条吗?是的,就语法说,古代汉语同现代汉语是少区别的。如斯大林《马克思主义与语言学问题》所说,一个民族的语言,其语法是有稳固性的。汉语的欧化当然不能有很多。古代汉语同现代汉语,最大的变化在乎词汇,最大的变化又在乎文体。词汇之所以有最大的变化,是我们今天的时代同古代比起来有翻天复地的变化,欧化对汉语词汇方面比起汉语语法来也不知增加了多少的东西。古今文体的变化呢?起古人而读今天的文章,将拍案惊奇,今人自己可能是习而不察,同样在古文体方面也习而不察。今文所以大异于古文,是从新式标点符号和提行分段的办法引来的,这却是最大的欧化。这个欧化对我们今天白话文的文体所起的进步作用太大了,不能在这篇文章里谈,这篇文章的范围是现代汉语的语法规范。

一九六〇年四月

注:引文出处略去。

美　　学

作于1961年下半年。有油印本两种：一为铅字打印，题名"美学"，题上标"1962—1963学年第一学期"；一为手写刻印，题名"美学讲义"，题上标"1963—1964学年第一学期"。封面均署"冯文炳编"。

铅字打印本首页有作者题识：

今年暑假前，系里交给我一个任务，准备明年春季五年级开"美学"课，没有"部颁"的教材，也没有教学大纲，教材自编。我接受了这个任务。

中文系开"美学"课，我对此有较长时间的考虑。美学的范围本来是很广的，包括艺术的各部门，目前的努力是适应中文系的教学之用，求能对学生有兴趣，作到具体的帮助。在中文系联系汉语言文学的实际，有极多的问题需要从美学上解决。在语言文学部门解决了的问题，如文艺的源泉问题，文艺的民族形式问题，对其他艺术部门可以适用同样的规律。以毛泽东文艺思想为指导，理论联系实际，建立辩证唯物主义的美学，是今天应该开始做的工作。个人的力量有限，但确有信心，希望在实践中逐步提高。将来中央方面的教材下来了，本人更要好好地学习。

冯文炳
1961年12月15日

  铅字打印本首页背面标"美学讲义章目（中文系五年级用）"，共10章，内文仅8章，《第九章　不同的艺术标准》《第十章　文学语言的问题必须从美学解决》，有目无文。第一章、第二章载吉林大学《社会科学学报》1962年第1期，题为《美是客观存在和美学》，署名冯文炳；第三章、第四章载吉林大学《社会科学学报》1962年第2期，题为《美学两大事》，署名冯文炳；第七章载吉林大学《社会科学学报》1963年第1期，题为《谈艺术形式》，署名冯文炳。

  又存第五章、第六章、第八章手稿。

  据铅字打印本排印。

第一章　美是客观存在

从下面的五点说明美是客观存在。

一、客观上存在着自然美。我们谁都不能同意庄周的话："毛嫱、丽姬，人之所美也，鱼见之深入，鸟见之高飞，麋鹿见之决骤，四者孰知天下之正色哉？"这只能叫做诡辩，实在庄周自己正是承认自然美的，他主张朴素，所以他说："朴素而天下莫能与之争美。"他又说："夫鹄不日浴而白，乌不日黔而黑，黑白之朴，不足以为辩！"这样我们又可以说庄周是很会描写自然美的。中国古代的哲学家都欣赏《诗经》里的两句诗："鸢飞戾天，鱼跃于渊。"哲学家从这两句诗得到什么启发，我们不管它，这里的天空和飞鸟，水和鱼，确足以说明自然美。我们认为车尔尼雪夫斯基的话说得正确："鸟兽都已经关心它们的外表，使之不断地改善，几乎所有的鸟兽都爱整洁。"[①]车尔尼雪夫斯基又说："既然我们在自然界一般地只能看出结果而不能看出目的，因而不能说美是自然的一个目的，那末就不能不承认美是自然所奋力以求的一个重要的结果。"[②]所以我们首先承认自然美。

[①] 车尔尼雪夫斯基:《艺术与现实的美学关系》41 页，三联书店 1958 年版。——作者原注

[②] 同上 41 页。——作者原注

承认自然美是一回事,接着又必须看到人对自然的加工。我们今天所说的"自然",实在是经过人类劳动改造过的自然。就拿水说,不经过人工,它是很可怕的,所以孟轲有这样的话:"当尧之时,水逆行,泛滥于中国,蛇龙居之,民无所定,下者为巢,上者为营窟。"《庄子·盗跖》篇上有一段话:"古者禽兽多而人少,于是民皆巢居以避之。昼拾橡栗,暮栖木上,故命之曰有巢氏之民。古者民不知衣服,夏多积薪,冬则炀之,故命之曰知生之民。神农之世,卧则居居,起则于于,民知其母,不知其父,(与)麋鹿共处,耕而食,织而衣,无有相害之心,此至德之降也。"这所说的是人类的原始生活和原始社会的生活。这代表庄周这一派的人的向后看的思想,虽是向后看,然而也还是看到"神农之世"为止,若"知生之民","有巢氏之民",又不足以向他们看齐似的。到了"神农之世",耕而食,织而衣,就已经是对自然加工了,就是马克思所说的"人化了的自然"。人化了的自然有两方面的意义,一方面是因为"耕"把自然的自然面貌改变了,一方面是因为"衣"人也改变了自己的自然面貌。人自己本来也是自然的一部分。陶渊明《归园田居》云:"久在樊笼里,复得返自然。"他从感情上能够把地主阶级做官的生活看作"樊笼",以回到农村去为"复得返自然",其"自然"一词是用得很健康的,因为在他的诗里是以"开荒南野际"为前提,即是陶渊明肯定了劳动。不过陶渊明也和庄周一样缺乏人类社会的进化观点,他曾"自谓是羲皇上人",就是他认为时代是越往上古数越好。我们今天本着历史唯物论的观点,知道自然是随着石器时代、铜器时代、铁器时代……而丰富着,马克思说,"由于这种生产,自然就成为他的

（人的）作品和他的现实。"①同时，人的感觉器官和感觉也是变化的，"眼睛成了人的眼睛，正如眼睛的对象成了社会的、人的对象，成了人为人创造的对象。"②"人的感觉，感觉的人性，——都只凭着相应的对象的存在，凭着人化了的自然，才能产生。五官感觉的形成，是已往的整个世界历史的工作。"③所以"人化了的自然"的意义非常深刻，是"整个世界历史的工作"，我们今天对"自然"的感觉，同古代陶渊明就决不是一回事了，我们读了陶诗"诗书敦宿好，园林无俗情"的话感得陶渊明隐士气太重，要我们做诗我们就要说"生产无俗情"。我们对他的"平畴交远风，良苗亦怀新"的诗也感到隔膜，因为他虽然参加劳动，而他总是一副"有朋自远方来，不亦乐乎"的知识分子的头脑。倒是他的"有风自南，翼彼新苗"的描写，我们今天读了还是如在目前，在我们人民公社时代依然欣赏这个自然美，正在劳动的时候偶然瞥见一望无际的麦苗或稻秧中间起了风，——是的，这说明自然美是客观存在，在任何社会里存在着。

二、再看艺术美。古今中外的艺术美，可谓美不胜收了。某个具体时代某个具体的艺术美，尽管我们今天要批评它，但它还是属于艺术美范围的东西。就连著名的宗教的经典有许多也都是艺术美研究的对象，佛经里的文章有美丽的故事，生动的比喻，雄伟的气势，多样的风格，基督教的新旧约在英文里是同莎士比亚的剧本一样一直被认为美的作品。没有人会无视历史上的艺术美，尤其从人民的立场、人民的观点来考虑问题，从创造

---

① 《马克思、恩格斯论艺术》226页，人民文学出版社1960年版。——作者原注
② 同上202—203页。——作者原注
③ 同上204—205页。——作者原注

未来的人类文化的角度来考虑问题。对于古希腊艺术,马克思说"它们还继续供给我们以艺术的享受,而且在某些方面还作为一种标准和不可企及的规范。"①恩格斯还把拉斐尔的绘画、托尔瓦尔德森的雕刻、柏格尼尼的音乐认为是人的手凭着魔力似地产生出来的美呢。② 在中国方面,孔子在齐国听了韶乐,古舜的音乐,他说他三月不知肉味,"不图为乐之至于斯也!""尽美矣,又尽善也!"这是他对于韶的评价。他称赞"《关雎》乐而不淫,哀而不伤",这是《关雎》在音乐和文学两方面所达到的标准,这个标准在我们今天看来仍然是健康的美的标准。孔子同他的门人子夏也谈过绘画,孔子以"绘事后素"四个字作为绘画的原则,就是内容在先,形式在后。我们推知孔子是见过许多画的,所以才对绘画作出这样总结性的话来。《庄子》上记载了一个极有意义的故事,合乎西方文艺复兴时代雕刻家的理想,故事是这样:"郢人垩慢其鼻端,若蝇翼,使匠石斲之。匠石运斤成风,听而斲之。尽垩而鼻不伤。"这意义就是说,削去多余的东西,有生命的形象因以显现。削去多余的东西,正是意大利文艺复兴时代的雕刻家提出的艺术原则。我们从《庄子》的这个故事可以推知中国古代在这方面的成就,不然就不能产生这样有名的匠石的故事来。至于文艺,那是不用说得,从古代数起,《诗经》的美,屈原的美,《国语》《左传》的文章之美,诸子百家之美,……虽然从古以来推崇它们,学习它们,对它们不知说了多少好话,到我们今天还可以用极新鲜的话来说它们,这证明它们是美的东西而不是陈

---

① 《马克思、恩格斯论艺术》196 页。——作者原注
② 同上 207 页。——作者原注

旧的。美确实是万古常新,《孔雀东南飞》的兰芝,《木兰诗》的木兰,梁山伯,祝英台,李逵,武松,杨家将,窦娥,红娘,葛麻,——数起来生怕有偏心,因为数不全,总之我们相信这些典型人物永远给人以美的感受。美又是最有时代性的,《桃花源记》是陶渊明时代的美,他的美在农村;吴敬梓有吴敬梓的"桃花源记",他写的做裁缝的荆元是在南京"弹一曲高山流水",所以他的美在市井。毛泽东同志在长江游泳,写的《水调歌头》,用了"子在川上曰,逝者如斯夫"两句,和孔夫子当时比较起来,是"数风流人物,还看今朝"。

三、在研究自然美和艺术美的时候,我们不能不承认美的规律是客观存在。车尔尼雪夫斯基曾以"蜂房的正六角形的建筑和叶片的两半对称型"①作为规律来举例。马克思告诉我们"人也是按照美的规律来造成东西的"。② 在古代,亚里斯多德讲过故事必须完整的规律,他这样说:"所谓完整,指事之有头,有身,有尾。所谓头,指事之不上承他事,但引起他事发生;所谓尾,恰与此相反,指事之必然的或或然的上承某事,但无他事继其后;所谓身,指事之承前启后者。所以一出结构完美的剧不能随便起讫,而必须遵照此处所说的方式。"③这所说的头、身、尾,正是所有生物形体的结构。亚多〔里〕斯多德又说:"再则,一个活东西或一个由许多部分组成之物,如果要它美,不但要把它的各部分安排好,而且要使它有相当的广度;因为美要倚靠广度与安排。一个太小的形象不能算美(因为一眼看尽,辨认不清);一个太大

---

① 车尔尼雪夫斯基:《艺术与现实的美学关系》42页。——作者原注
② 《马克思、恩格斯论艺术》226页。——作者原注
③ 亚里斯多德:《诗学》,人民文学出版社文艺理论译丛2集9页。——作者原注

的形象,譬如一个一千里长的活东西,也不能算美(因为不能一览而尽,看不出它的一致性和完整性)。因此,布局也须有相当的长度(以易于记忆者为限),正如物体和活东西须有相当的广度(以易于观察者为限)一样。"① 亚里斯多德把艺术叫做"模仿",从美的规律的意义来说,"模仿"一词就是指出了客观的标准。

美的"模仿"决不是形似。形似是没有美之可言的。比如自然之中花和叶是美的。我们做一个花和叶的标本却是传达不出花和叶的美来。美不是别的,是与人以美。宋人词有两句:"凭〔频〕祝愿,如花似叶长相见。"我们读了则感到此花此叶如形影不相离,何其太美。又如杜丽娘说她"颜色如花,岂料命如一叶乎?"也是对花和叶的美的模仿。这都说明模仿不是形似。骏马的奔驰,呈现着一种美观,我们怎样写马跑呢?《诗经》里这样写:"四牡骓骓,六辔如琴。"这是善于模仿。同样《水浒传》里写杨志和周谨两人跑马:"那绿茸茸芳草地上,八个马蹄翻盏撒钹相似"。这样的描写就能给人以美感。车尔尼雪夫斯基说得好:"美感与感官有关,而与科学无关"② 他所谓"科学"是指数学,"倘若真用数学式的严格眼光去看海的话,那末海实在有许多缺点,第一个缺点就是海面不平,向上凸起。"③ 车尔尼雪夫斯基的意思是,"艺术是自然和生活的再现。"④ "在自然和生活中没有任何抽象地存在的东西,那里的一切都是具体的;再现应当尽可能

---

① 亚里斯多德:《诗学》,人民文学出版社文艺理论译丛 2 集 9—10 页。——作者原注
② 车尔尼雪夫斯基:《艺术与现实的美学关系》47 页。——作者原注
③ 同上 47 页。——作者原注
④ 同上 91 页。——作者原注

保存被再现的事物的本质;因此艺术的创造应当尽可能减少抽象的东西,尽可能在生动的图画和个别的形象中具体地表现一切。"①这话里面有两条规律,一是本质地表现,一是形象地表现。车尔尼雪夫斯基又特别提出诗歌来说:"诗不能够也不应该老是过分关心造型的细节;诗歌作品只要在总的方面、整个说来是造型的就够了;在细节的造型方面过于刻意求工可以妨害整体的统一,因为这样做会把整体的各部分描绘得过于突出,更重要的是,这会把艺术家的注意力从他的工作的主要方面吸引开去。"②这所说的就是"模仿"的真义(车尔尼雪夫斯基自己说过,希腊的"模仿"相当于他的"再现"),是美的规律。真正的艺术家都懂得他的主要方面,努力以求表现事物的本质。他要巧夺天工,不是依样画葫芦。

无论哪一个民族的艺术美主要地分这几类性质的东西:雕塑,绘画,音乐,诗歌,散文,小说,戏剧。各类性质的艺术美,其工具,其对象,各民族无不相同,其各有民族形式也无不相同。这件事本身也说明美的规律是客观存在。

四、美的继承性是客观事实。从美的规律这一条,就已经决定了美的继承性。雕塑,绘画,音乐,诗歌,散文,小说,戏剧,首先他们各自的工具是继承的,掌握工具的技巧必定是前人有利于后人。其次诗中有画,画中有诗,等等。同一题材,有了诸宫调,也有杂剧,等等。无论哪一个艺术家,我们都可以从他本人的成就探索其所受前人的影响。还有一个显著的事实,历史上

---

① 车尔尼雪夫斯基:《艺术与现实的美学关系》91页。——作者原注
② 同上91页。——作者原注

劳动人民虽然被剥夺了文化权,但劳动人民对文学艺术的贡献却是掩盖不了的,所以我们对于文学艺术遗产,格外要懂得有继承的必要。总之作为上层建筑的美学,美的继承性是突出的科学研究任务。对于本民族,存在着继承性的问题,美学方面外国的影响也是极明白的。中国的建筑,中国的雕塑,中国的绘画,中国的音乐,中国的文学,中国的语言,其借鉴于外国的部分如借鉴于印度,值得专门研究。因此,我们对外国的好的东西也有继承性可说。以语言作为工具的文学之美,关于语言的继承性的事实,有特别重大的意义。毛泽东同志教导我们,"我们还要学习古人语言中有生命的东西。由于我们没有努力学习语言,古人语言中的(许多)还有生气的东西我们就没有充分地合理地利用。"毛泽东同志自己的语言就给我们做了榜样。毛泽东同志继承了些什么,应该是一项科学研究的题目。我们且读毛泽东同志这个有力量的句子:"一切危害人民群众的黑暗势力必须暴露之,一切人民群众的革命斗争必须歌颂之",如果照欧化语法讲,就分析不出这个句子的美的所以然来。这个句子是现代汉语继承了古人语言中有生命的东西,所以我们读起来感觉得汉语美。《诗经》里的有名的句子:"窈窕淑女,寤寐求之","窈窕淑女,琴瑟友之","窈窕淑女,钟鼓乐之",和我们举的毛泽东同志的句子有一样的汉语规律,因之产生汉语的美。可以比美的还有《论语》的语言:"老者安之,朋友信之,少者怀之。"从这个例子就说明我们需要充分地合理地继承。鲁迅把外国语言的好的东西移植到中国来了,因之也是一种继承。他的《狂人日记》的体裁就和俄国文学有继承关系。

五、美的政治性是客观存在。毛泽东同志指示我们:"在现在世界上,一切文化或文学艺术都是属于一定的阶级,属于一定的政治路线的。为艺术的艺术,超阶级的艺术,和政治并行或互相独立的艺术,实际上是不存在的。"受了欧洲资产阶级学术思想影响深的人,很难懂得这个道理,他们认为,不正是和政治没有关系因而才叫做"美"吗?"花影不离身左右,鸟声只在耳东西",人们不是好不容易离开了令人窒息的政治空气置身于美丽的自然之中,才感到美的存在吗?这个质问的庸俗性也是很明显的,追求人类解放事业的无产阶级战士,自身关在反革命的监狱里,美并没有关在门外。方志敏烈士的《可爱的中国》,正是在监狱里写的。如果科学地研究美的属性,放在特别重要地位的就是它的政治性。离开政治性而谈美,正如没有空气的空间,真空虽是真空,然而其中没有生物。美在有阶级的社会里和法律一样,和道德一样,和宗教一样,为剥削阶级的政治服务。法律比不上它,道德和宗教也比不上它,它为政治服务最得人心。中国的孔子最懂得这个道理,表面上离开政治的陶渊明也懂得这个道理。孔子的理想的政治工具,不是法律政令这一类东西,而是礼乐,乐当然就是我们今天所说的音乐,礼的重要成分有我们今天所说的舞蹈。《论语》记载:"子曰:道之以政,齐之以刑,民免而无耻。道之以德,齐之以礼,有耻且格。"又记:"子曰:兴于诗,立于礼,成于乐。"紧接着这一章是:"子曰:民可使由之,不可使知之。"他所谓"由之",就是他认为诗、礼、乐有那么大的效果,可以指导老百姓的行动。《论语》另有一章:"子之武城,闻弦歌之声。夫子莞尔而笑曰:割鸡焉用牛刀?子游对曰:昔者偃也闻诸夫子曰:'君子学道则爱人,小人学道则易使也。'子曰:二三子,偃之言是也。前言戏之耳。"这充分说明孔子重视艺术为政治服务的作用。陶渊明《饮酒二十首》的最后一首,就是陶渊明推崇孔子的重视礼乐:"汲汲鲁中叟,弥缝使其淳。凤鸟虽不至,礼乐暂得新。"他用的"弥缝"二字,用我们今天的话来解释,就是调和矛盾。人类社会的矛盾本来是调和不了的,矛盾是必然要暴露的,而所有唯心论的思想家都是主张调和,作为调和的工具莫过于宗教和艺术,就是"善"和"美"。孔子所谓礼乐,其实质就是"美",因为乐和舞是其主要成分,诗和礼乐又总是连在一起。《论语》有两处记孔子论诗的话值得我们注意,一处是:"子曰:诗三百,一言以蔽之,曰:'思无邪。'"一处是:"子曰:小子何莫学夫诗,诗可以兴,可以观,可以群,可以怨,迩之事父,远之事君,多识于鸟兽草木之名。""无邪"就是不犯上作乱的意思,但"可以怨",因为从孔子看来,天下有"怨"的事实,"贫而无怨难",怨而不向犯上作乱的路上走就好了。法律是不准许"犯上作乱"的,这是法律为政治服务。道德是"隐恶扬善"的,这是道德为政治服务。美则"美善刺恶"都是美,所以它较之法律道德最得人心。刺恶,也还是要有"讳",象后代的《水浒》那便得了"诲盗"的恶名。西方悲剧之为美,和中国的传统不同,它的倾向是暴露,但它暴露得最巧妙,亚里斯多德谓之"净化"。净化,也正是一种"弥缝",观众看了《伊第帕斯》之后,只有怜悯他,而且感到"命运"之可惧,命运把人折磨得太惨了,那末天下人同作了命运的俘虏,还有什么不可以相安无事的呢?所以美为政治服务的作用,不是法律道德可以比的,宗教也比不上它。莎士比亚的悲剧和希腊悲剧一样写的都是罪大恶极的故事,都是国王和贵裔的故事(最高统治阶级最容易代表罪恶),其思想性比之希腊悲剧复杂得多,其艺术性广大得多,深刻得多,但其为美还是亚里斯多德提出的"净化"作用,所有莎士比亚悲剧里的矛盾在莎士比亚的伟大艺术下都和解了。人们读了莎士比亚的悲剧,只有感到满足,美的满足,大奸大恶,好人好事,都看见了,结果都做了"死"的赴宴,善和恶同为客人,这是一;其次,在莎士比亚的悲剧里,都是正义得伸,大恶得惩,没有不明不白的善和恶,令人无遗憾;最后,悲剧的主人公虽然死了,他死而瞑目,如《汉姆莱特》剧里挪威王子继丹麦王位得了临死的汉姆莱特的同意。这证明政治性是美的重要属性,它比宗教、比道德更是体贴人心,在充满了罪过的社会里人们确实欣赏艺术美,因为艺术美就是这个罪恶社会的净化,——这就是亚里斯多德所谓"净化"的实质。是的,西方悲剧的"净化",同西方宗教的"洗礼"是一个字。

美较之道德和宗教最得人心还有一个原因,美也可能不完全是代表统治阶级的利益,如果其中有人民性的东西,它就符合了多数人的愿望。中国封建社会所产生的男女爱情的故事就属于这类性质。然而它仍没有失掉它的上层建筑的作用,如《白蛇传》最后的状元祭塔,白娘娘得到自由了,人民看了高兴,有美的满足,而其故事又是天子劝孝,是上层建筑。

第二章　美学

　　自然美,艺术美,美的规律,美的继承性,美的政治性,在我们认识这些具体事实的时候,已是受了马克思主义的指导,特别是讲到美的政治性,我们指出了美的上层建筑的性质。现在进而讲我们的美学。我们的美学根据毛泽东同志《在延安文艺座谈会上的讲话》,它不但要说明美,包括过去时代的美,更重要的是它在今天"帮助群众推动历史的前进"。"帮助群众推动历史的前进",过去时代的美学不可能提出这个任务来。

　　根本的问题是哲学。有什么样的哲学就有什么样的美学。历史上的美学,有属于唯心论的,有属于唯物论的。唯心论的美学,如中国古代的儒家一派,欧洲近代的黑格尔,因为他们都承认世界是绝对真理(黑格尔叫做"绝对观念",中国儒家叫做"天")的显现,所以他们把美看作是从绝对真理来的,用佛教的话就是"一花一世界,一叶一如来"。当然,佛教是不讲美的,不过象它这样的说法确实可以说明白唯心论者中国儒家和西方黑格尔之所谓美。我们读《论语》的一章:"子曰:予欲无言。子贡曰:子如不言,则小子何述焉?子曰:天何言哉?四时行焉,百物生焉,天何言哉?"这里的"天"就指绝对真理,四时百物就是"天",就是绝对真理的美的显现。再读一章:"子在川上曰:逝者如斯夫,不舍昼夜。"这是孔子认为水的美就是"天"的美、绝对真理的美的显现。孔子的学问是不用逻辑形式写出哲学的讲章来的,按其实质确实是这样讲美,后代的文艺理论家如刘勰也正是根据孔子的道理来写他的《文心雕龙》,《文心雕龙》第一章就是《原道》。孔子不讲美学,孔子的总的精神是认为生活是美。他虽然口不离"天",而他认为"天何言哉",他认为"天"的言语就是四时行、百物生,一句话就是生活。黑格尔却不然,黑格尔写了美学的讲义,黑格尔的宗旨指的是艺术美。他把"美"和"善"分开了,美就是艺术美,是"绝对观念"在形象方面的显现,善则要求行动,是"实践的观念"[①]。所以黑格尔所讲的美是作家的创作,他认为理想的艺术创作是"绝对观念"的形象化,他不以美为生活。这是西方的黑格尔和中国的孔子所讲的美有不同的地方。就这一点上说,孔子是对的。黑格尔的美学等于说,你不认得"绝对观念"吗?作家所创造的美就是"绝对观念"给你以感性的认识,是"绝对观念"借作家的手描写出来的。不过艺术,他认为,不是"绝对观念"的独子,更不是第一的宠儿,它之上还有宗教,更上还有哲学。孔子是艺术、宗教、哲学合而为一,他所谓"尽美尽善"指的是一个东西,他指了舜的音乐说过,就是生活的标准。这个标准他认为是根据"天"来的。我们读《论语》的这一章:"子曰:大哉尧之为君也!巍巍乎唯天为大,唯尧则之,荡荡乎民无能名焉,巍巍乎其有成功也,焕乎其有文章。"这充分说明孔子是把艺术、宗教、哲学合而为一,合而为一就是生活,表现出来的"文章"是孔子所着重谈的。"夫子之文章可得而闻也,夫子

---

① 转引自《黑格尔〈逻辑学〉一书摘要》,《列宁全集》38卷227页。——作者原注

之言性与天道不可得而闻也",这是孔子的学生说孔子的话。唯心论者都是向后看,不懂得向前看,孔子向尧舜看齐,只有舜的音乐是尽美尽善,黑格尔向古希腊艺术看齐。我们仔细读黑格尔的美学讲义,他不是认为古希腊的艺术达到美的最高峰吗?他指出后代艺术的发展前途到底何在呢?他认为从远古英雄时代"转到我们现代的世界情况以及它的既已形成的法律,道德和政治的关系,我们就可以看出在当前现实中,理想形象的范围是很窄狭的。"①这个论点是唯心论者的致命伤。莎士比亚悲剧的美超过希腊悲剧的美,这个历史事实就给了黑格尔以反驳。莎士比亚悲剧的深刻性、复杂性、广博性,正是从莎士比亚所处的时代来的。莎士比亚的时代,不是索福克勒斯的时代了。黑格尔和孔子,用一个主观的框子,把美、把生活局限起来了,虽然黑格尔有他的有名的辩证法,孔子的哲学也讲"变"。

历史上唯物论的美学,应该以俄国革命民主主义者车尔尼雪夫斯基为代表。车尔尼雪夫斯基批判黑格尔美是观念的显现,提出"美是生活"。在论车尔尼雪夫斯基唯物论的美学以前,还必须把中国孔子一派以生活为美的思想说几句。《诗经》里有四句诗:"天生烝民,有物有则。民之秉彝,好是懿德。"这四句诗向来认为代表孔子一派的思想,它的意义就是肯定生活,肯定生活是"有物有则"。朱熹对"有物有则"是这样解释的:"言天生众民,有是物必有是则。盖自百骸九窍五脏而达之君臣父子夫妇长幼朋友,无非物也,而莫不有法焉,如视之明,听之聪,貌之恭,言之顺,君臣有义,父子有亲之类是也。"这样,天下只应有善事,

---

① 《美学》,第一卷,239—240页,人民文学出版社。——作者原注

不应有恶事,然而何以恶事那么多呢？儒家认为是"过"和"不及"的原故,"过"和"不及"正是从"中"来的,"中"又叫做"常",就是"民之秉彝"的"彝"。这就是儒家的一套理论,他们肯定生活是这样肯定的,和现实生活并不相符,这就是唯心论。车尔尼雪夫斯基提出"美是生活","生活"的意义是现实,美是生活的再现,是现实的再现。车尔尼雪夫斯基明确地说,希腊哲学家在美学方面所用的"模仿"一词,"正相当于我们所用的名词'再现'"。① 美只能是生活的"模仿",是现实的"模仿"。这就是说,生活,或者现实,是第一性。所以车尔尼雪夫斯基的"美是生活"的内容,和中国孔子以生活为美的思想,有唯物跟唯心的本质的差异。车尔尼雪夫斯基的理论,是为批判黑格尔而发,我们读他的话:"我们将看到,对于美的这两种理解方法有着本质的不同。把美定义为规〔观〕念在个别事物上的完全显现,我们就必然要得出这个结论:'在现实中美只是我们的想象所加于现实的一种幻象;'由此可以推论:'美实际上是我们的想象的创造物,在现实中(或者〔用黑格尔的说法〕,在自然中)没有真正的美;'由自然中没有真正的美这种说法,又可以推论:'艺术的根源在于人们填补客观现实中美的缺欠这个意图',以及'艺术所创造的美高于客观现实中的美',——这一切思想,构成了〔黑格尔美学的〕实质,并且这一切思想〔出现在他的美学中〕不是偶然地,而是根据美的基本概念之严格的逻辑发展。

反之,从'美是生活'这个定义却可以推论:真正的最高的美正是人在现实世界中所遇到的美,而不是艺术所创造的美;根据

---

① 《艺术与现实的美学关系》,89 页。——作者原注

这种对现实中的美的看法,艺术的起源就要得到完全不同的解释了,从而对艺术的重要性也要用完全不同的眼光去看待了。"①这些话有极其深刻的意义,提出了艺术的起源问题,提出了艺术的作用问题。按照车尔尼雪夫斯基的意思,艺术的起源只能是生活。因为起源于生活,那艺术的作用就不是美是观念的显现论者黑格尔所能望得见的了,黑格尔的美学把艺术的道路给堵塞住了,他认为艺术要让位于宗教,车尔尼雪夫斯基的美学,讲到底艺术是要导向革命的。"真正的最高的美正是人在现实世界中所遇到的美,而不是艺术所创造的美",这话的意义,当然不是不重视艺术所创造的美,只是批判黑格尔所谓观念显现的"艺术美"。而最高的美也确乎是"人在现实世界中所遇到的美",因为我们首先是认识到"人在现实世界中所遇到的美",艺术所创造的美是它的反映。车尔尼雪夫斯基另外有一句话说得非常好:"我们只能承认诗的价值在于它生动鲜明地表现现实,而不在它具有什么可以和现实生活本身相对抗的独立意义。"②所以他说着"最高的美正是人在现实世界中所遇到的美,而不是艺术所创造的美",是正确的,没有片面性,他对艺术的重要性是和黑格尔用了完全不同的眼光去看待了,美是生活,艺术作品反映着作为社会的人对自然界和社会关系的看法,这个规律足以说明历史上任何民族的艺术。马克思说:"难道作为希腊人的幻想,因而也就是作为希腊艺术基础的这个对于自然界和社会关系的看法,在自动纺织机、铁路、火车头和电报的存在之下有可能

---

① 《艺术与现实的美学关系》,11 页。——作者原注
② 同上 94 页。——作者原注

吗?"①在中国古代的《乐记》里也有过这样的话:"治世之音安以乐,其政和;乱世之音怨以怒,其政乖;亡国之音哀以思,其民困。声音之道,与政通矣。"车尔尼雪夫斯基"美是生活"的理论,在说明过去时代的美的同时,切实地指出美的向前发展,他说:"每一代的美都是而且应该是为那一代而存在;它毫不破坏和谐,毫不违反那一代的美的要求;当美与那一代一同消逝的时候,再下一代将会有它自己的美、新的美,谁也不会有所抱怨的。"②为什么呢? 就因为美是生活的再现,它应该"随着生活一同向前突进,即是说,改变内容"。③ 仔细研究车尔尼雪夫斯基的思想,他之所以提出"美是生活",还在于他对生活的内容有卓越的见解,超出了同时的和历史上的剥削阶级知识分子的思想范围,因此他对生活的美,以及再现生活的艺术的美,有划时代的唯物论的价值。他说:"自然和生活胜过艺术;但是艺术却努力迎合我们的嗜好,而现实呢,谁也不能使它顺从我们的希望——希望看到一切事物都象我们最喜欢、或最符合我们的常常偏颇的概念的那个样子。这种投合流行的思想方式的例证很多,我们只举一个:很多人要求讽刺作品中包含'可以使读者倾心相爱的'人物,这原是一个极其自然的要求,但是现实却常常不能满足这个要求,有多少事件并没有一个可爱的人物参与在内;艺术几乎总是顺从这个要求,例如在俄国文学里面,不这样做的作家,除了果戈理,我们不知道还有没有什么人。就是在果戈理的作品中,'可

---

① 《马克思恩格斯论艺术》,195 页。——作者原注
② 《艺术与现实的美学关系》,44 页。——作者原注
③ 同上 44 页。——作者原注

爱的'人物的缺乏也由'高尚的抒情的'穿插所弥补了。再举一个例：人是倾向于感伤的；自然和生活并没有这种倾向；但是艺术作品几乎总是或多或少地投合着这种倾向。上述的两种要求都是由于人类的局限性的结果；自然和现实生活是超乎这种局限性之上的；艺术作品一方面顺从这种局限性，因而变得低于现实，甚至常常有流于庸俗或平凡的危险，另一方面却更接近了人类所常有的要求；因而博得了人的宠爱。"①这说明车尔尼雪夫斯基关于生活的认识超出了他所说的"人类的局限性"之上。当然，不是"人类的局限性"，是阶级的局限性，这一点是车尔尼雪夫斯基的思想水平所没有达到的地方。他说："现实生活的美和伟大难得对我们显露真相，而不为人谈论的事是很少有人能够注意和珍视的；生活现象如同没有戳记的金条；许多人就因为它没有戳记而不肯要它，许多人不能辨出它和一块黄铜的区别；艺术作品象是钞票，很少内在的价值，结果大家都宝贵它，很少人能够清楚地认识，它的全部价值是由它代表着若干金子这个事实而来的。"②这个认识极不容易，在马克思主义出现以前，现实生活的真相就是没有发掘出来的金矿，象是钞票的艺术作品都是供给剥削阶级使用的，凡是到后代愈能发现它的美的作品，都是它反映了那个时代的带有本质性的生活方面，整个中外没有例外。我们再读车尔尼雪夫斯基的极其精辟的话："现实生活〔事件〕中一切都是真实的，没有人类的各种产物所难免的疏忽、偏见等等的毛病，——作为一种教诲、一种科学来看，生活比任

---

① 《艺术与现实的美学关系》，80页。——作者原注
② 同上82页。——作者原注

何科学家和诗人的作品更完全、更真实、甚至更艺术。不过生活并不想对我们说明它的现象,也不关心如何求得原理的结论:这是科学和艺术作品的事;不错,比之生活所呈现的,这结论并不完全,思想也片面,但是它们是天才人物为我们探求出来的,没有它们的帮助,我们的结论会更片面、更贫弱。"①这说明生活是科学和艺术的源泉,而车尔尼雪夫斯基又是把艺术放在重要的地位的,和科学一样重要。他说艺术不高于生活,正是说明美的本质,"科学并不想隐讳这个;诗人在对他们的作品本质的匆促的评述中也不想隐讳这个;只有美学仍然主张艺术高于生活和现实。"②车尔尼雪夫斯基所指的就是唯心论的美学,黑格尔认美为观念显现的美学。一句话,一有了唯心论的框子,一有了"观念",生活便变成"观念"了,也就看不见生活和现实的美了。其结果美是向古代的艺术美看齐,"观念"当中偏不能有革命的观念。

当然,车尔尼雪夫斯基的美学也没有明确地提出"革命"的目标来,但按照他的美学逻辑地发展,是导向革命的。我们读:"如果一个人的智力活动被那些由于观察生活而所产生的问题所强烈地激发,而他又赋有艺术才能的话,他的作品就会有意识或无意识地表现出一种企图,想要对他感到兴趣的现象作出生动的判断(他感到兴趣的也就是他的同时代人感到兴趣的,因为一个有思想的人决不会去思考那种除了他自己以外谁都不感兴趣的无聊的问题),就会〔在他的画或小说、史诗、戏剧中〕为有思

---

① 《艺术与现实的美学关系》,96页。——作者原注
② 同上96页。——作者原注

想的人提出或解决生活中所产生的问题；他的作品可以说是描写生活所提出的主题的著作。这样的倾向表现在一切的艺术里（比方在绘画里，我们可以指出〔生活画和很多的历史画〕），但主要地是在诗中发展着，因为诗有充分的可能去表现一定的思想。于是艺术家就成了思想家，艺术作品虽然仍旧属于艺术领域，却获得了科学的意义。"①车尔尼雪夫斯基的美学离马克思主义的社会科学，未达一间，在于我们在前面已经指出的，他所指出的"人类的局限性"，是阶级的局限性，然而他认识了这个局限性。他一再说着"人类的各种产物所难免的疏忽、偏见"，"现实中的美和伟大难得对我们显露真相"，他确实认识了"生活"，认识了历史上的文化所存在的"疏忽"和"偏见"，只是他不能指出这种"疏忽"和"偏见"是从剥削阶级那里产生的。在他关于美的定义里，他也有明确的劳动观点，他说，对于农民来说，"'生活'这个概念同时总是包括劳动的概念在内：生活而不劳动是不可能的，而且也是叫人烦闷的。辛勤劳动、却不致令人精疲力竭那样一种富足生活的结果，使青年农民或农家少女都有非常鲜嫩红润的面色——这照普通人民的理解，就是美的第一个条件。丰衣足食而又辛勤劳动，因此农家少女体格强壮，长得很结实，——这也是乡下美人的必要条件。'弱不禁风'的上流社会美人在乡下人看来是断然'不漂亮的'，甚至给他不愉快的印象，因为他一向认为'消瘦'不是疾病就是'苦命'的结果。但是劳动不会让人发胖：假如一个农家少女长得很胖，这就是一种疾病，体格'虚弱'的标志，人民认为过分肥胖是个缺点；乡下美人因为辛勤劳

---

① 《艺术与现实的美学关系》，95页。——作者原注

动,所以不能有纤细的手足,——在我们的民歌里是不歌咏这种美的属性的。总之,民歌中关于美人的描写,没有一个美的特征不是表现着旺盛的健康和均衡的体格,而这永远是生活丰足而又经常地、认真地、但并不过度地劳动的结果。上流社会的美人就完全不同了:她的历代祖先都是不靠双手劳动而生活过来的;由于无所事事的生活,血液很少流到四肢去;手足的筋肉一代弱似一代,骨骼也愈来愈小;而其必然的结果是纤细的手足——社会的上层阶级觉得唯一值得过的生活,即没有体力劳动的生活的标志:假如上流社会的妇女大手大脚,这不是她长得不好就是她并非出自名门望族的标志。"[①]车尔尼雪夫斯基还不能把他的观点统一起来,在他的讲美学的文章里经常出现"人类"一词,没有分析。我们于此,指出车尔尼雪夫斯基的局限性的同时,亲切地体会到马克思主义指示给我们的阶级分析方法是唯一正确的科学方法。把阶级分析方法加到里面去,车尔尼雪夫斯基的美学就导向革命,他提出"美是生活",他所认识的"生活"是随着时代的前进"显露真相"的。

辩证唯物主义可以肯定车尔尼雪夫斯基"美是生活"的论旨,但按照严格的科学的说法则是:"人类的社会生活虽是文学艺术的唯一源泉,虽是较之后者有不可比拟的生动丰富的内容,但是人民还是不满足于前者而要求后者。这是为什么呢?因为虽然两者都是美,但是文艺作品中所反映出来的生活却可以而且应该比普通的实际生活更高,更强烈,更有集中性,更典型,更理想,因此就更带普遍性。"这里面有三个要点,一,要求文学艺

---

① 《艺术与现实的美学关系》,7页。——作者原注

术美的是谁呢？是人民；二，生活美；三，反映生活美的美。车尔尼雪夫斯基的美学里没有明确的"人民"的概念，因为他不懂得用阶级方法。因此，他认为生活高于艺术正是他的理论的价值之所在，他不是不重视艺术，他不能不更加重视他所没有完全分析清楚的社会生活。辩证唯物主义确定了人民是历史的主人，人民要求改造生活，换句话说要求革命，作为文学艺术的美就要有它的政治标准。车尔尼雪夫斯基的美学提出生活高于艺术；伟大的毛泽东同志的理论则提出政治标准第一，艺术标准第二。

车尔尼雪夫斯基提出生活高于艺术，不是不重视艺术的特性。但艺术的特性是就其反映生活的方法和效果来说的，不是它独立或并行于生活。他说，艺术作品"可以说是描写生活所提出的主题的著作"，"于是艺术家就成了思想家，艺术作品虽然仍旧属于艺术领域，却获得了科学的意义。不言而喻，在这一点上，现实中没有和艺术作品相当的东西，——但这只是在形式上；至于内容，至于艺术所提出或解决的问题本身，这些全都可以在现实生活中找到"[①]。毛泽东同志说："我们的要求则是政治和艺术的统一，内容和形式的统一，革命的政治内容和尽可能完美的艺术形式的统一。"既然是艺术，既然是美，谁都知道艺术形式的重要，谁都知道美是给人以美，问题是，艺术的源泉是什么？唯物论的美学肯定艺术的源泉是生活；历史上人类生活的主流是什么？是人民的生活；革命的政治内容是当代人民生活的集中表现，在美学里提出政治标准，比"美是生活"的定义就显得更是科学的范畴，表示了美学的上层建筑的性质。车尔尼雪夫斯

[①] 《艺术与现实的美学关系》，95页。——作者原注

基只能说"科学和艺术(诗)是开始研究生活的人的'教科书',其作用是准备我们去读原始材料,然后供偶尔参考之用"①,马克思主义则是行动的指南,我们的时代的美,是为无产阶级的政治服务的。毛泽东同志在《关于正确处理人民内部矛盾的问题》里面具体地提出了六条政治标准,他说:"在我们这样的社会主义国家里,难道有什么有益的科学艺术活动会违反这几条政治标准的吗?"我们今天的生活是丰富多彩的,足以容纳百花齐放,推陈出新,如果是毒草,就一定是违反我们共同的政治标准。我们的政治标准,不但适用于社会科学范围,同样适用于自然科学范围,所以政治标准是第一。毛泽东同志又说:"为了鉴别科学论点的正确或错误,艺术作品的(艺术)水准如何,当然还需要一些各自的标准。"所以,艺术标准第二,绝不是把艺术标准看得不重要,既然是"标准",就是科学的东西,是客观规律,怎能把它看得不重要呢? 不过它的为政治服务的性质,首先就是一条客观规律。

我们已经指出过,在车尔尼雪夫斯基的美学里,缺乏阶级分析方法,毛泽东同志根据马克思主义讲的美学,其起着中心作用的就是阶级分析方法。正同《中国社会各阶级的分析》对中国革命的指导作用一样,毛泽东同志下面的话具体地指出了文学艺术如何为革命的政治服务的道路:"中国的革命的文学家艺术家,有出息的文学家艺术家,必须到群众中去,必须长期地无条件地全心全意地到工农兵群众中去,到火热的斗争中去,到唯一的最广大最丰富的源泉中去,观察、体验、研究、分析一切人,一

---

① 《艺术与现实的美学关系》,96页。——作者原注

切阶级,一切群众,一切生动的生活形式和斗争形式,一切文学和艺术的原始材料,然后才有可能进入创作过程。"只要学习了生活,用的是阶级分析方法,于是"革命的文艺,应当根据实际生活创造出各种各样的人物来,帮助群众推动历史的前进。"这个划时代的伟大的美学原则,是1942年提出的,实践这个原则,以工农兵文艺方向为具体的目标,在美的领域里乃同军事、同政治、同经济一样,完全是一新耳目的东西,主要的是人民大众和地主阶级作斗争的反映,如《白毛女》、《李有才板话》、《王贵与李香香》等。这样的作品,和历史上中国的文学艺术比起来,放出了今天的美、人民时代的美的光芒;和"五四"新文学比,它使得"五四"新文学暴露了两个显著的缺点,一个缺点是"五四"新文学不知有民族形式,一个缺点是"五四"新文学无视了群众对美的感情。即此,已决定工农兵文艺方向的美的价值了。由于新的美学的实践,阶级分析方法成为锐利的武器,在文艺创作上谁掌握它谁就一定取得胜利,到1958年文艺大跃进之后,我们有了足够的作品证明马克思主义美学的巨大收获。下面我们拿鲁迅晚期的杂文和早期的小说作一简单的回顾,再看看1960年出版的柳青的《创业史》和人民公社史《挡不住的洪流》,问题就明若观火。

鲁迅小说的美,如车尔尼雪夫斯基所说,艺术"却获得了科学的意义",即是它对中国革命提出了问题。它的人物是从生活中来的,但不是从阶级分析方法来。人们读了鲁迅的小说,如《阿Q正传》,阿Q的形象得了普遍的熟悉,然而阿Q究竟是不是农民,为什么产生了许多疑问呢?作者认识了农民阶级没有呢?因为作者主观上没有用阶级分析方法,所以作品客观上的美就还是批判的现实主义的范畴。鲁迅自己晚年是意识到这一点的,他曾说:"但我也久没有做短篇小说了。现在的人民更加困苦,我的意思也和以前有些不同,又看见了新的文学的潮流,在这景况中,写新的不能,写旧的也不愿。中国古书里有一个比喻,说:邯郸的步法是天下闻名的,有人去学,竟没有学好,但又已经忘却了自己原先的步法,于是只好爬回去了。

我正爬着,但我想再学下去,站起来。"然而鲁迅晚期杂文的战斗作用证明着是阶级分析方法给与他的智慧,完全异乎他早期小说的美。我们举《伪自由书》里一篇《"有名无实"的反驳》,这篇文章这样写:"新近的《战区见闻记》有这么一段记载:

'记者适遇一排长,甫由前线调防于此,彼云,我军前在石门寨,海阳镇,秦皇岛,牛头关,柳江等处所做阵地及掩蔽部……化洋三四十万元,木材重价尚不在内……艰难缔造,原期死守,不期冷口失陷,一令传出,即行后退,血汗金钱所合并成立之阵地,多未重用,弃若敝屣,至堪痛心;不抵抗将军下台,上峰易人,我士兵莫不额手相庆……结果心与愿背。不幸生为中国人!尤不幸生为有名无实之抗日军人!'(五月十七日《申报》特约通信。)

这排长的天真,正好证明未经'教训'的愚劣人民,不足与言政治。第一,他以为不抵抗将军下台,'不抵抗'就一定跟着下台了。这是不懂逻辑:将军是一个人,而不抵抗是一种主义,人可以下台,主义却可以仍旧留在台上的。第二,他以为化了三四十万大洋建筑了防御工程,就一定要死守的了,(总算还好,他没有想到进攻)。这是不懂策略:防御工程原是建筑给老百姓看看的,并不是教你死守的阵地,真正的策略却是'诱敌深入'。第三,他虽然奉令后退,却敢于'痛心'。这是不懂哲学:他的心非得治一治不可!第四,他'额手称庆',实在高兴得太快了。这是不懂命理:中国人生成是苦命的。如此痴呆的排长,难怪他连叫两个'不幸',居然自己承认,是'有名无实的抗日军人'。其实究竟是谁'有名无实',他是始终没有懂得的。

至于比排长更下等的小兵,那不用说,他们只会'打开天窗说亮话,咱们弟兄,处于今日局势,若非对外,鲜有不哗变者'(同上通信)。"很分明,这完全不是《阿Q正传》的空气了。这说明鲁迅认识了被压迫的中国人民没有什么叫做"国民性",用阶级分析方法分析起来,鲁迅早期所谓的"国民性",其实质是半封建半殖民地社会的统治阶级的阶级性。短短的一篇《"有名无实"的反驳》,和有名的《阿Q正传》比较,说明了多大的问题,同一个作家,同样是从生活中来,而其作品所产生的美,前后是两种性质。鲁迅晚期杂文的美证明着辩证唯物主义的美,辩证唯物主义的美便是作家受了辩证唯物主义的指导,用阶级分析方法观察生活,反映生活,其所给与读者的形象,不但真实地说明了世界,而且确信世界是能改造的。用毛泽东同志的话:"革命的文艺,应当根据实际生活创造出各种各样的人物来,帮助群众推动历史的前进。"鲁迅的《"有名无实"的反驳》最后有一句总结:"结论:要不亡国,必须多找些'敌国外患'来,更必须多多'教训'那些痛心的愚劣人民,使他们变成'有名有实'。"这是鼓动中国必须有一个全民的抗日战争,这样的文章足以"帮助群众推动历史的前进"。

柳青的小说《创业史》所写的典型人物,都是经过阶级分析方法来的。在中国这样大的农业国,生产落后,技术落后,而贫苦农民愿党领导他们走社会主义的路,这才是历史必由之路,《创业史》给了读者以生动的形象。它反映的是1953年春天中国农村的变化。我们举几个场面,当任老四看了他们的组长梁生宝贴了盘费替他们组里买了稻种回来,只管罗苏,"你一路的花消不合计在稻价里头,那不算个事呀!你出门好几天,为大伙劳累了就好了,再贴赔上些盘费,那算个啥理儿?……"他的侄儿任欢喜不满意他这份罗苏劲儿,"你尽费话!你连眼前这稻种钱,也是咱组长给你垫着哩。你这阵就要给钱?还是怎样?""我这阵给不起,欠也欠不起吗?"接着就写一个富裕中农:"这工夫,郭世富戴毡帽的脸孔,在更远点的人头中间,呈现出鄙视的笑容。他胡髭剪得很齐的嘴唇扁了扁,鼻孔里头发出轻蔑的冷笑声。那样子等于用嘴巴明言:'你两年欠下我一石"活跃借贷"粮没还。你还说"欠"、"欠",你光知道个"欠"!'

欢喜眼尖,注意到郭世富的表情了。他气恨郭世富,把头一拐,说他四爹:

'把稻种拿回去,忙你的活儿去吧!'

任老四很满意地提起分给他的稻种,嘴里溅着唾沫星子,又说了许多感激话,这才走开。这时,他才看见郭世富戴毡帽的皱纹脸,他的脸色一下子黄了,很快又红了。"这里郭世富的神气就是1953年春天中国农村中富裕中农的神气,欠他一石"活跃借贷"的贫农任老四在他面前"脸色一下子黄了",当然,"很快又红了"。

当分这买回来的稻种"百日黄"的时候,一群庄稼人把梁生宝挤在院子中间,"一只出过了力的庄稼人手,从后面伸过来,扳生宝的肩膀。生宝扭头看时,是郭世富。生宝早注意到:这个穿一身干净的黑市布棉衣的庄稼人,自从进了这院子,手心里一直端着几颗'百日黄'稻子搓出的大米粒,一遍又一遍地埋头瞅着,仰头看看蓝天,心里谋算着什么。

现在,郭世富把胡髭剪得很齐的嘴巴,安置到生宝耳朵上来了。

'你能余多少稻种?'声音很低,很亲切。

'二三斗……'生宝大声地回答。

'一斗合计多少钱呢?'

'两块六角多一点。'

'我给五块钱,你卖给我一斗,行不?'

欢喜站在生宝旁边,听见郭世富说的话,好象嗅见了狗屎的神气。

'这不是粮食市,世富老大!'欢喜警告,记恨着郭世富在布置活跃借贷那晚上,讨陈账的事儿。

'我不是稻种贩子嘛!'生宝对郭世富讽刺地笑说。

大伙嚷嚷起来了。

'世富老大!你说啥,大点声嘛!'

'没说啥,没说啥。'郭世富连忙声明着,见风头不顺,低头出了街门,离开这伙贫农。他们单独一个一地,好对付,凑在一块很厉害。"这真是美丽的文章,把这伙贫农写得多么可爱,同时富裕中农的形象是多么丑。

贫农高增福不是梁生宝互助组的成员。夜里在普小开群众会,发动活跃借贷。"一种灰失失的心情,从高增福不调和的瘦脸上表现出来。他不知道这个春天将怎么过,不知道夏初插秧前,买肥料的钱从哪里来。农历三月和四月,对他好象教室外的夜一般黑。他虽熬煎着光景难混,但命运并不能把这个不幸的人打倒;因为他和周围的其他贫雇农一样,对分给他土地放给他耕畜贷款的人民政府,还抱希望。他在一半男人一半女人的困难生活中挣扎着,还当着乡人民代表,继续积极地奔跑着,就是有这个希望在精神上支持着他。

高增福劝弯着水蛇腰、蹲在第一排课桌前边的任老四:

'老四,你屋离学校远,屋里又有一群娃子。我看你该早些回去。你还看不来吗?今黑间的会,没开头……'

'不!'任老四把参加会,当做拥护党和政府的一种表现,从大舌头嘴里拔出铜嘴子烟锅,溅着唾沫点子说:'咱等俺组长一块回去呀。'

'噢噢,你等生宝。对!你有生宝的互助组,你不犯愁!'增福羡慕地说。

'咱不犯愁',老四庆幸地笑着承认,'不是咱有好大能耐,是咱傍着好邻居哩。人说"远亲不如近邻",实话!要不是生宝肩膀宽,担起俺常年互助组这一摊子生活问题儿,你看我犯愁不犯愁?我比你们哪个都犯愁!实话!这阵子好了,俺互助组一过清明,就进山呀!'

老四很满意的神气和他的话,引起了留在教室里的衣裳褴褛的穷庄稼人们浓厚的兴趣。他们纷纷从后边的儿排课桌,聚集到前头来,好象从这里露出了一线希望。"

"进山",是进终南山割竹子,运扫帚。梁生宝改变计划,"索性让原来运扫帚的那帮人,也参加割竹子,而改由另一帮人运扫帚,这样就可以帮助全村的困难户",高增福就组织运扫帚的人,割竹子的人生宝组织。"他腰里装着二百五十块硬铮铮的人民币!好家伙!梁生宝破棉袄口袋里,什么时候倒装过这么多钱嘛?没有!这是他在黄堡镇同区供销社订扫帚合同时,预支的三分之一扫帚价。这个喜出望外的事情,一下子给他精神上注入了一股新的力量。他拿着供销社开的支票,往人民银行营业所走的时候,脚步是那么有劲。他脸上笑咪咪的,心里想:嗬!有党的领导,和供销社拉上关系,又有国家银行做后台老板,咱怕什么?"冯有万,一个好同志,当他说着"叫所有的中农们看看,咱们穷鬼离了他们中农,办成事办不成?"生宝就批评他,"咱们虽说都年轻,办事可不能象娃们一样啊。是哩,中农是有些对互助合作不积极,他们是有些瞧不起咱贫农;可党的政策叫咱团结中农来,没叫咱和中农赌气嘛……"他更对有万说:"咱的互助组不是私人合伙做啥哩,咱就代表社会主义……""往年春天,他们也进山,但只进一回,两回,混得婆娘和娃饿不起,能接上青稞就行了。谁想多进两回山,能结起伴吗?庄稼人们一想到深山狭谷,想到遮天蔽日的森林,想到老虎、豹子和狗熊……只要在山外想出一点办法,谁也不情愿三个两个人,孤孤单单地冒险。现在好了,他们十六个人浩浩荡荡,在终南山里割一个月竹子,每个人要挣几十块钱啊……"凡这些,该是多么美丽的史诗,是历史上没有出现过的史诗。我们这样说,一点也没有夸大,我们的史诗是辩证唯物主义的美学指导下的产物,历史上当然没有出现过。我们的史诗是从群众中来到群众中去,"帮助群众推动历史的前进"。

猴场人民公社史《挡不住的洪流》,由群众口述,经过记录整理下来的。谁读了这部书谁都要信我们的伟大的时代的美,它记录了人民大众的民主革命,它更其出色地记录了人民大众愿跟党奔向社会主义。我们读《草苗争长》,读《激流》,这里面的李和清,伍平安,伍石宝,都是在党教育下的贫农,古代的知识分子说什么"人皆可以为尧舜",实际上"六亿神州尽舜尧"是我们今天的事。李和清,伍平安,伍石宝,无论是正史二十四史,或是小说《三国演义》,《水浒》,哪里也没有他们这样的美丽的灵魂。"五四"时期的鲁迅小说又是属于批判现实主义范畴的,不可能写贫农的正面人物。辩证唯物主义到中国而有毛泽东思想,毛泽东同志关于美学的理论乃指导出了群众创作如《挡不住的洪流》的作品。它证明在人类生活当中劳动人民是主人,真正反映劳动人民的文学艺术是从古以来的花园里所没有栽培过的花种。毛泽东同志指出了工农兵方向,无疑,它是向前看的方向。向前看,就是科学地总结了过去的美的东西。

第三章　群众和美

因为习惯势力的原故，因为偏见的原故，因为长期以来剥削阶级知识分子各种各样的偏见和习惯势力的原故，在美的问题上特别形成了诸多的正统观念。首先是以文学为正统的观念。文学里面又有正统文学的观念。因为有许多画家是文人，图画还不至于那么被看不起，若雕塑、歌舞、音乐、表演这些艺术部门，向来认为是"小道，不足观。"这反映了一个什么问题呢？反映在美的问题上轻视群众。而事实上群众是创造美的主人。如我们已经指出过，《庄子》里称述的匠石的故事，表现了最精当的美学的见解，这必然是群众经验的概括，那样一个大匠只能是从群众中产生的。孔子佩服舜的音乐，这个"舜"，当然不是这个音乐的作者，这个音乐的作者只能是群众。当然，说美是群众的事，同时并不否认天才，只是天才和群众不是对立的。群众正是天才的基础。到了以文学为正统，轻视美的其他部门，文学又是正统文学坐在统治座位上，戏剧、小说等不登大雅之堂，怎么能懂得美呢？怎么能懂得美和群众有极其重要的关系呢？真正懂得美的人决不如此。杜甫就是懂得美的，所以他写了《观公孙大娘弟子舞剑器行》，"昔有佳人公孙氏，一舞剑器动四方。观者如山色沮丧，天地为之久低昂。"这四句诗就说明了美是属于群众的,"观者如山",而又赞美了公孙大娘的天才。杜甫还有一首《听杨氏歌》,"古来杰出士,岂特一知己,吾闻昔秦青,倾侧天下耳。"这都表示杜甫对民间艺人极尽倾倒之情。明代张岱的《陶庵梦忆》里有一篇《彭天锡串戏》,他感到看了彭天锡的戏后没有法子把它的美传之后代,写道:"余尝见其一出好戏,恨不得法锦包裹,传之不朽。常〔尝〕比之天上一夜好月,与得火候一杯好茶,只可供一刻受用,其实珍惜之不尽也。桓子野见山水佳处,辄呼奈何奈何,真有无可奈何者,口说不出。"这本来是理之当然,杰出的剧本还有剧本在,杰出的表演美隔了舞台就无法欣赏。封建社会正统派的文人有几人能象张岱这样重视舞台演员的艺术呢?说到文学部门,其中有一个主要问题以前没有得到真正的解决,就是文学的工具——语言问题。语言是人类在劳动之后并和劳动一起产生的,这是马克思主义者公认的事实。这个事实说明语言是群众创造的。中国古代所谓"诗言志,歌永言",不是把诗和歌分开,是说诗和歌是一件事,是"言"的艺术。这个"言",用今天的话说,是口头创作,是群众的语言。对于歌又这样说过:"故歌之为言也,长言之也。说(悦)之,故言之。言之不足,故长言之。长言之不足,故嗟叹之。嗟叹之不足,故不知手之舞之,足之蹈之也。"这和"诗言志,歌永言"是一样的意思,指出"言"来,指出作为诗歌工具的口语的性质。后代文人所考虑到的则是书面的东西,于是脱离群众了。他们所说的"文",或者"笔","无韵者笔也","有韵者文也"或者如刘勰所说"予以为发口为言,属笔曰翰。常道曰经,述经曰传。经传之体,出言入笔。"这都表明他们不知有口头创作这件事。他们只知有"文章",就是书面语言。这件事一直到解放以后,开始有科学的认识。解放后把过去所叫的"文法"改为"语法",就是承认一个民族的语言,它有它的规律,是全民的事,不能以知识分子写出来的"文"为代表。证之于文学史,最早的《诗经》,其中有许多是属于口头创作,开始一篇《关雎》就是的。我们在上一章里曾就《关雎》的句子举例,它的语法规律和孔门《论语》的语法规律是一样,和今天毛泽东同志写的文章的语法规律也是一样,因之共同地表现着汉语的特点,汉语的美。又如我们读《伐檀》:"坎坎伐檀兮,寘之河之干兮,河水清且涟猗,——不稼不穑,胡取禾三百廛兮?不狩不猎,胡瞻尔庭有县貆兮?彼君子兮,不素餐兮!"这是一首伐木者歌,是口头创作,伐木者在劳动中互相唱和。这个歌辞表现着汉语的特点,在古今汉语里有一个共同的规律,主语不是必要的,所以这首诗的九个句子,除第三句"河水清且涟猗"外,我们不能同分析外国句子一样,从里面去找主语。第七句"尔庭"的"尔",非常有力量,表示歌者在歌时心中有指,指着他控诉,同当面直斥一样,而这个"尔"就是前面"不稼不穑"、"不狩不猎"的剥削主。到这第七句里,千载下的读者也一下子认识他了。人民口头创作最是善于运用语言工具的,群众是美的创造者。后代正统派的文人,他们只知道"尊经",盲目地读《诗经》,何曾懂得"语言"?何曾懂得人民口头创作?他们把《诗经》的诗有许多都解释错了。

过去读《陌上桑》,篇末"坐中数千人,皆言夫婿殊",殊不得其解。如果把它当作说唱文学看,这两句话就很容易懂,是前面有听众,说唱人乃唱这么两句下场,空气很是和悦。坐中当然未必有"数千人",这是夸张的说法。但只要面前有听众,就可以这么夸张着说,无非说得热闹。问题是汉代有没有说唱文学?到了解放后,在成都发现了东汉的说唱俑,我们认为问题便解决了,"坐中数千人,皆言夫婿殊"证明《陌上桑》是汉代说唱文学。《孔雀东南飞》之为口头创作也是无疑问的,它的起头正是一般口头创作的起头,它的收结"多谢后世人,戒之慎勿忘",同《陌上桑》的收结两句一样是对听众说的,不过一是悲剧口气,一是喜剧口气。这些都说明什么呢?说明美是和群众有关的,文学是语言的艺术,语言的性质在于刘勰所说的"发口为言",不在于他的话第二句"属笔曰翰"。当然,不排斥"属笔曰翰"。"属笔曰翰"只应是"发口为言"的加工。只要承认文学是语言的艺术,语言的性质是"发口为言",那么在文学这个美的部门里,知识分子决不能自己估计过高,贵有群众观点。正统派的文人所抱的是神秘观点,因此他们不能懂得美。他们不懂得《诗经》所表现的群众的美,同样他们不懂得汉代的民歌所表现的群众的美。我们举一个例子,《孔雀东南飞》的悲剧,表现了强烈的生命气息,我们看它描写"死",通过焦仲卿自述:"命如南山石,四体康且直。"这完全表现了群众的思想感情,群众对焦仲卿一方面是同情他,一方面又歌颂他,不把他写得愁眉苦脸的,在他自己言死的光景乃用了幽默的言语。"四体康且直",这四个字恰恰是一块石头的形象,合乎"死"的形象,没有生命了。我们读着,比起一般恭贺人用的"寿比南山"四个字,显得有生命多了。这确乎代表群众的美。闻人俀对焦仲卿的这两句话是这样解释的:"此二句,谓死也。母前不敢直言,故隐约其辞。"到底是汉代人民懂得美还是后代知识分子懂得美?

《诗经》的地位,汉代乐府的地位,从古以来确定了,算是幸运。后代的口头创作,便没有那么的幸运,解放后的文学史才有民间文学的地位。地方戏,一个很重要的美的部门,不是文人写的,是群众"发口为言"的,解放后也才得到重视。我们认为地方戏,集中地表现了民族形式,表现了群众语言的美。我们读川剧《柳荫记》的"祝庄访友"一场,当梁山伯看见祝英台的时候,唱:"一见娘行着一惊,不是尼山同窗人,莫非令兄生有病,特遣贤妹来迎宾?"祝英台唱:"梁兄不必犯疑心,小弟原来是钗裙,……"这样的话真表现汉语的美,我们不能不惊于群众的艺术,把极难写的事情写得极容易,极美。这话要用外国文来翻译,是无论如何有困难的,因为"小弟"是男性词,它和"钗裙"之间决不能用肯定语气的动词,即是不能说"男子是女子。"然而在汉语里,祝英台的唱词,她把"我本来是女子"说出来了,她把他们昔日同窗的生活也反映出来了。"小弟原来是钗裙",一句话把这个女孩子的个性也写出来了。用杜甫的话,这叫做"语不惊人死不休",不,群众的本领还要大些,应该叫做"下笔如有神"。关于梁祝的故事,经过记录我们谈到的有越剧有川剧,充分表现群众的美,有浓厚的生活气息,有强烈的地方色彩,清新,活泼,健康,激昂,一看就知道不是文人的笔写的,是人民口头创作。

关于地方戏我们还应该谈一点,就是地方戏集中地表现了民族形式。民族形式这个题目是我们在下一章里所要讲的,这里因为讲到艺术的语言工具而涉及地方戏,地方戏所表现的民族形式确实要谈一下,在这方面地方戏对美的贡献是巨大的。我们举楚剧《葛麻》为例。从《葛麻》这个剧本看,它的语言也是口口相授的,是群众的语言,不是剧作家的辞章。它整个的篇幅是对话,只有很少的唱词。如果把少有的唱词删去,它仿佛象话剧似的。但它绝不是话剧。它是道地的中国戏。戏的开始是马铎出场:"老夫马铎,娶妻康氏,膝下所生一女,取名金莲,昔日与张仁交好,将吾女许配他子大洪为妻。开亲之时,两家贫穷,如今我家发富,吾女若配这门穷亲,岂不做了贫贱之人。老夫有意诓他进府,逼写退婚文书,好将吾女另选高门大户,一来女儿终身有靠,二来与我门风有光。好倒是好,叫哪个去喊他呢?(想)我家雇工葛麻,倒也十分能干,叫他前去诓他进府……"这样就把故事完全交代了,从西方话剧的观点看,就没有"戏剧"的可能,因为再也没有故事了,如何"发展"下去呢?然而中国的《葛麻》这出戏,写了四个人物,这四个人物在舞台上该是多么真实!主要人物当然是葛麻,小姑娘马金莲也是一个英雄,她的女婿张大洪也并不是傻瓜,也有个性,老奸巨猾的马铎表演起来象傻瓜似的,而是中国戏用浪漫主义的手法来写老奸巨猾,因此它是"戏",而这个"戏"是集中生活的经验,刻划而且打击象马铎这样"嫌贫爱富,逼婿退婚"的人。《葛麻》的斗争性,倾向性,表现了中国戏的宝贵传统,人民是代表正义的,正义永远是胜利的,雇工葛麻的每一动作,每一言语,无论向马铎"见礼"也好,"进茶"也好,更不用说"这拳头没有眼睛","葛麻一拳横过去,打在马铎的脸上",无一不是正义感的真实表现。最难得的它告诉我们夸张是艺术,它给人以美感而拒表面的做作于千里之外,它告诉我们怎样才叫做对生活的模仿。它不象西方有名的作家的杰作如莎士比亚的戏剧处处显露作者个人的才华和某些悲观情绪,它所显露的是群众的智慧,群众对生活的乐观精神。对话是它的绝大的篇幅,它仍不废中国戏的传统,其中有歌唱,从它的歌唱,我们又知道中国的音乐和歌唱随着对话是起着怎样的加重剧情的作用,这也是西方戏剧所不能理解的。总括起来说,《葛麻》所表现的中国戏的民族形式，就是浪漫主义和现实主义的结合。现实主义是它真正植根于生活，浪漫主义是它摆脱日常生活的细节。它的戏剧效果是以感情夺人心魄，不是以表演悦人耳目，而它的表演实在是悦人耳目，它能够使得有理智的观众入其彀中。这就是美。《葛麻》的美是中国戏所共同有的，只是它表现得最为特别，它象话剧，它又象相声，它又不废歌唱。我们从《葛麻》的语言和它的戏剧形式，能不相信群众创造美？关于美的问题，过去是看得偏了，只看到知识分子的一面。当然，不是说知识分子这一面是不重要的，在美学问题上面。

我们还想谈《水浒》的作者问题。从《水浒》故事不同的本子有不同的细节看，施耐庵其人只能是一个编者，而且这部小说的语言也是群众口头创作的性质，不是作家的笔墨。我们读百二十回本第九回的开始："话说当时薛霸双手举起棍来，望林冲脑袋上便劈下来。说时迟，那时快，薛霸的棍恰举起来，只见松树背后雷鸣也似一声；那条铁禅杖飞将来，把这水火棍一隔，丢去九霄云外。……"这就完全是说书人的语言，不但描写了鲁智深从野猪林里跳出来的神气，还画出了说书人话到这里是快说，而以"说时迟，那时快"的妙语出之。第二十六回由说话人自己设问自己解答："说话的，为何先坐的不走了？原来都有土兵前后把着门，都似监禁的一般。"第八回写林冲的娘子哭倒，"一时哭倒，声绝在地，未知五脏如何，先见四肢不动。"第三十一回写武松和那先生斗："但见月光影里，纷纷红雨喷人腥；杀气丛中，一颗人头从地滚。正是：三寸气在千般用，一旦无常万事休。"凡这些都不是作家的语言，是民间艺人的语言，换句话说是群众的语言。《水浒》的语言和口头创作的诗是一个类型的美。再看《水浒》的故事。我们大家所习知的《水浒》的故事,其中有很多很多细节和百十五回本《水浒》不同,而百十五回本《水浒》应该是最早的《水浒》,诚如鲁迅所说"虽非原本,盖近之矣。"百十五回本第三回写鲁达给金老父女盘缠回东京,自己"取出三两银子,放在桌上。对史进曰:'你有银子,借些与洒家,洒家就还。'史进便去包裹内取出十两银子,放在桌上。又对李忠曰:'你也借些。'李忠只有二两。鲁达就将这十五两银子与金老儿。"我们所熟悉的情节就不是这样,我们所熟悉的,这十五两银子里面,没有李忠的二两,因为鲁达嫌李忠出得少,说李忠"是个不爽利的人",把他的二两银子退还了他。鲁达自己是从身边摸出五两银子。在这个细节里,就描写了李忠的"不爽利"。同样,我们所熟悉的,李忠在桃花山做大王,鲁达来山,他舍不得现有金银送与鲁达作路费,必得下山去打劫,所以鲁达笑他"是把官路当人情,只苦别人。洒家且教这厮吃俺一惊。"结果这位花和尚把桃花山的东西拿走了,自己从后山滚下去。而百十五回本没有这个细节,它只是写鲁智深不肯落草,李忠曰:"'哥哥要去时,难以强留。'将出白银十两,送别去了。"象这样故事的不同,说明什么呢?说明《水浒》的主要典型人物,如鲁达,其性格是固定了的,没有变动,而故事流传,由说书人兴之所至,或迎合听书人的心理,增添了一些细节。这证明《水浒》是群众的创作,不是某个作家的著作。我们再举一例。还是鲁达的故事,鲁达到了代州雁门县,遇见金老,金老引他到家,就是赵员外之家,因为金女嫁给了赵,没有回东京。我们所熟悉的接着有一场厮打,因为赵员外以为金老"引什么郎君子弟在楼上吃酒,因此引庄客来厮打。"百十五回本便没有这个细节,只是鲁达同金老父女"三人饮酒,至晚,只见丫环来报曰:'官人回来了。'金老便下楼来,请官人上楼,说道:'此位官人便是鲁提辖。'那官人便拜曰:'闻名不如见面。'鲁达回礼曰:'这位官人就是令婿么?'金老曰:'然'。再备酒食相待。"这倒是很合理的。我们平常所读的,有那场厮打,实在并无必要。我们再就林冲的故事举一例。林冲在柴进庄上和洪教头比武,我们所熟悉的,是两人已交手了四五合,然后林冲忽然跳出圈子外来,而且说道:"小人输了。"因为他多了一具枷。然后柴进才拿出十两银子给两个公人,"相烦二位下顾,权把林教头枷开了。"这样当然把故事说得很有趣,其实要比武,柴进的十两银子也可以早给公人,先把林冲枷开了。百十五回本就是如此,柴进先叫且把酒来吃,"吃过了五七杯,明月正上,照见厅堂如同白昼。柴进便叫庄客取十两银子来,与公人曰:'相烦二位下顾,权把林教头枷开了。'"开枷在先,比武在后。百十五回本《水浒》和我们所熟悉的《水浒》,典型人物是一样,而细节不同,证明《水浒》是群众的创作,不是作家的创作,可以相信有施耐庵其人,但施耐庵其人是从群众中来的,我们谈这个问题的主要意义是说明群众和美的关系,群众创造了美。

我们在上面所用的"群众"一词并不等于劳动人民。象《诗经》的《伐檀》是劳动人民的口头创作,若《关雎》就不是的,《关雎》只能说是群众的口头创作,以别于作家的诗。汉代的《陌上桑》、《孔雀东南飞》,其为群众的口头创作无疑义,但不能说是劳动人民的口头创作。《水浒》也是的,它只能是广义的民间文学,是"说话的"文学。到了今天的新中国,1942年毛泽东同志提出了文艺工农兵方向,1958年产生了大量新民歌,于是劳动人民的文学正正堂堂出世,我们才能够把"群众"和"劳动"两件大事联在一起。我们今天说"群众和美",便是"工农兵群众和美"了。我们今天说"群众和美",是历史上群众和美的关系的继续发展,是将要实现的共产主义社会美的萌芽。口头创作是一把钥匙,它把今天的问题和古代的问题都给揭开了。美是劳动人民的事,就诗歌说,是劳动和语言一起产生的东西,就是劳动者的口头创作。劳动者的口头创作经过记录流传下来并不是多的,但属于口头创作性质的作品却是大量存在,说明文学是以语言为工具的艺术,在中国文学史上向来没有认清这作为工具的语言的性质,以"属笔曰翰"笼统包括一切。今天的新民歌就证明了三件事:一,劳动创造美;二,文学的工具是语言,向来对于"文字"的观念则并不认为它是代表语言的;三,未来的文化是党所提出的"文化革命"的方向,知识分子劳动化,工农群众知识化,在美学问题上就离不开劳动和群众两个观点,对历史上的美有批判,有继承。

我们研究一下新民歌,读《如今唱歌用箩装》:

> 如今唱歌用箩装,
> 千箩万箩堆满仓,
> 别看都是口头语,
> 撒到田里变米粮。

这真真是劳动人民的口头创作。我们决不能说口头创作是属于普及性质的作品;"属笔曰翰"的东西才是提高的,那样说丝毫没有科学根据。实际上《诗经》里有许多是口头创作,而向来的文人认为《诗经》是"仰之弥高",虽然他们是迷信"经",不是重视口头创作,《诗经》的口头创作的质量总是不能贬低的,后代的作家如陶渊明做的四言诗,比之《诗经》就赶不上。"如今唱歌用箩装",这短短的四行诗写得非常完全,包括两方面的完全,内容方面的完全和形式方面的完全。内容方面的完全,是这首诗能够说明我们的文学艺术是为生产服务的;形式方面的完全,这首诗可以说是"比也",也可以说是"兴也",多当然要"用箩装",多当然"堆满仓",然而这多的不是物质的产品,是正如另外两句有趣的口头语所说的,"山歌好比牛毛多,三年才唱了一只耳朵!"所以诗又告诉我们"别看都是口头语",它表现了人们的干劲,撒到田里能不变成米粮吗？饱满的感情第一,生动的语言第二,饱满的感情好比弓拉得满满的,生动的语言一发就中。"中"就是深入人心,就是美。

我们读《田似绿毯河似线》：

> 庄连庄来坡连坡,
> 小河弯弯接大河,
> 田似绿毯河似线,
> 缝的牢牢撕不破。

这首诗也一定是口头创作。这首诗三四两句应该是"比也",这个比和一般的比喻不同,它也还是"兴",因为它不限于"田似绿毯河似线"的眼中形象,它更有歌唱者的心中思想,这个思想是团结起来,"缝的牢牢撕不破"。这个思想之美,是因为这个形象之美,说"田似绿毯"尚易,再加以"河似线"三个字就真不易;"田似绿毯河似线",又必要再加一个"缝"字才整个形象完全了。唐诗"玉颜不及寒鸦色,犹带昭阳日影来",也是两句合成一个比喻,不以一句而足。这说明语言工具古人会用,今人同样会用,作家的诗是如此,劳动人民的口头创作也是如此。而就思想感情说,很明白,劳动人民的思想感情是进步的阶级的思想感情,它才是健康的,美的。

我们读《喜的月亮少半边》:

> 日落西山月夜天,
> 地里人们干的欢,
> 笑的青山直张嘴,
> 喜的月亮少半边。

这真是群众的美,劳动的美,历史上没有见过的美。历史上有劳动,但在有剥削有压迫的社会里不能有"地里人们干的欢"的事实。在劳动人民是社会的主人的今天,有"日落西山月夜天,地里人们干的欢"的事实,于是自然世界都呈出乐观精神了,"笑的青山直张嘴,喜的月亮少半边。"这真是天真的笑的形象,满怀的喜的形象,不是"地里人们干的欢"决没有这样的赏心乐事。我们读了这样的诗,好象老年人读童话,惊异于其美,喜悦于其美,为以前从未经验过的。这首诗的表现手法也极有趣,可以说是深得唐贤三昧,试把它和张继的《枫桥夜泊》比较,张继的第一句"月落乌啼霜满天",也是点明时间,和"日落西山月夜天"一样,第二句"江村渔火对愁眠"是点出一个"愁"字,我们的新民歌则是"干的欢"。张继的三四两句"姑苏城外寒山寺,夜半钟声到客船"是扩大愁的境界,我们的新民歌是扩大欢的境界。非常明显,这一首《喜的月亮少半边》,就其思想感情说是前无古人,只是美之一事,要有结构层次,古今是相通的,不分群众创作和作家创作。

我们读《渠水围村转》:

> 前天夕阳下,
> 河水在西洼;
> 今晨旭日升,
> 渠水到村东;
> 中午日正南,
> 渠水围村转。

这是今天的新民歌,它所给我们的美感,吃什么新鲜果子也比不上,倒是令我们记起古代的一首民歌:"江南可采莲,莲叶何田田,鱼戏莲叶间,鱼戏莲叶东,鱼戏莲叶西,鱼戏莲叶南,鱼戏莲叶北。"我们确实因为我们的新民歌之美而懂得古代民歌之美。当然,我们的时代是前所未有的,因而我们的新民歌所表现的大跃进精神是前所未有的,不过口头创作之新鲜往往为作家创作所不能及,古今一致。如果对古代的诗曰好,对今天的人民口头创作倒不能"奇文共欣赏",那就只能说在美的问题上存在"迷信"。

我们读《后出头的是大哥》:

> 钢厂里,烟囱多,
> 好象深山大树窝,

> 先出头的短得很，
> 后出头的长的多，
> 先出头的是弟弟，
> 后出头的是大哥。

这首诗也应该是"奇文共欣赏"。它是口头创作，它表现了社会主义社会的美，它反映了新中国工厂建立如雨后春笋的现实，因之，在口头创作的生动性和大跃进的时代精神相结合之下，产生了《后出头的是大哥》这首诗的美。它当然是"兴也"，不是"比也"，因为哪里见过"后出头的是大哥"的比喻呢？这样的形象只有社会主义大家庭的中国人民锦心绣口歌颂得出。

有一首上海的新民歌，题目是"早晨"，诗曰：

> 苦战一通宵，
> 早晨春光好，
> 厂里锣鼓敲，
> 花开知多少。

这首诗也没有作者的名字。读了它我们很容易联想到唐诗人孟浩然的"春眠不觉晓，处处闻啼鸟，夜来风雨声，花落知多少。"这仅仅是因为写法上和语句上有相似之处，所以就联想起来，本质上我们今天的《早晨》的美和唐诗无任何相同之点。这一首《早晨》，是新的城市的美，它有什么"个人"的痕迹吗？有什么城市里的压迫空气吗？没有的。它反映了我们工厂的大跃进，它是春天的美，是早晨的美。

最后我们读一首《起重工》的歌：

> 嗨唷！嗨唷！齐声唱，
> 千斤钢板轻轻扛，
> 脚上踏出上天路，
> 历史重担肩上扛。

从这首诗的起句看，这首诗是口头创作。我们决不要以为口头创作是低一级的作品，作品的思想性和艺术性不是以口头创作和作家创作来分高低的。这首诗表现了抒情诗的特点，这首诗之所以歌唱得出是因为辩证唯物主义历史唯物主义的世界观在那里起推动作用。大凡抒情诗，少不了一个背景，但不能用语言来描述这个背景，只能是触景生情，情是主体，景不过是情之所由生。刘勰在《文心雕龙》《神思》篇里所说的，"登山则情满于山，观海则意溢于海，我才之多少将与风云而并驱矣"，可以做抒情诗的很好的说明。如陈子昂《登幽州台歌》是一首抒情诗，"前不见古人，后不见来者，念天地之悠悠，独怆然而涕下"，这首诗的题目就是指出作诗的背景，没有这个背景就不能有这首诗，而在四句诗里没有一个字是对幽州台作描写的。又如杜甫的《登楼》是一首抒情诗，"花近高楼伤客心，万方多难此登临。锦江春色来天地，玉垒浮云变古今。北极朝廷终不改，西山寇盗莫相侵。可怜后主还祠庙，日暮聊为梁甫吟。"这首诗虽写出了"玉垒"，写出了"锦江"，然而并不是对这个山、这个江作描写，只是对春色而认存在，见浮云而忆古今，换句话说是诗人写空间和时间。其余所写都是伟大的现实主义诗人杜甫的思想感情，因《登楼》而表现无遗。杜甫不在其时其地不能写这首诗,这表现诗的具体性;这首诗又富有概括性,能够说明杜甫的爱国主义,这个爱国主义在历史上有它的难以达到的深刻性,一方面对"北极朝廷终不改"有信心,一方面从封建王朝的局面看,并看不出前途来,"可怜后主还祠庙"一句确乎有象征作用,然而杜甫的积极精神溢于纸上,"日暮聊为梁甫吟"! 这是杜甫的抒情诗。我们从古典文学举出两首抒情诗来,它们足以代表抒情诗的美的特点。再看看我们的新民歌《起重工》,它的题目正是抒情诗所必要的,它的四个句子也没有一句是对背景作描写,它是抒情。它抒写了在共产党领导下中国工人阶级对人类前途的信心。"脚上踏出上天路",这是工人阶级的步伐,人类社会将进入共产主义。"历史重担肩上抗",这表现中国工人阶级所负的历史使命,它是光荣而艰巨的。"嗨唷! 嗨唷! 齐声唱,千斤钢板轻轻扛",这是集体主义的力量、革命乐观主义的精神震撼人心。就是这个力量、这个精神才能相信"脚上踏出上天路,历史重担肩上抗"。很分明,这是辩证唯物主义历史唯物主义的推动力。

以上是"群众和美"这个题目我们认为应该讲的。

第四章　民族形式和美

在美学问题上忽视群众是长久以来的事,虽然实际上群众永远在那里创造美。在美学问题上发生了民族形式的问题却是"五四"以后的事,这个问题在今天可以得到正确的解决。这是两个大问题,群众和美的关系,美的民族形式,这两个问题又有连带的关系,在中国,在五四新文学运动以后,美的民族形式是群众所要求的。

毛泽东同志说过:"五四运动时期,一般〔班〕新人物反对文言文,提倡白话文,反对旧教条,提倡科学和民主,这些都是很对的。在那时,这个运动是生动活泼的,前进的,革命的。那时的统治阶级都拿孔夫子的道理教学生,把孔夫子的一套当作宗教教条一样强迫人民信奉。做文章的人都用文言文。总之,那时统治阶级及其帮闲者们的文章和教育,不论它的内容和形式,都是八股式的,教条式的。这就是老八股、老教条。揭穿这种老八股、老教条的丑态给人民看,号召人民起来反对老八股、老教条,这就是五四运动时期的一个极大的功绩。"在这段话里毛泽东同志用了"丑态"这两个字,在那时占了统治势力的统治一切的就是丑的东西,如果以男子的八股和女子的小脚来代表那时的"审美观念",确实不算冤枉。我们今天在大学里讲美学,是因为我们知道在中国历史上有丰富的文学艺术的创造,以及形成这种创造的倾向和传统,在"五四"以前,《水浒》、《红楼梦》都不能上学校的讲台呢。过考的(的)八股文虽然废止了,然而充满人们脑筋的,不论内容和形式,都是八股式的,教条式的。五四新文学运动起来了,首先是白话诗,再是鲁迅的短篇小说,再是翻译的易卜生的戏剧,在很短的时期内,新诗,短篇小说,外国戏剧,在新兴的文坛上有了正确的承认。这三样东西都是从外国来的。这三样东西都是美的,足以使得八股丑态见不得太阳,青年文学者都看不起它,不理它。同时,如毛泽东同志所论断的,"那时的许多领导人物,还没有马克思主义的批判精神,他们使用的方法,一般地还是资产阶级的方法,即形式主义的方法。他们反对旧八股、旧教条,主张科学和民主,是很对的。但是他们对于现状,对于历史,对于外国事物,没有历史唯物主义的批判精神,所谓坏就是绝对的坏,一切皆坏;所谓好就是绝对的好,一切皆好。"在文学艺术上,外国事物就是绝对的好,中国事物被看成一无足取,如果有可取之处,是从资产阶级的观点来的,如因外国的小说而讲中国近代的小说。在美的领域里,凡属于我们民族的,中国画,中国音乐,中国戏,都认为不屑一顾。他们并没有考虑到,在美学问题上,正同医药卫生问题一样,必须看群众的态度,必须得到广大人民的批准,中国人民倒是要求自己的东西。于是在美学问题上,突出地有了民族形式的问题。难道民族形式和中国人民的进步是不相容的吗?显然不是的,连中国革命的大事业都离不开民族形式,所以毛泽东同志说:"共产党员是国际主义的马克思主义者,但是马克思主义必须和我国的具体特点相结合并通过一定的民族形式才能实现。"这本来是极具体极明显的道理,比如"语言",它不就是一种民族形式吗？中国人民宣传马克思主义,在汉民族地区里难道不用汉语吗？只须这样一反省,就可知民族形式是一件大事,在美学问题上,正是把这件大事一笔抹杀了。中国人用毛笔画画,这个传统该有多么久,而中国画忽然当成落后的东西了,在当时真是弃之若敝履。中国音乐,连考虑都不考虑,仿佛中国向来没有音乐似的,一说到音乐就是钢琴,就是西洋歌唱一类,不知在民间里,在中国戏剧里,中国音乐正在那里起作用。中国戏,它的特点,它的长处,我们今天知道很要调查研究一番,而"五四"初期笼统地戴以"封建"的帽子。是同一性质的偏差表现在中国诗的问题上。白话新诗,本来是一件好事,把人从形式主义的桎梏里解放出来,但科学地研究一下,我们决不能割断历史,何况诗歌是集中表现语言特点的艺术,旧诗之所以成功它的形式,难道没有汉语本身规律的事实存在吗？在今天看来,除了八股式的旧诗必须排斥外,中国的旧诗词就没有因新诗运动而中断过,《革命烈士诗钞》这一本书就是铁一般的证明。《革命烈士诗钞》里的诗,只有李大钊同志的诗(除《山中即景》一首)是新诗运动以前的作品,其余的作品都是新诗运动以后写的,里面当然有新诗,但更多的是旧体诗词,还有两首是民歌体,这不说明革命的思想感情和民族形式之间是没有什么叫做矛盾的吗？烈士们在做诗时当然有选择,要采取什么形式,但写起旧诗词来,尤其是张剑珍同志和魏嫌同志的歌唱,当然就和烈士的血是在血管中自然循环一样,即是说内容决定了形式,而这个形式是由汉语规定的。这件事实就是告诉我们,无产阶级革命的思想感情的表现取得了民族形式。我们读李少石同志的《无题》：

何须良史判贤愚,
正色宁容紫夺朱?
半壁河山存浩气,
千年邦国树宏模。
风云敌后新民主,
肝胆人前大丈夫。
莫讶头颅轻一掷,
解悬拯溺是吾徒。

　　这首诗从诗题,诗体,以及诗里所用的词汇,完全是旧诗的,它的诗味甚重,也就是说它给人以中国律诗的美的享受,同时它把抗日战争时期在敌后建立人民政权的中国历史给反映出来了,我们还没有看见有哪一首新诗反映了同样的题材,反映得更好。赵树理同志的《李有才板话》,也应该是叫我们深思的,"李有才作出来的歌,不是'诗',明明叫做'快板'",这说明在民间文学里没有什么"新诗运动",本来就有富有生命力的快板。是的,新诗运动是因为老八股而起的,民间文学里本来没有八股,它当然用不着"新诗运动"。象这样明白的事实并不能怎样引起新诗作家们的注意。直到1957年毛泽东同志的十八首诗词在《诗刊》上发表出来,才确实给人们提出了一个问题,就是,旧诗词的体裁依然是有生命力的,在新时代还可以做旧诗词。但似乎还没有把事情联系到诗的民族形式问题上去。到了1958年劳动人民五七言体的新民歌大量出现,新诗作家们不想也得想,中国诗的民族形式问题!新民歌证明旧诗的五七言体不是文人创造的体裁,它是汉语的最适合于歌唱的形式,尤其适合于劳动中歌唱的形式。邵荃麟同志记大跃进时他在西安访问白庙村的农民,"问他们的诗怎么搞出来的;他们讲得很好,他们有个女生产队长,在车水灌溉麦田时,为了减轻疲劳提高干劲,把感情表达出来,她就说:'我们唱歌吧!'劳动刺激了她的感情,她就唱了起来:'水车叮当响,麦苗你快长;我给你喝水,你给我吃粮。'"这确实说明了问题,五七言体是汉语歌唱的最自然的节奏,所以在劳动当中一唱就唱出来了。五七言体就是七个字四三念和五个字二三念,换句话说,不论五言或七言都是后三个字作为一顿。这和我们的名字以三个字为最普遍是一个规律。在戏台上,周瑜唱:"心中恼恨诸葛亮,他的八卦比我强!""诸葛亮"三个字比"诸葛孔明"四个字好唱,也比"孔明"两个字好唱。诗歌的五七言体之所以在中国诗歌里最普遍、最受欢迎,从汉语的语音上说,重要的话应该是如此。在押韵上,白庙村的女生产队长唱的四句,也正同文人的诗一样,四句当中第三句不要韵,一、二、四押韵。这也正是自然的,我们读新民歌的一首《放炮工》:

我们放炮工,
走遍露天坑,
哪里岩石硬,
哪里放炮崩。

进入炮区间,
劳动干的欢,
男的装药快,

女的紧充填。

红旗迎风飘,
岗哨警戒牢,
绿旗发号令,
地动又山摇。

硝烟满天飞,
岩石咧了嘴,
剥开皮来看,
嘿嘿都是煤。

　　这一首诗就证明五言体的二三念是汉语的天籁,是劳动中的歌唱的自然节奏,"剥开皮来看,嘿嘿都是煤",以"嘿嘿"两个音作一顿,再以三个音"都是煤"作一顿。语言本来就是民族形式,不同的民族有不同的语言。汉民族语言形成的五七言体诗就属于我们诗歌的民族形式,它不是文人创造的,它是适应汉语的规律的产物,特别适合于劳动人民在劳动中的歌唱。我们再读一首《织布谣》:

小小布机没多高,
齐到姑娘半中腰,
它是姑娘小伙伴,
叽叽喳喳谈不了。

叽叽喳喳谈不了，
说的话儿谁知道，
只有姑娘听懂它，
一边织呀一边笑。

一边织呀一边笑，
大红喜报车上飘，
瞧那下机正品率，
又一个新纪录出现了。

从这首诗的"叽叽喳喳谈不了"证明七言体的四三念是汉语的天籁，是劳动中的歌唱的自然节奏，"叽叽喳喳"四个音一顿，"谈不了"三个音一顿。

我们认为新民歌广泛地用了五七言体，确实给我们提出了诗的民族形式问题，可惜探讨诗格律的人们没有就这个问题深入下去，作出本质的探讨。中国诗最早本是四言，后来有五言，有七言，向来又认为四言诗自《诗经》以后难乎为继，这些是简单的事实，但是重要的事实。如果再讲四声八病之类，那就等于歌唱讲谱子，是音乐范围的事，不属于诗格律的基本条件之内。用汉语言写的诗，其格律就是几个字一句这一件事。向来所谓四言、五言、七言正是如此。六言是很少的，等于例外，可以不算。我们的新民歌说明了这个所以然。这个所以然是六个字："诗言志，歌永言。"这六个字就是说，诗是要歌的。诗之为歌又不等于乐之为唱。诗之为歌是以诗的诗句为能事，而乐之为唱则以乐的乐谱为标准。于是在诗格律的问题上，我们要进一步探讨汉语的规律问题,即汉语的造句问题,汉语的语法问题。在汉语的音节上,五个音七个音是歌唱的自然节奏,因此形成诗的五七言体,如果语法上五个字七个字不容易造成句子,则五个字七个字还只能写谱子,好比"仄仄平平仄,平平仄仄平,平平平仄仄,仄仄仄平平",念起来固然顺口,但是没有意义的东西了。而我们古代五七言诗的杰作该是多么有意义!我们今天的新民歌又该是多么有意义!其所以然又因为根据汉语语法的规律最容易造成五个字或七个字的句子。我们因为探讨诗的民族形式的原故,研究了汉语语法有三个重要的规律对五七言诗起了重大的便利作用,一是汉语的结合不需要连词,二是主语在汉语的语法地位上不是必要的,三是名词的绝对结合和名词单词句。下面我们分别说明。

首先,汉语的结合不需要连词,古代汉语,现代汉语,写诗,写散文,都是如此。《诗经》的《关雎》一篇共有二十个句子,没有一个连词。孔门的《论语》,很少有连词。我们的《红旗歌谣》,一首又一首,一句又一句,很少见连词的面。象我们上面引的《放炮工》,它的这些句子:"硝烟满天飞,岩石咧了嘴,剥开皮来看,嘿嘿都是煤。"许多句子一齐来,没有连词的必要,因而容易形成五言诗。如果象外国的语言,句和句必须要用连词来结合,那中国的律诗绝对不能写,因为两个对仗之间多了一个连词,没有法子安顿。

其次,主语在汉语的语法地位上不是必要的,这对五七言的造句也是一个极大的方便,如"剥开皮来看,嘿嘿都是煤"就是。这两句该是多么生动,多么自然,它的妙处就是两个,两句之间不要连词,再就是两个句子里都不要主语。如果象外国的语言,语法地位的主语是必有的,那汉语的律诗也是不能写的。象杜甫的《闻官军收河南河北》:"剑外忽传收蓟北,初闻涕泪满衣裳。却看妻子愁何在,漫卷诗书喜欲狂。白首放歌须纵酒,青春作伴好还乡。即从巴峡穿巫峡,便下襄阳向洛阳。"这八句诗最显得汉语的力量,其力量在乎汉语的容易作对仗,汉语的容易作对仗,又因为汉语的结合作用不靠连词,在汉语里成功一个句子并不需要主语。如果语法上非有主语不可,那我们所引的杜甫的诗,需要许多个"我",无法作对仗了。

第三,名词的绝对结合和名词单词句。我们在第一条所讲的汉语的结合不需要连词,是就句和句的结合说。其实汉语的词和词也都是绝对结合的,只要它们有结合的必要。现在只谈名词的结合。象《论语》的"德行:颜渊,闵子骞,冉伯牛,仲弓。言语:宰我,子贡。政事:冉有,季路。文学:子游,子夏。"唐诗的"秦时明月汉时关","一片孤城万仞山","鸡声茅店月,人迹板桥霜",今天新民歌的"钢打的膀子铁打的手"都表现名词的绝对结合。因为名词的绝对结合,再加以句和句的绝对结合,就有复句里的名词单词句,这在诗里是很普遍的,如"秦时明月汉时关,万里长征人未还",其中"秦时明月汉时关"就是名词单词句。"黄河远上白云间,一片孤城万仞山",其中"一片孤城万仞山"是名词单词句。"老汉今年七十九,钢打的膀子铁打的手",其中"钢打的膀子铁打的手"是名词单词句。名词单词句在汉语里本是常有的,不独诗为然,散文如《论语》的"夏礼,吾能言之,杞不足征也;殷礼,吾能言之,宋不足征也。"其中"夏礼"、"殷礼"都是构成复句的名词单词句。鲁迅小说里"庵和春天时节一样静,白的墙壁和漆黑的门。"其中"白的墙壁和漆黑的门"是名词单词句。

因为在汉语的音节上,五个音七个音是歌唱的自然节奏,再加以汉语语法的特点容易造成五个字的句子、七个字的句子,所以中国诗里五七言体最盛行。这是1958年涌现了大量的五七言体的新民歌,因而迫使我们思考的事。我们观察所有古代诗的语言,和我们的新民歌的语言,在语法上完全没有差异,要说差异,只民歌中(包括旧民歌)使用了助词"的",如"你的"、"我的"等,古代诗里没有使用过。这样一来,新民歌的语言把汉语的全部都使用了,我们举《一匹大山装得下》:

一挑鸳兜不多大,
修塘开堰挑泥巴,
莫嫌我的鸳兜小,
一匹大山装得下。

这首诗里"莫嫌我的鸳兜小"的句子超出古代诗的范围,古代诗里没有用过"我的鸳兜"的"我的"。然而"莫嫌我的鸳兜小"是一句极顺口的七言诗。这不是一件小事。这件事说明五七言体是汉语自然形成的,古代诗如此,我们的新民歌亦如此,古代诗没有用助词"的",我们的新民歌大量用助词"的",用了助词"的",则五七言体可以写任何生活而没有束缚。新民歌叫我们承认中国诗有民族形式。中国诗的民族形式的问题是中国农民、中国工人给知识分子新诗人提出来的。这个问题提出来之后,我们就有进一步学习毛泽东同志诗词的必要,于学习毛泽东同志的艺术风格而外,要研究诗歌的民族形式。我们读毛泽东同志的这一首词:

浣溪沙

　　1950年国庆观剧,柳亚子先生即席赋《浣溪沙》,因步其韵奉和。

　　长夜难明赤县天,
　　百年魔怪舞翩跹,
　　人民五亿不团圆。

　　一唱雄鸡天下白,
　　万方奏乐〔乐奏〕有于阗,
　　诗人兴会更无前。

　　这样的诗歌,叫做气象万千。它吹着那样的古风,和千百年来中国的诗人有共同的语言似的,因为它采用的是"词"的形式。就它的内容说,它反映的是中国历史上翻天复地的变化,在共产党领导下中国人民推翻了三大敌人,中国已经是空前统一的新中国,由各族人民的领袖代表各族人民在北京庆团圆。很显然,这首词,如果改用新诗来写,那是不能胜任的。我们绝不是不承认新诗的价值,我们对"五四"以来的新诗评价很高,这个问题留待以后"内容和形式"章里再讲,但新诗决不能代替毛泽东同志的这一首《浣溪沙》。其所以然,是"五四"以来的新诗的特点是它从中国传统诗歌的"歌"的性质里分出去了。"五四"以来的新诗表面上是自由体,实际上它反而不自由,它必须表现某种特定的内容,因为它离开了传统诗歌的"歌"的性质。毛泽东同志的

《浣溪沙》便是中国的"歌"之诗。我们再读毛泽东同志的一首七律：

赠柳亚子先生

饮茶粤海未能忘，
索句渝州叶正黄。
三十一年还旧国，
落花时节读华章。
牢骚太甚防肠断，
风物长宜放眼量。
莫道昆明池水浅，
观鱼胜过富春江。

如果把这首诗的八句都用白话翻译出来，意义可以无差错，但韵味没有了。这说明什么呢？这说明旧体律诗是"歌"之诗。是的，因为汉语的特点，中国的"歌"之诗形成了它自己的民族形式。

以上是诗的方面引起的民族形式问题，在美学上显然是要解决的。

再看小说戏剧方面，尤其是戏剧，在这方面存在的民族形式问题今天已得到重视。无论小说也好，无论戏剧也好，问题之所在，在中国传统上是现实主义和浪漫主义相结合的表现方法，五四新文学运动从外国学来的则是现实主义的表现方法。我们仅仅说是"表现方法"，因为就文学艺术的根本精神说，是反映社会现实，这在各民族是没有差异的，在怎样反映社会现实上则有差别,就是表现方法的差别。鲁迅小说《狂人日记》,《药》,在"五四"初期出现,如鲁迅所说,显得"格式的特别",为什么"特别"呢?因为它和传统的表现方法大异,我们现在就来看看它的"特别"何在。

中国小说的传统表现方法是列传体,首先由作者给读者介绍人物,姓什名谁,何处的人,这个人和那个人的关系,然后再通过故事和环境来刻划人物。鲁迅的《药》不是如此。它好象不是作者在那里为读者写小说的,是小说本身在那里出现,象自然现象一样,自然本身出现在观者的眼前了。所以《药》的起头是描写"秋天的后半夜,月亮下去了,太阳还没有出,只剩下一片乌蓝的天;除了夜游的东西,什么都睡着。"这不是设想由作者说给读者听的,是设想有那么一张照片似的,或者象舞台上的布景。接着"华老栓忽然坐起身,擦着火柴,点上遍身油腻的灯盏,茶馆的两间屋子里,便弥满了青白的光。"这个景当然是舞台上布不出来的,因为在灯没有亮以前不能看见"华老栓忽然坐起身",这是小说和戏剧摄取题材有不同的地方,但其为"布景"的性质是一样的,华老栓的出现不是经过作者的介绍,是华老栓的形象自己介绍。接着"'小栓的爹,你就去么?'是一个老女人的声音。里面的小屋子里,也发出一阵咳嗽。"这又是设想不由作者说给读者听的,是设想有一幅图画自己展开,读者且听听"一个老女人的声音",并听听"里面的小屋子里"的"一阵咳嗽"。要到下一段才写出"华大妈"的名字来,"华大妈在枕头底下掏了半天,掏出一包洋钱,交给老栓,……"又由老栓向里面的屋子里说话:"小栓……你不要起来。……店么?你娘会安排的。"读者读到这里,便知道了三个人物,华老栓,华大妈,小栓,而且听了"小栓的爹"和"你娘"的称呼,也知道这三个人物的关系了。不是设想由作者介绍给读者知道的,是象有声电影一样,读者自己看见、听见的。这样的表现方法,在"五四"初期初给中国的读者见面的时候,当然显得"格式的特别",和中国传统小说的列传体大不一样了。在我们的这一段话里,已经说到戏剧,说到电影,外国的小说、戏剧、电影本来都是一个性质的表现方法,通常谓之现实主义的表现方法。从我们的这一段话里,已经看到这种表现方法,在应用到小说上面,有时感到技穷,如明明是华大妈说话,但最初还只能写着"是一个老女人的声音",因为读者还没有认识华大妈,还是初次听到她的声音。如果在舞台上就没有这个别扭,因为观众当场看见、听见一个老女人说话就是了,无须乎来一个"是一个老女人的声音"的说明。在小说上就确实有些别扭,华大妈的出现先不能报名了。这样看来,中国传统的列传体,干脆规定了由作者来替读者介绍,反而显得结构自然些。然而我们现在且不谈两样表现方法的优缺点,只说由鲁迅所介绍过来的现实主义的表现方法较之中国的传统方法有怎样特别之处。现实主义的表现方法,舞台上的布景这一环节恰好用来说明它,自然现象是现象本身出现于人们耳目之前,社会现象也是现象本身自己出现,换句话说在艺术上就是生活的再现。既然是生活的再现,就必须表现在细节的真实上面。所以恩格斯对现实主义的规定就是这样:"现实主义是除了细节的真实之外,还要真实地再现典型环境中的典型性格。"我们一向对恩格斯的话注意了后面的一半,"真实地再现典型环境中的典型性格",这诚然是重要的,这才是现实主义的核心,但"细节的真实"也特别有意义,不可忽视,因为西方近代的小说戏剧,是和自然科学的兴起有关的,不合乎生活的真实性的描写,是在排除之列,鲁迅说他的《狂人日记》之写成:"大约所仰仗的全在先前看过的百来篇外国作品和一点医学上的知识,此外的准备,一点也没有。"这话里面有两层意思,一指所写的不违背科学知识,一指外国作品的现实主义的表现方法。两层合起来,就是恩格斯所说的"细节的真实"。我们看《药》的细节,华老栓提着灯笼走,天还没有大亮,望见丁字街,他吃了一惊,"寻到一家关着门的铺子,蹩进檐下,靠门立住了。好一会,身上觉得有些发冷。

'哼,老头子。'

'倒高兴……。'

老栓又吃一惊,睁眼看时,几个人从他面前过去了。一个还回头看他,样子不甚分明,但很象久饿的人见了食物一般,眼里闪出一种攫起〔取〕的光。老栓看看灯笼,已经熄了。按一按衣袋,硬硬的还在。"这都是以往的中国小说所没有的表现方法,这是写刽子手上场,通过华老栓的耳闻眼见以及他的心理状况而写的。这也确实写得真实。从现实主义的手法习惯来说,不这样就不能达到真实的地步似的。接着又通过华老栓的眼见写出刑场的细节,"仰起头两面一望,只见许多古怪的人,三三两两,鬼似的在那里徘徊;定睛再看,却也看不出什么别的奇怪。

没有多久,又见几个兵,在那边走动;衣服前后的一个大白圆圈,远地里也看得清楚,走过面前的,并且看出号衣上暗红色的镶边。——一阵脚步声响,一眨眼,已经拥过了一大簇人。那三三两两的人,也忽然合作一堆,潮一般向前赶;将到丁字街口,便突然立住,簇成一个半圆。

老栓也向那边看,却只见一堆人的后背;颈项都伸得很长,仿佛许多鸭,被无形的手捏住了的,向上提着。静了一会,似乎有点声音,便又动摇起来,轰的一声,都向后退;一直散到老栓立着的地方,几乎将他挤倒了。"我们把这样的描写,和古典小说《水浒》写江州劫法场所用的"四下里一齐动身,有诗为证"的方法一比较,什么叫做现实主义的表现方法,什么叫做现实主义和浪漫主义相结合的表现方法,是很容易明白的了。同时鲁迅从外国文学介绍过来的表现方法的价值也十分显著,它对真实地反映社会生活,尤其是反映现代的社会生活,是极有必要的。我们决不可忽视恩格斯所说的"细节的真实"的意义,"细节的真实"就概括了鲁迅小说的所实践的外国小说的现实主义的表现方法,这个表现方法大大地区别于中国古典小说的表现方法。中国古典小说的表现方法,是现实主义和浪漫主义相结合的,其结合的程度,浪漫主义的表现方法又显得重些,如《水浒传》的"花和尚倒拔垂杨柳",在外国的现实主义的小说里简直不可能了。然而我们读《水浒传》,并没有引起不真实的感觉,《水浒》人物表现了典型环境中的典型性格。这样看来,"细节的真实",代表了美学上的一个重要的派别,我们把它叫做现实主义的表现方法,是外国近代创作的主要的倾向,中国五四新文学是向它学习的,而中国古典文学不限于此,其效果都是要达到表现典型环境中的典型性格。鲁迅有一篇文章题目叫做"拿来主义",鲁迅小说的现实主义的表现方法,是鲁迅从外国文学里拿来的,中国古代小说原有的现实主义和浪漫主义相结合的方法,我们认为是我们的民族形式。外国的现实主义的表现方法,包括了小说,戏剧,电影,图画等,中国的民族形式,也表现在文学艺术的各个部门,鲁迅到晚年完全关心到了,我们读他的《连环图画琐谈》里这一段话：

> 但要启蒙，即必须能懂。懂的标准，当然不能俯就低能儿或白痴，但应该着眼于一般的大众，譬如罢，中国画是一向没有阴影的，我所遇见的农民，十之九不赞成西洋画及照相，他们说：人脸那有两边颜色不同的呢？西洋人的看画，是观者作为站在一定之处的，但中国的观者，却向不站在定点上，所以他说的话也是真实。那么，作"连环图画"而没有阴影，我以为是可以的；人物旁边写上名字，也可以的，甚至于表示做梦从人头上放出一道毫光来，也无所不可。观者懂得了内容之后，也就会自己删去帮助理解的记号。这也不能谓之失真，因为观者既经会得了内容，便是有了艺术上的真，倘必如实物之真，则人物只有二三寸，就不真了，而没有和地球一样大小的纸张，地球便无法绘画。

这话很重要，表示鲁迅的感情到了晚年倾向于文学艺术的民族形式。他所说的对象是图画，实际不限于图画，小说戏剧等可以类推。他说，"西洋人的看画，是观者作为站在一定之处的"就是焦点透视法，他的小说《药》，所采的也就是焦点透视法，刽子手的出现，必须由华老栓站在一定之处才看出来的，其他的细节，都可以找出一个焦点来。《水浒传》的人物上场，却不妨"说时迟，那时快，薛霸的棍恰举起来，只见松树背后雷鸣也似一声，那条铁禅杖飞将来，把这水火棍一隔，丢去九霄云外，跳出一个胖大和尚来……"这充分给人以美感，达到艺术的真。很显然，我们丝毫没有说《药》没有达到艺术的真的意思,换句话说,我们不是反对外国形式。我们只是说明我们自己的民族形式有它的价值。"人物旁边写上名字,也可以的",鲁迅的这个话我们也不可等闲读过,这也正是我们的民族形式的一个环节。图画上的人物旁边可以写名字,小说也首先要替人物写出名字来,唐代传奇如此,《水浒》、《红楼梦》也都是如此。我们且以《红楼梦》为例,"且说荣府中合算起来,从上至下,也有三百余口人,一天也有一二十件事,竟如乱麻一般,没个头绪可作纲领。正思从那一件事那一个人写起方妙,却好忽从千里之外,芥豆之微,小小一个人家,因与荣府略有些瓜葛,这日正往荣府中来,因此便就这一家说起,倒还是个头绪。原来这小小之家,姓王,乃本地人氏……"这就叫做列传体。最有趣的,小说是列传的,中国的戏剧也是列传体,"人物旁边写上名字,也可以的"。舞台上的人物怎么写名字呢?是可以写的,曹操、关公都有脸谱,一上台,观众就认识的,等于人物旁边写了名字。何况人物还自己报名,关公就自报他是关某字某。这是中国的老百姓所喜闻乐见的。中国的老百姓,尽管他不识字,没有读过剧本,只要他一到戏台底下,他可以从头至尾了解故事,就因为这个故事是列传体嘛!首先要故事。再就看政治的倾向性,人物的生动性,表演的艺术性。我们简直可以说中国戏的娱乐作用是最大的,同时又是教育作用最大的。我们决没有意思说我们的剧本都编得最好,但我们确实相信我们戏剧的民族形式有极大的生命力,它是现实主义和浪漫主义相结合的产物,到今天还显得它的神奇,它并不腐朽,何况在艺术领域里创造者总有"化腐朽为神奇"的本领呢。中国艺术的民族形式,是有它的系统性的,和外国的现实主义的表现方法恰成对照。鲁迅又说过,"中国旧戏上,没有背景,新年卖给孩子看的花纸上,只有主要的几个人",其所以然,是中国戏(新年花纸上的也就是戏上的)和外国戏不一样,在舞台上它不能有布景,布景是中国戏的性质所不能容的了。《窦娥冤》窦娥的死,如果布景,怎么布景呢? 窦娥的意志就是否定黑暗,她反抗现存世界的"景",她要"雪飞六月","免着我尸骸现!"中国戏,表现最激烈的感情时,就变说白为唱,为舞,更有辅助它的音乐,就是用不着布景,布景反而显得舞台的天地小了。布景在外国戏是合乎逻辑的,外国戏的景,也正是外国画的景,同是一个现实主义的表现方法。中国画本身就不是照相似的景呢,它对小说戏曲可以有插图的作用,在中国的戏台上则无所谓布景,布景是外国艺术的名词。所以我们说中国艺术的民族形式是有它的系统性的,贯穿在它的一切艺术部门之中,它不是一个表面性的东西,它是现实主义和浪漫主义相结合的精神的表现。这个精神还贯穿到汉语语法方面去了,在汉语语法里动词是绝对地使用,没有肯定语气和虚拟语气动词的区别,因此汉语最容易表达理想和愿望。同时它所表达的理想和愿望从来不带有宗教气氛,它是现实主义和浪漫主义的结合。我们读通川的一首新民歌:

  阳春三月好风光,
  四川出现双太阳,
  青山起舞河欢笑,
  人民领袖到农庄。

这首诗二三两句所表现的盛大的感情,谈何容易写得出来,而在汉语里显得非常不费力,汉语的动词具有"载华岳而不重,振河海而不泄"的方便!曾见报纸上将通川这首新民歌加了插图,图上就画了两轮红日,很显得笨拙,失掉了诗的新鲜活泼精神很远很远。这位画家是企图用现实主义的表现方法来写"四川出现双太阳"的"景",很显然,这是不可能的。中国戏台上不能布景,相当于"四川出现双太阳"难以容得下一幅插图,这说明中国艺术的民族形式不是现实主义的表现方法所能范围得了的。

我们说中国文学艺术的民族形式不是一个表面性的东西,它表现了现实主义和浪漫主义相结合的精神,从它的社会意义来说,它是中国人民相信正义必伸的意志的反映。贯穿在所有中国的小说戏剧里,其显著的共同之点,就是正义必伸的意志。然而在以往的社会生活里,正义是没有法子伸张的,于是人民把正义体现为艺术形象,中国人民对"神"的创造,也正是中国人民的艺术形象,在中国没有外国宗教的"神"的内容。"桃园三结义"是艺术形象,"桃园三结义"也是"神"。《水浒》英雄是艺术形象,《水浒》英雄在人民心中也是"神",所以李师师对宋江的为神便说:"凡人正直者,必然为神也。"中国人民的"神"是现实主义和浪漫主义的结合,中国民族形式所创造的艺术形象也是现实主义和浪漫主义的结合。诗人杜甫好象是最没有浪漫主义气息的,其实也不然,当他陷在长安城中,他写有一首《一百五日夜对月》:"无家对寒食,有泪如金波。斫却月中桂,清光应更多。仳离发红蕊,想象颦青娥。牛女漫愁思,秋期犹渡河。"这首诗就有杜甫的浪漫主义的特点,生活处在险恶的境地而有胜利的信心,此其一；其次，杜甫是用典故来表现他的愿望，所以读起来不象李白的诗显得夸张似的，实在这首诗的幻想很利害，杜甫简直相信这年秋天要同家人见面！（秋天里果然"夜阑更秉烛，相对如梦寐。"）中国诗最利于用典故，因为汉语的特点，如我们已经说过的，句子不需要主语，动词的绝对使用。象我们所引的杜诗的"斫却月中桂"，"秋期犹渡河"，都是现实生活当中不能有的事，而在汉语里写起来极平常，因之我们忽略了杜甫的浪漫主义了。毛泽东同志的诗词的浪漫主义，也正是利用了汉语的特点，如《水调歌头》的"子在川上曰，逝者如斯夫"两句，并不须用引号，完全可以照《论语》原文抄下来，表现了毛泽东同志的艺术风格和生活风趣，这在外国语言里是不可能的，因为动词要受限制。又如《蝶恋花》的"杨柳轻扬，直上重霄九"，"问讯吴刚何所有"，"忽报人间曾伏虎，泪飞顿作倾盆雨"，都表现了语言就是一种民族形式，汉语容易写愿望。

我们还要回到鲁迅的《药》上面来。鲁迅的《药》采用外国小说的表现方法，我们已经谈了。但中国文学现实主义和浪漫主义相结合的传统精神在《药》里依然是不可抑制的，所以《药》的最后添了瑜儿坟上的花环。花环这一节的结构，在故事里是多余的。鲁迅添了这一节，决不是为得说明小栓的病不能好，他死了。仅仅为了这样，那是很有别的办法交代的，用不着郑重其事添写一节。《药》的添写花环，只能和《窦娥冤》的第四折同等看待。窦娥的冤仇非得要窦天章来昭雪不可，其意义在于中国人民要求伸张正义的意志，在现实生活里正义无法伸张，便由艺术来创造一个冤魂的形象，犹之乎复仇的"女吊"。在现代的现实主义手法里，于是又有《药》的花环。这是非常有意义的事。这证明西方哲学的机械唯物论,文学艺术的自然主义,并没有妨害中国民族形式的发展,鲁迅的现实主义依然是和浪漫主义结合的,只是表现方法上要求细节的真实罢了。瑜儿的母亲看见瑜儿坟上的花,鲁迅这样写:"那老女人又走近几步,细看了一遍,自言自语的说,'这没有根,不象自己开的。——这地方有谁来呢?孩子不会来玩;亲戚本家早不来了。——这是怎么一回事呢?'他想了又想,忽又流下泪来,大声说道:——

'瑜儿,他们都冤枉了你,你还是忘不了,伤心不过,今天特意显点灵,要我知道么?'他四面一看,只见一只乌鸦,站在一株没有叶的树上,便接着说,'我知道了。——瑜儿,可怜他们坑了你,他们将来总有报应,天都知道;你闭了眼睛就是了。——你如果真在这里,听到我的话,——便教这乌鸦飞上你的坟顶,给我看罢。'"这是细节的真实,这是鲁迅的浪漫主义。这样看来,毛泽东同志今天提出革命的现实主义和革命的浪漫主义相结合的创作方法,正有关乎传统的民族形式的发展,因为是革命的浪漫主义,它应该容纳得下细节的真实,即是说革命是现实的。鲁迅所采用于外国文学的,是现实主义的表现手法,而在他的小说实践里,也已有了两结合的趋势了。

总结这一章的话:五四新文学初起时,受了外国文学很好的影响,其作用是在知识分子中间扫荡旧八股,中国原来的民族形式其实总是新鲜的,它没有中断过,知识分子几乎忘记了这件大事,文学艺术的民族形式乃成了一个突出的问题,在实践当中这个问题应该说已得到解决;民族形式问题实质上是现实主义和浪漫主义相结合的问题,到今天是革命的现实主义和革命的浪漫主义相结合的美的形式。

第五章　生活和美

　　我们在这一章里,通过中国文学的实例,说明美是和生活分不开的,离开生活就无所谓美,只能是形式主义的东西。

　　车尔尼雪夫斯基设了一个比喻,"我能够想像太阳比实在的太阳更大得多,但是我不能够想像它比我实际上所见的还要明亮。同样,我能够想像一个人比我见过的人更高、更胖,但是比我在现实中偶然见到的更美的面孔,我可就无从想像了。"这个比喻便是说离开生活无所谓美,美就是生活,没有那样想入非非的人,离开美的人去想像一个美的面孔。毛泽东同志用一句话概括一切种类的文学艺术:"作为观念形态的文艺作品,都是一定的社会生活在人类头脑中的反映的产物。"反映的方法可以不同,有的作家用现实主义的方法,有的作家用浪漫主义的方法,其所反映的必是一定的社会生活,否则它就配不上艺术这个称号。更有这样的情形,同一生活,用现实主义的手法反映还不及用浪漫主义的手法反映所给与读者的美感显得具体,这就愈能证明艺术的手法有选择的余地,题材从生活中来则是决定的。我们举两首杜诗来说明这个意思。当安禄山攻陷长安,杜甫被围困在长安城中,他有两首月夜里思家的诗,一首是《月夜》:"今夜鄜州月,闺中只独看。遥怜小儿女,未解忆长安。香雾云鬟湿,清辉玉臂寒。何时倚虚幌,双照泪痕干。"这是生活,这是诗,也是现实主义的手法,向来对之没有疑问。分析起来,《月夜》所给与读者的美感其实赶不上诗人写的另外那一首《一百五日夜对月》,用了浪漫主义的手法。《月夜》前四句是写得成功的,后四句有问题,"香雾云鬟湿,清辉玉臂寒",作者自己是有爱人的记忆在脑子里,但不能给读者产生形象,"何时倚虚幌,双照泪痕干"亦然,夫妇两人互读起来才亲切。《月夜》是一封宝贵的家书,不是好诗。《一百五日夜对月》便不同,它能给读者产生美丽的形象和乐观的思想,通过"青蛾"(指月中嫦娥)和"牛女"等的联想。这样看来,作者能创造诗,必须作者自己有生活,诗给读者产生效果又必须以诗的形象唤起读者自己的生活,艺术是从生活中来,到生活中去。现实主义,不待说,是反映生活,浪漫主义更须说明白,它也是反映生活。我们完全可以肯定,所有浪漫主义的杰作,等于幻想的龙,画龙必须点睛,生活正点在"睛"上。我们读《西游记》孙悟空偷吃李老君的金丹,作者是这样写的:"'今日有缘却又撞着此物,趁老君不在,等我吃他几丸尝新。'他就把那葫芦都倾出来,就都吃了,如吃炒豆相似。"读者为什么能产生美感呢?在于这里面用了"尝新"的词汇,日常生活里常用;在于"如吃炒豆相似",谁不吃炒豆呢?所以画幻想的龙靠生活来点睛,因而产生美感。又如孙悟空在蟠桃园看守蟠桃,仙女奉王母命来摘桃,"土地道:'仙娥且住。今岁不比往年了,玉帝点差齐天大圣在此督理,须是报大圣得知,方敢开园。'仙女道:'大圣何在?'土地道:'大圣在园内,因困倦,自家在亭子上睡哩。'仙女道:'既如此,寻他去来,不可迟误。'土地即与同进。寻至花亭不见,只有衣冠在亭,不知何往。四下里都没寻处。原来大圣要了一会，吃了几个桃子，变做二寸长的个人儿，在那大树梢头浓叶之下睡着了。”这种刻划，像前面的“衣冠在亭”，后面的“在那大树梢头浓叶之下睡着了”，都是从生活中来，是画龙点睛。如果仅仅写“变做二寸长的个人儿”，便不能有任何效果了。《西游记》的艺术特点，就在于凡属可以加进实生活的地方作者就来一番渲染，哪怕是一个词汇，一个比喻，一个成语，都见匠心，如孙悟空喝了仙酒，吃了蟠桃，“一时间丹满酒醒，又自己揣度道：‘不好！不好！这场祸比天还大！要惊动玉帝，性命难存！走，走，走，不如下界为王去也。’”这里用“比天还大”的一比，就是生活当中的比喻，出在齐天大圣的口里，浪漫主义就变成现实主义了，特别产生美感。孙悟空逃回花果山，备说底细，“众怪闻言大喜，即安排酒果接见，将椰酒满斟一石碗奉上。大圣喝了一口，即咨牙俫嘴道：‘不好吃！不好吃！’崩巴二将道：‘大圣在天空吃了仙酒仙肴，是以椰酒不甚美口。常言道：“美不美，乡中水。”’大圣道：‘你们就是“亲不亲，故乡人。”’……”这里的乡土人情该是多么重，读者感到孙悟空和众怪太可爱了。这说明艺术从生活中来到生活中去。有名的孙悟空变土地庙的描写，对今天的青年读者来说恐怕就有点隔膜，因为在今天的生活里已没有这种土地庙的存在，若在旧日的农村社会，到处是小土地庙，到处的小土地庙前有尾巴似的旗竿，难怪孙悟空把它竖在后面了。《西游记》对孙悟空在金𫶸洞吃了败仗，丢了棒，先写他很悲哀，两眼滴泪，然后跑到天上找玉帝，见了玉帝，“行者朝上唱个大喏道：‘老官儿，累你！累你！我老孙保护唐僧往西天取经，一路凶多吉少，也不消说。于今来在金𫶸山金𫶸洞，有一兕怪，把唐僧拿在洞里，不知是要蒸，要煮，要晒。是老孙寻上他门，与他交战,那怪却就有些认得老孙,卓是神通广大,把老孙的金箍棒抢去,因此难缚妖魔。疑是上天凶星思凡下界,为此老孙特来启奏。伏乞天尊垂慈洞鉴,降旨查勘凶星,发兵收剿妖魔。老孙不胜战栗屏营之至!'却又打个深躬道:'以闻。'旁有葛仙翁笑道:'猴子是何前倨后恭?'行者道:'不敢!不敢!不是甚前倨后恭,老孙于今是没棒弄了。'"这段文章写得甚美,但青年读者对旧日封建秩序不甚了然,恐怕就有些隔膜。旧日上呈文,最后面总有"不胜战栗屏营之至"一句,"以闻"也是这一类的东西,出在孙悟空的口里就是讽刺了,浪漫主义变成现实主义了,换句话说《西游记》是现实主义采取了浪漫主义的表现方法。至于"不是甚前倨后恭,老孙于今是没棒弄了"的深刻意义,完全表现了生活的经验,那更是明白的。总而言之,哪里没有生活哪里就没有美,哪里是美哪里就是生活,在浪漫主义的作品里也证明如此。和这相反,在道地的现实主义作品里,有时也来一点浪漫主义,这也可以说是画龙点睛法,在这一点里,每每是生活的最紧张处。我们读《红楼梦》第二十六回,林黛玉气怔在怡红院门外,"真是回去不是,站着不是。正没主意,只听里面一阵笑语之声,细听一听,竟是宝玉宝钗二人。黛玉心中越发动了气,左思右想,忽然想起早起的事来,——'必竟是宝玉恼我告他的原故!但只我何尝告你去了?你也不打听打听,就恼我到这步田地。你今儿不叫我进来,难道明儿就不见面了?'越想越觉伤感,便也不顾苍苔露冷,花径风寒,独立墙角边花阴之下,悲悲切切,呜咽起来。原来这黛玉秉绝代之姿容,具稀世之俊美,不期这一哭,那些附近的柳枝花朵上宿鸟栖鸦,一闻此声,俱忒楞楞飞起远避,不忍再听。……"这在《红楼梦》里就是浪漫主义,最能产生美感。我们以上的话,是想说明一个普遍的真理,美是反映生活的,不管是用现实主义的反映方法,或是用浪漫主义的反映方法。

下面讲生活和美的一些情况。

《文心雕龙》有《宗经》一篇,表现作者和其他儒者一样,不懂得生活是美的道理,于生活之上,有"道",有"圣",有"经"。其实孔子对他的学生所说的"小子何莫学夫诗"的诗,是生活,把它叫做"美",到今天还有供我们学习的地方。把它叫做"经",只能证明封建统治阶级对上层建筑的要求,同一基础的上层建筑,每到后一代其人民性愈少,本来是美的东西,反而用非美的眼光去看了,就是"道学家"的眼光。后代的儒者们对《诗经》的认识,每每离开了《诗经》原来的面目,原因就在此。好比《诗经》的《东山》,它所表现的生活,具体而且明白,因此它的美,儒者们也多少有些认识,然而还是距离得远。朱熹对《东山》有一段话值得我们注意,我们抄下来:"'序'曰:'一章言其完也,二章言其思也,三章言其室家之望女(汝)也,四章乐男女之得及时也。君子之于人,序其情而闵其劳,所以说(悦)也。说以使民,民忘其死,其惟《东山》乎?'愚谓:完,谓全师而归,无死伤之苦;思,谓未至而思,有怆恨之怀。至于室家望女,男女即时,亦皆其心之所愿而不敢言者,上之人乃先其未发而歌咏以劳苦之,则其欢欣感激之情为如何哉?盖古之劳诗皆如此,其上下之际,情志交乎,虽家人父子之相语,无以过之。此其所以维持巩固,数十百年,而无一旦土崩之患也。"这话的实质就是对上层建筑的要求。朱熹认为《东山》是"周公东征已三年矣,既归,因作此诗以劳归士"。他引的"序"的话,"一章言其完也",是从《东山》第一章"敦彼独宿,亦在车下"引伸来的,他们的解释是,"'亦在车下',以验军士之生还"。其实他们都没有完全懂得这首诗。这首诗不是周公作的,也不是"士大夫美之(周公)故作是诗"。这首诗是东征三年的军士归来后的抒情,当然也是为其政治服务的,故事明白,语言活泼,人物生动。东征三年,是主人公自己的话,他三年没有看见家里的瓜架上挂着的瓜,一回来就看见了,所以说"有敦瓜苦,烝在栗薪,自我不见,于今三年。"这是第三章的描写。其实第一章"敦彼独宿,亦在车下",是同样的写法,是写回来的军士,刚到家——望见她了,她已经出来了,"亦在车下"。这四个字很有神气,她是迎到车前来接他,而他说她"亦在车下",这难道不是生活的图画吗?儒者们说"'亦在车下',以验军士之生还",诗里哪里有这个意思呢?《东山》共四章,每章所写都是到家之事,所以都有"我来自东"的话。第一章"我东曰归,我心西悲",是写刚要回来时的心情,"我心西悲"相当于杜甫的诗"却看妻子愁何在"的写法,不过杜甫当时是夫妻两人都在外,一旦有归乡的可能,大喜之下因而生悲。《东山》的"我东曰归,我心西悲"是男子一个人在军中三年,现在就要回去,夫妇可以相见了,想着她,乃"我心西悲"。"敦彼独宿,亦在车下",又相当于杜甫的"夜阑更秉烛,相对如梦寐",不过《东山》的形象更生动。第四章姚际恒解为"言其归之乐也","俗云,'新娶不如远归',即此意。"这是说得很好的。《东山》第四章的形象和第一章"敦彼独宿"的形象是一致的。从我们今天看来,《东山》是美的塑造,是生活的真实图画。如果"原道"、"征圣"、"宗经"地讲起来,那就徒徒反映封建统治对上层建筑的要求。美的上层建筑的性质是当然的,不过另一方面我们要注意美的人民性的因素,《东山》这首诗富有人民性,它是民歌,它也是它的社会的上层建筑。

我们再举《诗经》的一首《行露》。《行露》是通过一个妇女短短的独白,把人物的个性,生活的事故,完全表达出来了。《行露》是生活的速写,没有别的,所以它美,到今天我们还感觉它美,欣赏它的艺术手段。姚际恒讲这首诗的时候,引了"或谓",而他又否认了,"或谓蚤夜往诉,亦非。"我们看,《行露》是"蚤夜往诉",不"非"。首章三句:"厌浥行露,岂不夙夜?谓行多露!"古今词汇有变迁,语法和语气则无大差异,"行"是名词,就是"路","厌浥"形容露之湿,王引之《经传释词》确证"谓行多露"的"谓"就是"奈","岂不夙夜"是这个女子说"我并不是起得不早",那么三句合起来就是说:"我是半夜里起来走路的,无奈露重不好走,所以现在才走到。"这不把一个妇女的形象完全刻划出来了吗?所谓"圣经贤传",不可能懂得美,因为他们不懂得美是生活,对《行露》第一章,郑笺是:"言我岂不知当早夜成昏礼与?谓道中之露太多,故不行耳。"朱熹"集传"是:"南国之人,遵召伯之教,服文王之化,有以革其前日淫乱之俗,故女子有能以礼自守,而不为强暴所污者,自述己志,作此诗以绝其人。言道间之露方湿,我岂不欲早夜而行乎?畏多露之沾濡而不敢尔。盖以女子早夜独行,或有强暴侵陵之患,故托以行多露而畏其沾濡也。"这些话的荒谬程度,在今天是很容易认识的,我们把它引了来,是为得显示真理,美是生活这一条真理,得出来不是容易的,从古以来有许多魔障。我们读《诗经》,腐儒们的话远不如民间文学对我们有帮助,北京有一个小曲,叫做《王定保借当》,里面写了两姊妹赴县衙鸣冤:"二人打伴到县衙,夜晚登梯过墙走,背着爹娘私离家。姊妹俩,行路难,天明见人面羞惭,一直找到衙门口。"《行露》的首章也就是女子"天明见人"的形象。二三两章表现了她的坚强的性格,在她的语言里用的"雀",用的"鼠",雀"穿我屋",鼠"穿我墉",把她和"汝"的关系刻划得非常显豁,就是"室家不足"。朱熹《集传》所谓"自述己志,作此诗以〈自〉绝其人",是能有所见,其余什么"遵召伯之教,服文王之化",则是把形象以外的话强加于诗,那么诗的美在哪里呢?美和说教是不相干的,美是通过完美的艺术形式反映出一定的生活。

我们认为像《东山》的诗,《行露》的诗,以及古来解诗者的意见,把它们举出来,可以帮助我们认识问题,而且解决问题,问题是极其具体的,因为美是具体的,生活是具体的,美是生活。

屈原的美,是一件大事。具体地认识屈原的美,对于美是生活这一课题有极大的帮助。我们首先看《天问》。对"天"提问颇有人,在杜甫早期的诗里问过,不过杜甫是以不问为问:"自断此生休问天,杜曲幸有桑麻田,故将移住南山边,短衣匹马随李广,看射猛虎终残年。"这是生活上的问题。李白问:"青天有月能几时?我今停杯一问之。"下面他更问:"但见宵从海上来,宁知晓向云间没?白兔捣药秋复春,嫦娥孤栖与谁邻?"这和屈原的问相似,不过简单些。苏轼也问;他是因为李白的问而问:"明月几时有?把酒问青天,不知天上宫阙,今夕是何年?……"杜甫不用说,是现实主义的。李白、苏轼的问带有浪漫主义的色彩,苏轼比李白又近乎理智些,说到时间,究竟以什么为标准呢?这就是"几时有"对他并不成什么问题。而李白的"青天有月能几时"的感情确实是重的,也就是他在《月下独酌》里所表现的"暂伴月将影,行乐须及春"、"永结无情游,相期邈云汉"的感情。屈原的思想范围要大得多,而且复杂得多,他的《天问》是从整个生活来的,首先是自然界的问题,这在科学没有兴起的古代社会里,比社会问题更成为问题。如果科学兴起,人对自然规律有了探讨和认识,屈原的《天问》就没有了,因为他的问完全是理智可以回答的,不属于宗教信仰的范围。如他问太阳"自明及晦,所行几里?"问东流的水,"东流不溢,孰知其故?""一蛇吞象,厥大何如?"这就问得更幽默了,可见他不相信这个蛇吞象的传说。其他如"女岐无合,夫焉取九子?""稷惟元子,帝何竺之?投之于冰上,鸟何燠之?"都问得非常有趣,一方面是问,一方面也就是答,这些事情怎么会有呢?《天问》没有别的,它表明屈原对生活的兴趣太广泛,因此从这一篇的题目以及文章的体裁,都表现了诗人的伟大的创造。它是美的有力的说明,美不是宗教,只能说是现实主义和浪漫主义的结合。

《九歌》之作,都是以生活为根本,以文辞为枝叶,而枝叶又正是从根本来的,这就是美之所以为美。我们分析"东君"即日神的形象,用来说明问题。屈原写《东君》没有把自己参加进去,是东君自述。"暾将出兮东方,照吾槛兮扶桑。抚余马兮安驱,夜皎皎兮既明。"这四句里只有"扶桑"之木是传说,是想像之物,把它和"吾槛"连起来,就同现实结合了。这是所有浪漫主义作品的规律。曹植写洛神,"凌波微步,罗袜生尘",有半句写水仙在水上开步走,如果没有"罗袜生尘"的刻划,就和我们凡人没有关系了,因为我们凡人走路,虽然她是美女,脚跟总不离尘土的。洛神之所以引起我们的美感,固然在于"凌波微步"的浪漫主义,尤在于浪漫主义和现实主义的结合,在于后半句"罗袜生尘"。屈原的"暾将出兮东方,照吾槛兮扶桑",其中的"吾槛"是画龙点睛,于是我们对"东君"有了形象了,于是"东君"可以有我们一样的生活了,他可以这样说话:"抚余马兮安驱,夜皎皎兮既明。"如果"东君"不是美(美就是生活)而是神,那就没有话说,也就是没有屈原的创作。然而屈原到底不是描写日常生活,他是刻划"东君",所以接着写:"驾龙辀兮乘雷,载云旗兮委蛇,长太息兮将上",这也无非是说太阳一出来就应该上去了。他(东君)虽是独自行空,而他最是壮游的代表,所以写得很热闹,驾龙乘雷,以云为旗,只有太阳才配得上。"将上"为什么"长太息"呢?因为"心低徊兮顾怀",就是顾怀于下面的情景。这又是浪漫主义和现实主义的结合了,我们真不能不爱屈原的美丽:"羌声色兮娱人,观者憺兮忘归,缊瑟兮交鼓,箫钟兮瑶簴,鸣篪兮吹竽,思灵保兮贤姱,翾飞兮翠曾,展诗兮会舞,应律兮合节,灵之来兮蔽日。"这无非是描写民间迎神赛会一类的事,迎的是太阳神,我们今天读起来还可以推想当时声色娱人、观者忘归的盛况。最有趣的是"灵之来兮蔽日"的"蔽日"一词,这就相当于曹植洛神的"生尘",而屈原更写得幽默,他本来是写太阳和太阳的伙伴们都来了,那么,岂不是天上的云多吗?在日常生活上,天上云多,自然遮日,所以日神口里也就用了"蔽日"一词,多么有趣。这又证明了浪漫主义杰作的创作规律,想像的美是以现实生活为基础的。下文是一层高于一层,不但有鲜明的景物美,更表现英雄的思想感情:"青云衣兮白霓裳,举长矢兮射天狼,操余弧兮反沦降,援北斗兮酌桂浆,撰余辔兮高驼翔,杳冥冥兮以东行。""天狼"、"弧"、"北斗",都是星,既然看见天上的星,岂不就是夜的光景吗?所以日神说他操弧而射天狼,自己反而"沦降"了。这表现着新鲜活泼的英雄本色。于是诗人想像太阳还在马上,独夜东行,明天早晨又再起来。"东君"的形象就是如此。我们认为它足以说明屈原创作的美的特点,它反映了屈原的战斗性,而且屈原是幽默的,他是真真爱生活的。

　　我们还要谈谈《河伯》,不谈不足以见屈原的丰富多采,看他是如何登山临水的。《河伯》是写水神。在这一篇的形象里,屈原是把自己加进去了。写日神,似乎不可能把自己加进去,没有这个必要,而整个"东君"的形象就是诗人的形象,写水神,屈原把自己加进去,又是很自然的,在生活上,水好像总离不开有人似的。当然,太阳之下,正是"羌声色兮娱人",不过"观者憺兮忘归",谁还格外留心头上有日呢?我们在上文曾引了曹植《洛神赋》的"凌波微步,罗袜生尘",因为这两句文章容易说明问题,说明想像是现实的提高,其所以设想水上行,正因为有美人在地土上走路的步子。我们且读《河伯》:"与女(汝)游兮九河,冲风起兮横波。乘水车兮荷盖,驾两龙兮骖螭",都是想像和现实结合的刻划,是极力写现实的美。当其写"冲风起兮横波",是只有一幅风波的画图的,笔下决没有什么虚无缥渺的仙人的影子,正同曹植心中事意中人是他爱慕的一个女子,刻划她走起路来飘飘欲仙的样子,便写着"凌波微步,罗袜生尘"。"乘水车兮荷盖",就这一句说也是想像和现实结合,不过这里的想像应该是"车","水"是现实,就是以水为车的美丽形象,因之"荷盖"两个字一起是想像。"登昆仑兮四望,心飞扬兮浩荡,日将暮兮怅忘归,惟极浦兮寤怀。"这四句如果单独成文,是一般登高的美丽的文章,屈原的美丽则不止于此,他不是写登高,而是写临水,诗人的灵魂是"乘水车兮荷盖"而"登昆仑",因此是浪漫主义。浪漫主义的界限总不越于生活的界限,所以第四句是"惟极浦兮寤怀",屈原的生活和"浦"常常发生关系。接着是诗人替同游者河伯设想:"鱼鳞屋兮龙堂,紫贝阙兮朱宫,灵何为兮水中,乘白鼋兮逐文鱼。"这里面前两句倒是现实,一般写宫殿是这样写的,后两句是想像,所以写河伯者也,四句合起来还是见诗人对生活的理想。"灵何为兮水中"一句,如果把屈原的一生联系起来,是非常发人深思的,可以作为我们对诗人的悼词。"与女(汝)游兮河之渚,流澌纷兮将来下。子交手兮东行,送美人兮南浦。波滔滔兮来迎,鱼邻邻兮媵予。"这六句是写诗人和河伯告别,河伯东行,送之于南浦。现实上中国的河流是东行的,故河伯东行,而"送君南浦",到江淹《别赋》里,还是"伤如之何"。屈原的生活传记也一直没有奔流到海,在楚湘为止,所以在他的文章里,"浦"字用得很多。如果只有"波滔滔兮来迎",还像一般的写法,紧接以"鱼邻邻兮媵予",就是屈原的美了,他的美总离不开具体性,他和一般的概念化的文章无共同之点。他的"鱼邻邻兮媵予"就像小孩子看见水里的鱼,喜鱼之多,鱼好像是包围他了,和汉代民歌"鱼戏莲叶东,鱼戏莲叶西,鱼戏莲叶南,鱼戏莲叶北"是一样的天真。

我们对《东君》、《河伯》特别费了篇幅,引了它们的全文加以分析,是想指出艺术美的真实处,以别于非艺术的东西。屈原是艺术美的高峰,一般都承认的,而后代的非艺术的作品到今天尚无鉴别的标准,——标准是有的,但未能很好地运用标准。生活是艺术的源泉,这就是一个标准,浪漫主义的作品如《九歌》,我们已说明了生活是它的基础,没有什么不明白的地方。用现代的术语来说,像《东君》、《河伯》这样的作品,可以说是童话,也可以说是民间故事,同时它又不等于童话,不等于民间故事,因为它是诗人的抒情。它们虽然是知识分子写的,劳动人民可以欣赏,而且有权利要求欣赏,正如欣赏童话,欣赏民间故事。而后代士大夫的文章,如唐宋八大家的古文,就连其中的山水游记,也都免不了做官的人的烙印,和屈原的艺术美,决不是属于同一性质的。古文也有写得较可取的,但其创作方法决不能归于现实主义的范围,也不能归入浪漫主义的范围,更不能说是现实主义和浪漫主义两结合。那是什么创作方法呢?我们认为只能说是形式主义。我们读范仲淹的《岳阳楼记》,这篇文章里有两句很好的格言,"先天下之忧而忧,后天下之乐而乐",格言的价值是一回事,古文的创作方法之为形式主义又是一回事,不可混为一谈。《古文观止》在《岳阳楼记》后面批道:"岳阳楼大观,已被前人写尽,先生更不赘述,止将登楼者览物之情写出悲喜二意,只是翻出后文忧乐一段正论。"这话对文章作法说得不错。范仲淹的《岳阳楼记》,是没有给我们什么形象的,原因是他自己执笔时脑中没有形象,他并不真是"予观夫巴陵胜状,在洞庭一湖……"他当时并不在岳阳楼上,也并不是他回忆他曾在岳阳楼上,只是《岳阳楼记》这一篇古文非这样"做"不可。先"予观夫"一段,再"然则"一段,再"至若"一段,然后用"嗟夫"来"一段正论"。这就叫做形式主义。它实在是经不起我们分析的。范仲淹的思想感情可能并不空虚,他的"微斯人,吾谁与归"的结语可能是有感情的,但形式主义的创作方法害了他,文章本身不能证明结语的真实,它缺乏艺术美的形象性。所有文中的描写都是学他人之言语,"予观夫"一段有描写,"若夫"一段又有描写,"至若"一段又有描写,究竟洞庭湖在哪里呢?洞庭湖上有"虎啸猿啼"没有呢?本来"淫雨霏霏"的时候范仲淹不在那里,"春和景明"的时候他也不在那里,做起古文来要这么些腔调罢了。如果我们更从思想上分析,"越明年,政通人和,百废俱兴",都是成问题的,"百废俱兴"的事实,在《岳阳楼记》里一点影子也没有。倒是《古文观止》在"百废俱兴"下批得不错:"提句,最不可少。"为什么说它批得不错呢?从文章作法上说,这一句"不可少。"古文都是这样做的,并不是内容的不可少,而是启承转合的不可少,所以它是形式主义。再举一篇欧阳修的《秋声赋》,我们看它的起头:"欧阳子方夜读书,闻有声自西南来者,悚然而听之,曰:'异哉!初淅沥以萧飒,忽奔腾而砰湃。如波涛夜惊,风雨骤至。其触于物也,鏦鏦铮铮,金铁皆鸣。又如赴敌之兵,衔枚疾走,不闻号令,但闻人马之行声。'予谓童子:'此何声也,汝出视之。'童子曰:'星月皎洁,明河在天。四无人声,声在树间。'予曰:'噫嘻,悲哉,此秋声也!胡为乎来哉?'"读到这里为止,已大可惊异,只有童子口中四句有形象,其余的词句都和范仲淹对岳阳楼的描写一样,作者无须乎用感觉,因为不是写目见,写耳闻,是形式主义的产物!还要来一个"予谓童子:'此何声也,汝出视之。'"《古文观止》在此下批道:"借视陪闻,作波。"这也是批得很对的,这说明古文家完全不需要生活,闭耳目而塞聪明,充其极便是八股。这篇文章收结四句倒颇有形象,"童子莫对,垂头而睡。但闻四壁虫声唧唧,如助予之叹息。"我们可以完全正确地说,《秋声赋》全篇只有收结四句连同上文"童子曰"四句是文艺,其余都不是。这说明形式主义和美不相容。

形式主义的作品并不是不费工夫的,它有时要费很大的工夫。韩愈的一篇《画记》一定是费很大的工夫写的,可惜它白费气力,它没有给我们一点形象,虽然它记的是"杂古〈古〉今人物小画共一卷"。它不留读者以形象,是它的追求形式的证据,它还留下了追求形式的痕迹,如这两句:"橐驼三头。驴如橐驼之数,而加其一焉。"这有什么意义呢？写"驴四头"不可以吗？

柳宗元的山水记在古文当中算是好的，比较有形象，但也还是追求形式，不完全符合反映生活的标准。有一派的文章是艺术美，它表现了作者对自然和人工的爱好，极力将其爱好刻划出来，生气溢于纸上，而且深见汉语的美，我们从刘侗《帝京景物略》里面举出一篇《西堤》来。

水从高梁桥而又西，萦萦入乎偶然之中。岸偶阔狭，而面以阔以狭。水底偶平不平，而声以鸣不鸣。偶值数行柳垂之，傍极乐、真觉诸寺临之，前广源闸节之，上麦庄桥越之，而以态写，以疏密致，以明暗通。过桥，水亦已深，偶得渍衍，遂湖焉。界之长堤，湖在堤南，堤则北，稻田豆场在堤北，堤则南。曰西堤者，城西堤也。堤，官堤，人无敢亭，无敢舫，无敢渔，荷年年盛一湖，无敢采采。凡荷藕恶石及水，芋恶泥，蒂恶流水，花叶恶水而乐日，故水太深以流，泥太深浅者，不能花也。西堤望湖，不花者，数段耳。荷花时即叶时，花香其红，叶香其绿，香皆以其粉。荷风姿而雨韵。姿在风，红羽摇摇，扇白翻翻。韵在雨，粉历历，碧琤琤，珠溅合，合而倾。荷朵时笔直，而花好偃仰，花头每重，柄每弱，盖每傍挤之。菱砌茭铺，簪之慈菇，鹭步鹇投，浮鹭没凫，则感荷而愁鱼矣。堤行八九里，龙王庙，庙之傍，黑龙潭，隔湖一堤，而各为水。又行一里，堤始尾，湖始濒，荷香始回。右顾村百家，上青龙桥，即玉泉山下也。万历十六年，上谒陵还幸湖，御龙舟。先期，水衡于下流闸水，水平堤。内侍潜系巨鱼水中,处处识之,则奏举网,紫鳞银刀,泼刺水面,上颜喜。

这样的文章算得现实主义的作品吗?我们认为是的,它写出了生活,它是健康的,它确实给人以美感,它确实示人以汉语的美。

从浪漫主义的《九歌》牵连到古文,由古文又不能不提到明代刘侗的文章,因为这些都是客观存在,不讲一讲是不行的,问题是讲得清楚的。浪漫主义和现实主义都是以生活为源泉,这两样的创作方法(包括两结合)包括了美。形式主义的东西最容易鱼目混珠,我们对它必须善于鉴别。

关于屈原的美,我们还没有讲完。屈原在《离骚》里有两句:"闺中既以邃远兮,哲王又不寤。"这本是很明白的话,刘安《离骚传》所说"国风好色而不淫,小雅怨诽而不乱,若离骚者,可谓兼之",正好做了注解,司马迁在《屈原传》里也是这样说的。而从古以来解《离骚》者,仿佛讳言屈原的"国风好色而不淫"这一点似的,他们不知道这样就否认了生活。"闺中既以邃远兮"就是思慕女子,不但《离骚》里有许多形象,《九歌》里更是整篇的描写。屈原的生活证明他是爱国诗人,这是丝毫没有疑问的,而他的"求宓妃之所在","见有娀之佚女",也确实表现他"蝉蜕秽浊之中,浮游尘埃之外,皭然涅而不缁,虽与日月争光可也。"孔子对"棠棣之华,偏其反尔,岂不尔思,室是远尔"的诗表示他的反对的意见,他说:"未之思也,夫何远之有?"对女子有真实感情的人,是"其室则迩,其人则远!"这才是《诗经》里抒情的佳句,这是白描。屈原的想像则太美丽了,然而他的美丽仍只有"修辞立其诚"足以说明之,就是生活的真实性的表现。后代的曹植,阮籍,陶渊明,都是如此,各有其"闺中邈远"的感情,陶渊明的《闲情赋》更是别开生面,其特点是细节的刻划。总的说来,还是以屈原为不可及,"虽与日月争光可也。"如果把屈原的美给歪曲了,那就无视了美和生活的关系。汉儒、宋儒对《诗经》的美每每是歪曲,对屈原的美也是歪曲,王逸谓"闺中既以邈远"的"闺中"为"君处宫殿之中,其闺深远",朱熹虽说"闺中深远,盖言宓妃之属不可求也",然而他又认为"美女以比贤君,求美以比求贤",这都是抽象的说教,抽象的说教势必歪曲艺术形象。屈原的艺术形象是不可歪曲的,屈原的艺术形象分明影响了陶渊明。陶渊明的《闲情赋》曰:"待凤鸟以致辞,恐他人云我先!"他不是记得《离骚》的"凤凰既受诒兮,恐高辛之先我"吗?当然,这种相似,是主题思想方面的证明,都是"求美"。而"求美"的形象都是各人自己的,不可相同。而生活面毕竟有相同的,所以有屈原的《九歌》,有陶渊明的《闲情》一赋。中国的美学,从古以来就是和宗教不相关的,一直到《聊斋志异》,虽是志异,还是属于美的创作方法的问题,现实主义和浪漫主义的结合,不是宗教的迷信鬼神。中国美学的障碍在于形式主义,在于抽象的说教。王逸、朱熹等之说"楚辞",每每是对了解屈原的障碍,在美学上必须要讲清楚。和形式主义不同,和说教不同,我们的方法是分析形象。我们的原则,形象的具体性是从生活的具体性来的。从艺术标准说,屈原的《离骚》有一个缺点,他把"闺中邈远"和"哲王不寤"放在一个题目里,换句话说,《离骚》里爱国的词句和"求美"的词句混在一起,是物理学的结合,不是化学的结合。我们读毛泽东同志的《蝶恋花》,在这一首词里,毛泽东同志是把"我"字加了进去的,"我"在整个艺术形象里有作用,这一点和屈原相似,但整个艺术形象里没有政治的字面,只有"忠魂"的"忠"字,而"寂寞嫦娥舒广袖,万里长空,且为忠魂舞",正是政治和艺术的化学的结合。屈原的《九歌》便和他的《离骚》不同了,艺术形象是统一的,如《东君》取得了政治和艺术结合的完美形式。因此,我们要具体地指出屈原的"求美"的形象,最好是从《九歌》里选择,我们读《湘君》:

……朝骋骛兮江皋,夕弭节兮北渚。鸟次兮屋上,水周兮堂下。捐余玦兮江中,遗余佩兮醴浦。采芳洲兮杜若,将以遗兮下女。时不可兮再得,聊逍遥兮容与。

这真是"兮"体的好文章,空前不待说,也可以说绝后,它显示了屈原的创造性。这个在文学史上具有世界意义的美,又多么地表现出它的乡土性,它的自然环境决定在湖南。"鸟次兮屋上,水周兮堂下",屈原如果不有长期的"行吟泽畔"的生活,不能画出这个"屋"。我们读《湘夫人》:

帝子降兮北渚,目眇眇兮愁予。袅袅兮秋风,洞庭波下〔兮〕木叶下。……

这个自然环境决定在湖南,并不因为字面上有"洞庭"。再读:

……朝驰余马兮江皋,夕济兮西澨。闻佳人兮召予,将腾驾兮偕逝,筑室兮水中,葺之兮荷盖。……

这个水中之室是现实主义和浪漫主义的结合,因而美丽。屈原既然用语言写出形象来了,那么,我们给它来一个插图,"筑室兮水中,葺之兮荷盖",完全是可能的。这也无非像陶渊明在《闲情赋》中用的许多"愿在"的想像,愿与女子同居处罢了,哪里有王逸、朱熹所说的"将托神明而居处"的空气呢？再读《少司命》：

……秋兰兮青青,绿叶兮紫茎。满堂兮美人,忽独与余兮目成。入不言兮出不辞,乘回风兮载云旗。悲莫悲兮生别离,乐莫乐兮新相知。荷衣兮蕙带,倏而来兮忽而逝。夕宿兮帝郊,君谁须兮云之际？与女(汝)游兮九河,冲风至兮水扬波。与女(汝)沐兮咸池,晞女发兮阳之阿,望美人兮未来,临风怳兮浩歌。……

这所写的,感情何其真挚,想像何其美丽,在中国文学史上,从《诗经》起,"爱而不见,搔首踟蹰"的现实主义的抒情是很多的,像屈原的现实主义和浪漫主义的结合,确实难得。李白的"云想衣裳花想容",也只能说明李白的诗是替旁人写的,等于"为他人作嫁衣裳",想像力当然有限。"悲莫悲兮生别离,乐莫乐兮新相知",从古以来引起共鸣,如果不是从生活中来,能有这种盛大的感情吗？美和道德的格言没有共同之点,美和宗教的虔诚观念没有共同之点,美和政治概念也没有共同之点,美只能是具体的生活美因而有具体的艺术美。

我们讲屈原的《九歌》，连及到陶渊明的《闲情赋》。我们认为中国从古以来的诗人都有"求美"的一面，这是生活的真实的反映。《离骚》中"闺中邈远"的感情说明屈原生活的多采，《闲情》一赋说明隐士陶渊明生活的多采。我们应该注意，不同的诗人产生有不同的艺术形象，不同的艺术形象，正是从各自的生活来的。屈原的作品可以证明屈原的生活，我们认为没有疑问，现在我们用同样的方法来分析陶渊明的艺术形象。陶渊明的艺术形象反映陶渊明的生活范围只在田园之中，以一个孤独的知识分子而经常有耕种之事。"有风自南，翼彼新苗"，"田〔平〕畴交远风，良苗亦怀新"，这是陶渊明所特有的描写，这反映他异于所有的诗人过的生活，同时他又不是农民，是知识分子。在《闲情赋》里有一个美丽的形象。"愿在昼而为影，常依形而西东，悲高树之多荫，慨有时而不同。"这反映陶渊明对树的感情，这个感情也决定是陶渊明有的，没有第二个诗人和他相同。为什么呢？因为在农村中的人，尤其是农民在耕作之余，最喜欢在树荫下歇凉。陶渊明因为是知识分子，所以较之一般农民多了幻想，和爱树荫相随而来的是人影在地这一图画，因之他有《形赠影》，又有《影答形》。《形赠影》曰："我无腾化术，必尔不复疑。"陶渊明的意思是说："形体是第一性，不能离开形体而有别的，懂得这个道理，莫过于我的影子了。"因为影子决然相信有形体才有它的。《影答形》曰："与子相遇来，未尝异悲悦，憩荫若暂乖，止日终不别。"这四句和我们在上文所引的《闲情赋》的四句采自同样的"模仿"（按照亚里斯多德的意义），没有生活上树荫这一回事，就不会有陶渊明这个艺术美了。屈原的美多是模仿水，模仿山，而且是行动的，陶渊明的美则多在静态的树，所以他作了那么一个好比喻,把自己比做一位女子的影子,愿总在身边,一旦又没入于无何有的树荫之乡了。这必然是从灵魂深处来的东西,也就是生活的习惯使之然。陶渊明爱树的诗很多,不必多举。我们再举他的《读山海经》的一首:"夸父诞宏志,乃与日竞走。俱至虞渊下,似若无胜负。神力既殊妙,倾河焉足有。余迹寄邓林,功竟在身后。"这也不愧称之为伟大的形象,反映了陶渊明的生活,表现了陶渊明的性格,正同屈原的《东君》反映了屈原的生活,表现了屈原的性格。屈原的生活是奔走的,性格是战斗的,陶渊明想像的夸父则确乎像一个老农,和太阳竞赛,渴死了,扔了自己的杖,愿它变成为树林,让后人乘荫。

  在生活和美的关系上,李商隐的诗也是一个突出的方面,把李商隐的诗的问题指出来,对我们了解生活和美很有帮助。有人把李商隐的诗代表形式主义,或者把它归入唯美派,这是不能解决问题的,因为问题不是这样。中国文学史上的形式主义,如古文,那是一种,另外如西昆体的模仿李商隐,那也是一种形式主义,形式主义的东西和艺术美的反映生活是相反的。李商隐的诗正好为我们做艺术美的反映生活的一方面的例证。至于唯美派,那是欧洲资产阶级文学的一派,属于反动性质,中国古代封建社会里也有近乎唯美派的情形,我们以后也要谈一谈,但李商隐的诗不属于唯美派。即如他的《贾生》一诗,讽刺极深,"可怜夜半虚前席,不问苍生问鬼神",表示了书生的愤慨,不得过问朝政,怎么是"唯美派"呢?李商隐的诗,主要的是"闺中既以邃远"的感情,它不是屈原《九歌》的表现方法,也不是陶渊明的《闲情赋》的表现方法,这两种方法都带有普遍性,通过艺术的特点即形象来表达思想感情,其工具是语言。李商隐于以语言为工具的共同点之外,更利用了汉语的特点,就是他的词汇大量采自典故。然而李商隐的诗还是反映生活,它的形象性应该说是生动无比的。我们举他的一首绝句,题目叫做"东南":

东南一望日中乌,欲逐羲和去得无?
且向秦楼棠树下,每朝先觅照罗敷。

这首诗一定是李商隐在徐州作幕僚时写的,他的爱人不在徐州,在长安,从徐州望长安,故曰"东南一望"。其余就都是利用典故,相传日中有乌,羲和是驭日者,罗敷当然是指爱人了。其实这首诗的典故也是普通的,那么它的形象确乎生动,它是写,夕阳西下时,想着自己的爱人,千里迢迢,欲归不得,于是由夕阳而换一轮朝阳,每天早晨照着她起来吧。我们看冯浩对这首诗是怎么解释的,他说:"叹不得近君,而且乐室家之乐也。"这个"君"的形象在诗里哪里有?这就是离开诗的形象而说教,这种说教当然是没有用的。根据科学的美学才能说明美,根据科学的美学首先要说明美和生活的关系,要分析形象。

李商隐有一首《月》,我们抄下来:

过水穿楼触处明,藏人带树远含清。
初生欲缺虚惆怅,未必圆时即有情。

纪昀对这首诗有批语:"第二句不成语。"为什么不成语呢?其实李商隐的想像是丰富的,中国关于月亮的故事,不是月里面有树吗?月里面有人吗?我们今天毛泽东同志的《蝶恋花》还是从"藏人带树"的传说而来呢。李商隐的诗的形象明明是浪漫主义和现实主义的结合,他多有咏月的,他的题材只能说明他的生活面小,然而他毕竟有他的生活,他的艺术美是他的生活的反映。他有一首《嫦娥》,集中地表现了他的思想:"云母屏风烛影深,长河渐落晓星沉。嫦娥应悔偷灵药,碧海青天夜夜心。"这决不是没有生活基础的,不是凭空咏天上的嫦娥的,天上的嫦娥是生活上的女子的理想。在当时唐朝的女子多有出家做道士,李商隐有明题《送宫人入道》的诗,有《寄宋华阳姊妹》的诗,所以"奔月"是当时社会风气,"碧海青天夜夜心",正是写那样女子的,这难道不是美丽的形象?李商隐是把生活简化了,他的简化也就是他的理想化,他的诗生命气息非常之重,在他幻想的月里实在是"藏人",有一个有生命的女子的"心"!

从古以来对李商隐的《锦瑟》一诗有许多议论,这有两个原因,一,这首诗晦涩;二,这首诗毕竟能代表一种美。我们不想肯定李商隐的《锦瑟》一定怎么讲,这没有必要,但它决不是形式主义的东西,它是因生活而写的,我们确实应该说明白。李商隐的诗为什么晦涩呢?因为他的有些诗和情书一样,晦涩不能算毛病,只要情人彼此了解,感情不真实倒是毛病。而李商隐的诗感情是真实的。即如《锦瑟》,"此情可待成追忆,只是当时已惘然",我们读了能感到作者当时的"惘然"。全诗只有第七句难以得到有把握的解释,但也不是不可以求解。这首诗是"悼亡"之作,这是得到大多数人承认的。李商隐从徐州回来,他的爱人已经死了,所谓"归来已不见,锦瑟长于人。"这是《锦瑟》为悼亡之作的证据。"庄生晓梦迷蝴蝶,望帝春心托杜鹃。"一句作者写自己,一句写死者爱人。"沧海月明珠有泪",是作者写自己,珠即蚌,李商隐的诗里常用月和珠的典故,"未必明时胜蚌蛤,一生常共月亏盈",是他自己的说明。"蓝田日暖玉生烟",很可能是往徐州时和爱人分别的回忆,他有《对雪二首》,自注"时欲之东",她大约是哭了,所以那诗说"肠断斑骓送陆郎";他又在《喜雪》诗里以"有田皆种玉"刻划雪。那么,"蓝田日暖玉生烟",和"沧海月明珠有泪"正成对照。总之《锦瑟》是悼亡,没有疑问,对于它的每个句子倒可以"不求甚解。"批评它的晦涩也是可以的,但它决不是形式主义的东西。李商隐另有一首《促漏》,和《锦瑟》的写法完全相同,主题也完全相同,一定是他从徐州回到家来写的,我们把它抄下来:

促漏遥钟动静闻,报章重垒杳难分。
舞鸾镜匣收残黛,睡鸭香炉换夕熏。
归去定知还向月,梦来何处更为云。
南塘渐暖蒲堪结,两两鸳鸯护水纹。

我们对这首诗完全没有疑问,是黄昏时听了远处钟声,爱人已不在了,检起赴徐州后往还的书信,或者还有诗吧,所以写着"报章重垒杳难分。"五六两句表现李商隐的浪漫主义和现实主义结合的特点,他和中国的任何诗人不同,他刻划女子之死用了"归去定知还向月"的形象,是美的,接着又用了神女的故事,那么,"梦来何处更为云"呢?这又是美的。我们如果把《促漏》和《锦瑟》合起来看,李商隐的艺术美可以明白,他是有他的生活作基础的。我们今天讲美学,总结各方面的创作经验,凡属能称之为美的,必与具体生活有关,李商隐的诗的特点正要说明白,把它和形式主义区别开来。

李商隐的诗大用典故,这也是美学上必须解决的问题。这是个词汇问题,也是语法问题,是汉语所特有的问题。汉语的句子,主语不是一定要的,再加以动词的绝对使用,因此,词汇上可以无限制地使用典故。我们举庾信的文章作例:"于时瓦解冰泮,风飞雹散。浑然千里,淄渑一乱。雪暗如沙,冰横似岸。逢赴洛之陆机,见离家之王粲,莫不闻陇水而掩泣,向关山而长叹。"这把庾信当时逃难的情形写得很生动,其中"逢赴洛之陆机,见离家之王粲",用典故正同用比喻,形象性极大,然而在外国语里就不能有这样的句子,因为假如说"逢"和"见"的主语是"我","我"一定是要的,"我逢赴洛之陆机,我见离家之王粲",就不成话了。何况动词还有变化。而在汉语里"逢"是庾信"逢"也可以,"赴洛"是陆机"赴"也可以,昨天"赴"也可以,今天"逢"也可以。这便是汉语语法对词汇的用典大开方便之门。庾信文章的形象性和他的善用典故是分不开的。又因为汉语一个字是一个音,句和句之间不需要连词,这又造成了偶句的趋势,于是有骈文,有律诗。骈文和律诗,确实是汉语规律所许可的。《诗经》的"比"和"兴",容易成功诗的形象性。汉语有方便用典故,这又添了一层的"比"和"兴",因为典故也都是具体的事和物。如果用死典故,那另是一回事,正和用不恰当的比喻一样,不是比喻没有生命,是用比喻的人不懂得比喻的生命。杜甫的五言长律,就是因为用典故才能成功这种诗体的,我们决不能不承认这种诗的形象性,杜甫的五言长律确实是美的。我们抄《夔府书怀四十韵》的一段:"使者分王命,群公各典司。恐乖均赋敛,不似问疮痍。万里烦供给,孤城最怨思。绿林宁小患,云梦欲难追。即事须尝胆,苍生可察眉。议堂犹集凤,贞观是元龟。处处喧飞檄,家家急竞椎。萧车安不定,蜀使下何之。"这一首四十韵,就从我们抄的这一段说,倾向性极大,要把官吏剥削百姓的情况一下都说出来。而统治秩序难得维持,杜甫也要把它说出来。确是如此,表现方法却是靠用典故。其中"苍生可察眉"一句更应该引起我们的注意,用的是《列子》上"有郄雍者,能视盗之貌,察其眉睫之间而得其情"的典故,杜甫用了"苍生"二字代替《列子》的"盗",比他的"盗贼本王臣"一句诗写得更不易得。当然,这样的诗是要"读书破万卷"才能写的,这也并不是杜甫的唯一的创作方法,杜甫在写三"吏"、三"别"的时候,因为深入生活,就用不着到故纸堆中去找词汇,他在夔州时期的生活,有些孤独,乃开了长律一派,把他的诗狭隘化了,这是另外的问题。我们现在所讲的是中国诗的用典,因为汉语的规律造成用典的趋势,举杜甫的长律为例。我们指出杜甫的长律是美的,它还是反映了生活。我们的这些话是从向来成问题的李商隐的诗说起来的,我们认为李商隐的诗是浪漫主义和现实主义的结合,虽然他的生活面狭小,狭小并不是没有生活的基础。他的方法是以典故作词汇的这一套。

关于典故问题还有一点必须指出,不是词汇方面的事,是从典故来产生故事的事。如李商隐的《月》,以"藏人带树"来写月的明和清,而且离人之远,从月里嫦娥、桂树等典故产生的。今天毛泽东同志还有《蝶恋花》。这是诗词方面。在戏曲里,如《窦娥冤》的六月降雪,是从邹衍的故事来的,《琵琶记》的"糟糠自厌"、"祝发买葬"是从"糟糠妻"、"结发夫妻"的典故来的,在这种情况下,我们必须给与很大的注意。《窦娥冤》是美的,它的美由于人民的愤怒的感情,而且对窦娥的歌颂的感情。六月降雪和"地也,你不分好歹何为地?天也,你错勘贤愚枉做天!"的愤怒正是一致,同时舞台上又应该装饰女儿的悲壮,人民不愿意看见她死在刽子手的刀下,"若果有一腔怨气喷如火,定要感的六出冰花滚似绵,免着我尸骸现",这就是歌颂。毛泽东同志的"杨柳轻扬,直上重霄九","寂寞嫦娥舒广袖,万里长空,且为忠魂舞",正是中国文艺优良传统的表现,在这里,谁都会明白美是生活的精华。《琵琶记》的"糟糠自厌"和"祝发买葬"则完全不是现实生活中的人物,是封建主义的概念化,它要天下的妇女都做到"爹妈休疑,奴须是你孩儿的糟糠妻室","却将堆鸦髻、舞鸾鬓,与乌鸟报答鹤发亲、教人道,雾鬓云鬟女,断送霜鬟雪鬓人",——这就完全是八股写法,赋得"糟糠妻",赋得"结发妻"!我们的美学应该是一个武器,它能够区别《窦娥冤》的美和《琵琶记》的封建糟粕。唯一的标准,美是从生活中来的。当然,《窦娥冤》也还是封建社会的上层建筑,它劝"孝",但是它表现了生活的真实面,它有反映人民的理想的部分,文学艺术之为上层建筑,有其复杂性和曲折性,须作具体分析。

关于汉语用典我们就讲到这里。

在中国文学里,有些作品表现出受佛教影响的成分,五四新文学又受欧洲文学的影响,出现过"上帝"的词汇,但这两方面的东西究竟没有中国味道,不像从本土的根里长出来的。从本土的根里长出来的,虽然是士大夫的出产,而确有中国艺术美的特色,我们认为有提出来的必要。这有下面的四个方面:

一,反映隐居生活的诗。真正中国式的隐居,到了科举盛兴以后,可说没有了,可见这种生活还是有它的社会根源的。我们认为陶弘景的《诏问山中何所有赋诗以答》和王维的《山中送别》，能代表这方面的美。陶弘景的诗："山中何所有，岭上多白云，只可自怡悦，不堪持寄君。"这不是率尔操觚所能行的，这是从他的生活里来的，又极显得汉语的美。它值得我们当作一件古文化品来保存。王维的诗是："山中相送罢，日暮掩柴扉。春草年年绿，王孙归不归？"王维这首诗的美，表现在他的隐居世界里人和自然的亲切关系，也就是人和人的关系，他的表现方法又极其自然，极其单纯。《诗经》的四言不容易写，王维的绝句也不容易写。像"春草年年绿"这一句，其实就是《诗经》的"兴也"，在王维的诗里居于第三句，是很好的创造，有这一句，全诗生气盎然。我们今天当然谁都不去敲他的柴门，这种剥削阶级的柴门已经绝迹了，但王维的诗的美还可以保存。

二，别情诗。中国的写"别"，那当然是很有名的，不承认这方面的美，不能算公平。在很早就有《别赋》。在元人的《西厢记》里，如果认为长亭送别的文章写得最好，也是有道理的。我们在这里只举王维的《送元二使安西》和《送沈子福之江东》两首诗。前一首不用说，是有名的渭城曲，"渭城朝雨浥轻尘，客舍青青柳色新。劝君更尽一杯酒，西出阳关无故人。"真是写来全不费工夫似的。《送沈子福之江东》是："杨柳渡头行客稀，罟师荡桨向临圻。唯有相思似春色，江南江北送君归。"这首诗的中国诗味是极其深厚的，它集中了它以前的这类比兴，也开发了它以后的这类比兴。它以前的如"青青河畔草，绵绵思远道"，它以后的如"平芜尽处是春山，行人更在春山外"，而"唯有相思似春色，江南江北送君归"是一直送人到家，要想像美，更要语言能帮助想像。在"江南江北送君归"这一句里，就特别显得汉语的美，动词"送"没有明写出主语来,说到处的春色送当然是的,好比春草吧,它"更行更远还生",说是作诗人的诗情送也可以,因为前句说了"相思似春色"。

三,山水诗。不承认中国的山水诗之美也是不公平的。中国不但有山水诗,还有山水画,怎能一笔勾销呢?我们也举王维的两首诗为代表,一首是《终南山》:"太乙近天都,连山到海隅。白云回望合,青霭入看无。分野中峰变,阴晴众壑殊。欲求人处宿,隔水问樵夫。"一首是《汉江临泛》:"楚塞三湘接,荆门九派通。江流天地外,山色有无中。郡邑浮前浦,波澜动远空。襄阳好风日,留醉与山翁。"这两首诗的写法是一样的,它是诗中有画,画是中国画,把整个终南山都画了,把整个江的气势也都画了,不是外国画的焦点透视法。中国的山水画,虽是画山水,仍是画画人的思想感情,所以王维的《终南山》写出了整个山脉,而偏偏有"欲投人处宿,隔水问樵夫"的位置,汉江也"留醉与山翁"。

四,边塞诗。边塞诗也是中国所特有,它也有着特殊的诗味,不承认这一点也是不合事实的。我们举两首,一首是岑参的《碛中作》:"走马西来欲到天,辞家见月两回圆。今夜不知何处宿,平沙万里绝人烟。"一首是李益的《夜上受降城闻笛》:"回乐峰前沙似雪,受降城外月如霜,不知何处吹芦管,一夜征人尽望乡。"有人或者认为这样的诗所表现的思想感情不算健康,在保卫边疆事业中不应强调思家乡。这是我们今天的思想,我们今天的生活根本上就没有"别",也没有"平沙万里绝人烟"的事实。而古人有古人的生活,边塞诗是给人以美感的。

简单地讲一个问题,有没有这样的作品,它是反映生活的,而它所表现的思想感情应该排斥,因为它不健康?有的,有很显明的例证,李煜的词。李煜的《浪淘沙》的下半阕:"独自莫凭阑,无限江山,别时容易见时难?流水落花春去也,天上人间!"感情确实利害,表现他一个"君"而"一旦归为臣虏",大喊其"无限江山,别时容易见时难",再没有"一晌贪欢"的日子了。他的艺术手段是相当强的,能够表达他的刹那间的感情。然而我们认为李煜的词反映了"处于没落时期的一切剥削阶级的文艺的共同特点,就是其反动的政治内容和其艺术的形式之间所存在的矛盾。"有人说,在日本帝国主义侵略中国时期,沦陷区内,对李煜的"无限江山,别时容易见时难"很引起了共鸣,这只能证明李煜的词有毒害性,不能为它辩护。为什么不记得杜甫的"国破山河在"呢?还应该读文天祥的《南安军》:"梅花南北路,风雨湿征衣。出岭谁同出?归乡如此归!山河千古在,城郭一时非。饥死真吾志,梦中行采薇。"这才真正地引起我们的美感,表现了在国难中爱国者对着祖国山河的高贵的思想感情。李煜所表现的明明是一个荒淫的君主,在他做了俘虏之后还是"一晌贪欢"。

杜甫的生活和杜诗的关系对我们提供了很有益的材料,现在我们着重地讲这件事。

杜甫是常常提到他自己作诗的经验的,主要是说他向前人学习,"不薄今人爱古人,清词丽句必为邻","读书破万卷","熟精文选理",总之所说的都"不是源而是流"的方面。古人不可能自觉地掌握生活是文艺的源泉这一原则。然而所有杜甫各时期的诗,内容和风格有显著的变化,因为各时期生活的变化,这证明了生活是他的诗的源泉。杜诗的光辉不同于杜甫以前和以后的任何诗人,还在于杜甫的生活接近人民,他反映了人民的生活,劳苦人民给了他很大的教育,我们读《兵车行》,这首诗就是杜甫在"骑驴三十载,旅食京华春"的生活之中写的,是他"行歌非隐沦"的证明。"长者虽有问,役夫敢伸恨",这是《兵车行》的两句,"长者"就是兵士指杜甫,杜甫和应征的兵士一面走路一面谈话。《新安吏》、《石壕吏》和写《兵车行》的情况是一样,是杜甫在路上写的。他这次的路程是从洛阳往华州,先到新安县,再到石壕村,先写《新安吏》,次写《石壕吏》。在《新安吏》里,他问了新安吏一些话,就是诗里的两句:"借问新安吏,县小更无丁?"新安吏答以"府帖昨夜下,次选中男行"之后,杜甫更问:"中男绝短小,何以守王城?"往下杜甫叫送儿子的母亲们不要哭:"莫自使眼枯,收汝泪纵横,眼枯即见骨,天地终无情!"杜甫在这首诗里真是说了许多话,也就是在新安道上说了许多话。而在《石壕吏》里他一句话也没有说,好像他把问题已经看得更明白了,一开始就是"夜〔暮〕投石壕村,有吏夜捉人!"这个吏已经就是强盗了,杜甫不同他讲话了,杜甫一夜没有睡觉,他把事情都看见了,话都听见了,深夜还听见人家哭,"夜久语声绝,如闻泣幽咽。"天明再走他的路,"天明登前途,独与老翁别。"我们看《新安吏》和《石壕吏》,两首诗的气氛这样不同,是作者有意来安排两种写法吗? 不是的,杜甫写《石壕吏》时连韵脚都不很注意,他确实是直抒他的盛大的感情,《新安吏》也是的,两首诗是生活的最直接的反映,连杜甫本人的旅途生活也反映给我们了,他作诗的状况也反映给我们了。他从华州到秦州去,可以说是深入边塞,我们读《秦州杂诗》的一首:"城上胡笳奏,山边汉节归。防河赴沧海,奉诏发金微。士苦形骸黑,林疏鸟兽稀。那堪往来戍,恨解邺城围。"这写的是在秦州路上看见被征调到河北去的兵士,七八两句很像是兵士和杜甫说的话,所以这首诗正是《兵车行》一样的写诗的精神,不过用的体裁是律诗罢了。他在湖南有一首《遭遇》,诗里有四句:"石间采蕨女,鬻市输官曹,丈夫死百役,暮返空村号。"这无疑也是他亲眼看见的了。《遭遇》最后六句是:"索钱多门户,丧乱纷嗷嗷。奈何黠吏徒,渔夺成逋逃。自喜遂生理,花时甘缊袍。"这和《自京赴奉先咏怀五百字》最后的话是一样的精神,那些诗句是:"入门闻号咷,幼子饥已卒。吾宁舍一哀,里巷亦呜咽。所愧为人父,无食致夭折。岂知秋禾登,贫窭自仓卒。生常免租税,名不隶征伐,抚迹犹酸辛,平人固骚屑。默思失业徒,因念远戍卒,忧端齐终南,澒洞不可掇。"因为同人民接近,把自己的贫困和一般人民受剥削受压迫的生活比较起来就不算什么了。杜甫和白居易不同,白居易是自己饱暖而想到天下有饥寒,如他的《新制布裘》诗:"丈夫贵兼济,岂独善一身,安得万里裘,盖裹周四垠,稳暖皆如我,天下无寒人。"杜甫则是自己穷苦而想到天下有两类的生活,这两类的生活是不可调和的,即是"朱门酒肉臭,路有冻死骨。"他自己也是"生常免租税,名不隶征伐"的一类。这就是杜甫的深入生活。因为深入生活,杜甫的诗乃有暴露的美,更难得的,他懂得歌颂的美。暴露是暴露统治阶级(当然并不是说杜甫懂得"阶级"),包括杜甫自己,歌颂是歌颂人民。《自京赴奉先咏怀五百字》的暴露性质是空前的,在他以后也罕见,"彤庭所分帛,本自寒女出,鞭挞其夫家,聚敛贡城阙",和"朱门酒肉臭,路有冻死骨"是同样的反映。最值得注意的,杜甫的这首诗是他在长安十年好不容易得了一个官职之后写的,等于陶渊明的《归去来辞》。杜甫确实是弃官归去,他归奉先后就没有再来长安就他的官职,他在这个短时期内写的诗可以为证(参阅杨伦《杜诗镜铨》的编次)。陶渊明的《归去来辞》证明陶渊明不能深入生活,所以"归去来兮,请息交以绝游",杜甫的《自京赴奉先咏怀》则是揭露社会生活的矛盾,是他"骑驴三十载,旅食京华春,朝叩〔扣〕富儿门,暮随肥马尘,残杯与冷炙,到处潜悲辛"的经验教训的结果。他在《咏怀》里所说的"独耻事干谒",并不是自许清高没有"干谒"的事,乃是他的思想感情上有矛盾,说他"干谒"而又"耻"干谒。勇于说自己的"耻",这是杜诗的美。杜甫有一首《狂歌行赠四兄》,在四川写的,诗云:"与兄行年较一岁,贤者是兄愚者弟。兄将富贵等浮云,弟窃功名好权势。长安秋雨十日泥,我曹鞴马听晨鸡。公卿朱门未开锁,我曹已到肩相齐……"这是非常显明的,别的诗人所没有、杜甫独有的暴露性质的美。杜甫的暴露美,有暴露自己的,有暴露自己所属的剥削阶级的,能说是偶然吗?能不是他深入生活的结果吗?能不是他把自己的生活和劳苦人民的生活比较的结果吗?我们再看杜甫的歌颂人民,这也见杜甫的诗和白居易的诗大不相同,白居易写了黑暗,杜甫在写黑暗的同时歌颂光明,而歌颂是主要的。《新婚别》的女子,杜甫刻划了她的性格,这个女子在出嫁前在家里是不敢露头面的,"父母养我时,日夜令我藏",现在她把她的话都说出来了,首先是表示她的愤恨,"嫁女与征夫,不如弃路傍!"而到最后杜诗人物性格的发展是:"勿谓〔为〕新婚念,努力事戎行!"这能不说是歌颂?我们说,是的,《新婚别》是歌颂性质的诗。《垂老别》的老年人的形象,杜甫又是用很大的力量来刻划的,"投杖出门去",写这个老年人被催迫,逼他去该是逼得多么紧!我们读了《石壕吏》也可以知道当时有被催迫的老年人。"同行为辛酸",我们可以知道同去的有许多人,大家都可怜老年人,而老年人自己呢,乃连忙来一个幽默的动作,"男儿既介胄,长揖别上官!"这是杜甫借"介胄之士不拜"的成语写这个老年人投了杖之后已经是兵士的样子,来一个长揖不拜,逗得同行者一笑,是他转而安慰同行者。诗人用了"男儿"二字,把"老",把"兵",把人民方面,把催逼的官吏方面,写得一一如生。最后这个老年人说着"何乡为乐土,安敢尚盘桓"的话,和《新婚别》的女子最后说的话都是正义的人民的声音,杜甫的这种诗确实是歌颂性质的,和白居易的《新丰折臂翁》就不一样。杜甫歌颂诗的最高成就有他的前后《出塞》诗,尤其是《前出塞九首》。宋人黄鹤认为《出塞》诗"当是乾元二年至秦州思天宝间事而为之",应该肯定,《前出塞九首》和《后出塞五首》是杜甫在秦州写的。《前出塞》第九首里杜甫已经告诉我们了,"中原有斗争,况在狄与戎","狄"是中国的北边境,"戎"是西边境,当时北边境剱〔蓟〕北被史思明占据,西边境秦州方面吐番〔蕃〕又为患,诗的故事发生在秦州方面,故主人公说"在戎","狄"是联系着说的。这个主人公"从军十年余",他从关中来到秦州西边境,这都是诗的形象所表示的,而作者自己乾元二年七月至十月在秦州,这是我们特别要注意的,根据杜甫一贯的写诗的精神,我们应该肯定《前出塞九首》是他在秦州写的歌颂士兵的诗。他必定是见过"在戎"的兵。他的三"别"是写典型,他的前后《出塞》也是写典型。三"别"的典型人物是农民,这是不成问题的,诗的形象如此。《前出塞》的形象也是不成问题的,是农民,只有《后出塞》的形象有疑问,但诗的"我本良家子"一句也分明是主人公自述他家为农民,我们参看《哀〔悲〕陈陶》里"孟冬十郡良家子,血作陈陶泽中水","良家子"指农民子弟。《后出塞五首》的写作时间不可能早于乾元元年到二年作者回洛阳的时候,因为在其余的时间里他没有机会得到这种素材。乾元二年七月至十月,他到秦州后,他决定要写秦州方面的《出塞》诗,就是《前出塞九首》,这是主要的,于是把《后出塞五首》也回忆着写了。黄鹤所谓《出塞》诗"当是乾元二年至秦州思天宝间事而为之",是看出了一部分的道理的,当然他不能懂得杜甫《出塞》诗的全部价值,尤其是《前出塞九首》的价值。我们且看《前出塞九首》的形象,人物的性格是发展的,第一首"君已富土境,开边一何多!弃绝父母恩,吞声行负戈!"表现了主人公的怨恨。第二首就不同了,"骨肉恩岂断?男儿死无时!"他的"男儿"二字就颇有自负的气概。"走马脱辔头,手中挑青丝。捷下万刃冈,俯身试搴旗!"这就是在马上显本事,学着怎样拔敌营的旗子。第三首"磨刀鸣咽水,水赤刃伤手!欲轻'肠断'声,心绪乱已久!丈夫誓许国,愤惋复何有?……"这真是伟大的思想感情的表现,这决不是凭空从"陇头流水,鸣声幽咽,遥望秦川,肝肠断绝"四句诗杜撰出来的。杜甫自己从关中登陇山到秦州,现在是结合自己登陇山的生活经验来写《前出塞》的典型人物。我们从"欲轻'肠断'声"句知道这个主人公是关中(就是"遥望秦川"的秦川)老百姓。在这个水上磨刀,多么伟大的形象!伟大的形象必须具有实生活的基础,我们肯定《前出塞九首》是杜甫在秦州写的,"磨刀'鸣咽'水"的形象应该是一个理由,它确有生活作基础,杜甫自己的生活结合成卒的生活。"磨刀'鸣咽'水"是有愤慨的,而又表现着"男儿"的气概,所以接着说:"丈夫誓许国,愤惋复何有?"杜甫《前出塞九首》的特点是双管齐下,把阶级压迫同"丈夫誓许国"的高贵品质交织着写,第三首说"愤惋复何有",第四首就是愤惋:"送徒既有长,远戍亦有身,生死向前去,不劳吏怒嗔！路逢相识人,附书与六亲,哀哉两决绝,不复同苦辛!"这都不可能是没有生活作基础的空想像,是杜甫在秦州见过"往来戍"的人,如《秦州杂诗》所反映的。四首诗三十二个句子,而实写了这个兵士走了万里路的生活,诗的具体性和真实性难以企及。第五首开始写戍卒生活:"迢迢万里余,领我赴三军。军中异苦乐,主将宁尽闻？隔河见胡骑,倏忽数百群。我始为奴仆,几时树功勋!"这是双管齐下,一方面写"军中异苦乐",待遇不平等,一方面写"隔河见胡骑",反映边防的重要,不是第一首所说的"君已富土境,开边一何多"。"我始为奴仆,几时树功勋",这两句的形象真是了不起,一句写兵士在军中的地位是"奴仆",一句写男儿的气志。通过五首诗,杜甫已把他的人物完全写给我们了,谁都不能忘记这个人物了,是实写,第六首、第七首、第八首乃虚写。第六首表示对国防的理想,"苟能制侵陵,岂在多杀伤。"因为这个人物对读者是真实的,所以读起来这个理想也是真实的,一点也不感到是诗人在那里发议论。第七首写戍守,第八首写临敌制胜,用的"汉月"、"单于"等词汇,正和《兵车行》用"武皇"、"汉家"是一样,所指的还是时事。第八首"虏其名王归",很可能是有具体内容的,据《通鉴》,天宝十年有擒吐番〔蕃〕酋长石国王竭师王的记载。我们当然无须穿凿,而所有杜甫的诗没有为写诗而写诗的情形是确实的。至少这里表示了杜甫的理想,即是"制侵陵",因为"单于寇我垒"的原故。到了第九首,全诗的最后一首,是总结性的,写主人公"从军十年余"的思想感情,以及当时的局势,他的认识是:"中原有斗争,况在敌〔狄〕与戎。丈夫四方志,安可辞固穷。"《前出塞九首》的现实意义极为巨大,秦州西出吐番

〔蕃〕，胡汉杂处，如《秦州杂诗》所写的，"驿道出流沙"，"降虏兼千帐"，杜甫走到这里天天听见"胡笳"，看见"羌童"，还有"烽火"，而在他打秦州经过的第四年（广德元年），吐〔蕃〕番入侵，并攻进长安。

毛泽东同志说："实际上，过去的文艺作品不是源而是流，是古人和外国人根据他们彼时彼地所得到的人民生活中的文学艺术原料创造出来的东西。"杜甫的诗，充分证明了毛泽东同志的话，它不是从"读书破万卷"来的，读书当然对杜甫有借鉴作用，他"不薄今人爱古人"，而杜诗的伟大作品是诗人得之于人民的生活，人民的生活给诗人以教育，因而有杜甫的光辉的创造。

鲁迅在一九三一年时说："但现存的左翼作家，能写出好的无产阶级文学来么？我想，也很难。这是因为现在的左翼作家还都是读书人——智识阶级，他们要写出革命的实际来，是很不容易的缘故。日本的厨川白村曾经提出一个问题，说：作家之所描写，必得是自己经验过的么？他自答道，不必，因为他能够体察。所以要写偷，他不必亲自去做贼，要写通奸，他不必亲自去私通。但我以为这是因为作家生长在旧社会里，熟悉了旧社会的情形，看惯了旧社会的人物的缘故，所以他能够体察；对于和他向来没有关系的无产阶级的情形和人物，他就会无能，或者弄成错误的描写了。"这些话里面有极大的经验教训。到今天我们谁都有知识分子工农化的要求，作家如果不工农化，在美的方面他就会"无能"，或者"弄成错误。"鲁迅在当时还说了一句深刻的话："所可惜的，是左翼作家之中，还没有工农出身的作家。"工农作家的美到底怎么样，在我们今天就不是一个理想上的事了，工农的作品给我们以教育，在以往的历史上所没有的美的教育。

我们还是举几首新民歌,如《罗锅山得向我认错》:

  不怕冷,不怕饿,
  罗锅山得向我认错。

又如《沂蒙山区短歌》:

  大蒙山,站面前,
  昨天你挡我,
  今天齐腰砍。

  像这样的思想感情以及表达思想感情的语言,非有大力气不行。所说的大力气,不是大力士的大力气,是农民拿锄头的干劲,它是物质上的产物,也是精神上的产物,对着面前的障碍物如入无人之境。杜甫说:"文章千古事,得失寸心知",杜甫"寸心知"的经验还是有局限的,他没有读过今天的新民歌,要把新民歌的美和千古文章加在一起,然后"得失寸心知"有焕然一新的境界。

  我们在讲"民族形式和美"的时候引了《一匹大山装得下》,现在把这首诗再引一遍:

  一挑鸳兜不多大,
  修塘开堰挑泥巴,
  莫嫌我的鸳兜小,
  一匹大山装得下。

如果你没有力气,如果你没有挑过担子,如果你没有革命浪漫主义的气魄,你就不能产生这首诗的美。为什么呢？因为这首诗的美表现在对一挑鸳兜的亲爱,爱它像爱自己的小儿似的,而大山又像一匹大生物,虽是大,确能把它挑得走！这真叫做"美",因为是生活的美,是形象的美,为古代"愚公移山"的寓言所不能及了。

又如《抗旱歌》：

千军万马摆战场,
人人上阵战旱王,
瓢瓢清水是炮弹,
命令旱王快投降。

这写起来一定是踌躇满志的,这也叫做"得失寸心知"。古人的诗集里能找到"瓢瓢清水是炮弹"的好形象好词汇吗？

如《为了国家工业化》：

不怕太阳像火烧,
不怕铁驳像火烤,
为了国家工业化,
心里就像凉水浇。

又如《一颗红心跳蹦蹦》：

一片灯火一片红，
　　一颗红心跳蹦蹦，
　　跳得瓦刀点头笑，
　　跳得红砖满天跑。

　　跳得砖墙随风长，
　　转眼烟囱入云霄；
　　心啊心啊为啥跳？
　　总路线宣布了！

上面两首，都是工人的诗，一是装卸工人，一是建筑工人。我们认为这种诗写出了极乐世界，谁能否认呢？

我们举一首《戈壁滩吓的动弹》：

　　勘探队员一声喊，
　　戈壁滩吓的动弹，
　　整个盆地都踏遍，
　　万宝儿都见蓝天。

我们承认唐代岑参的《碛中作》是艺术美，它给人以美感，但它是旧时代的产物。我们今天的美则是《戈壁滩吓的动弹》，这诗的空气该是多么热闹，在那里想必是上天下地，勘探队热烈的心，要"万宝儿都见蓝天"！

下面我们举两首反映中国人民解放军的诗。一首是《日月出海又落山》：

春风抚摸桅杆,
浪花拍打船舷。
两眼盯住炮镜,
看穿万里蓝天。
眼比星星更亮,
心比太阳更红。
日月出海又落山,
唯我在炮前不动。

这样的诗,没有一点夸张,生活本身就是如此。我们要赞美它,什么话都不是过分的,"虽与日月争光可也"。

我们举的第二首是《擦大炮》:

雪停了,天亮了,
起床忙来擦大炮,
炮卧阵地似白虎,
身上披着白龙袍。

炮脚板上落雪花,
好像绿布生白毛,
炮弹躺在木箱里,
盖着雪被睡大觉。

瞄准镜,玻璃造,

光手擦炮最周到，
风吹手背像猫咬，
镜儿对着战士笑。

炮脚板上结冰花，
使劲擦来不见效，
嘴呼哈，冰雪化，
替炮洗个干净澡。

  这种美感给人的教育真是大。这种美感完全是生活的真实，一点夸张没有。"炮卧阵地似白虎，身上穿〔披〕着白龙袍"，是真给了读者以"白虎"的形象，白虎衣以"龙袍"，世上哪里有这样生龙活虎似的生物？有的，它是我们的战士的驯养物，是他手下的大炮！这充分表现了革命乐观主义者过的生活。"炮弹躺在木箱里，盖着雪被睡大觉"，这个炮弹该有多么的安全感，它保护得多好，我们读者感觉它非常温暖，而它身上是盖着"雪被"，——奇怪，这里的"雪"为什么没有一点寒意的侵袭呢？这是我们的战士的精神所笼罩着。伟大的理想，美丽的想像，再加以十分称意的语言，"光手擦炮最周到"，"替炮洗个干净澡"，总之是艰苦的生活。
  以上我们把"生活和美"这一章讲完了。

第六章 作品的思想性和作品的美

在前一章讲"生活和美"时已经涉及到作品的思想性和作品的美的关系。如李煜的《浪淘沙》,我们认为它不能引起我们去欣赏它,虽然我们知道它的艺术手段相当强。这个例子应该能够说明思想是第一义,首先是作品的思想性决定作品的美。我们在现在这一章里着重谈作品的思想性的问题。我们认为这是一个极其具体的问题,是美的阶级性的问题。即如伟大的诗人杜甫,在他的有些诗里也很容易流露出他的阶级偏见,对古代的杜甫说这是很自然的,在我们今天看来,凡属有阶级偏见的地方就减损了作品所引起的美感。我们且读杜甫的《茅屋为秋风所破歌》:"八月秋高风怒号,卷我屋上三重茅。茅飞渡江洒江郊,高者挂罥长林梢,下者飘转沉塘坳。南村群童欺我老无力,忍能对面为盗贼,公然抱茅入竹去,唇焦口燥呼不得,归来倚杖自叹息。俄顷风定云墨色,秋天漠漠向昏黑。布衾多年冷似铁,娇儿恶卧踏里裂,床头屋漏无干处,雨脚如麻未断绝。自经丧乱少睡眠,长夜沾湿何由彻,安得广厦千万间,大庇天下寒士尽欢颜,风雨不动安如山。呜呼,何时眼前突兀见此屋,吾庐独破受冻死亦足。"我们对杜甫的这首诗是欣赏的,它所表现的杜甫要拿"广厦千万间,大庇天下寒士"的感情极真实,就是他同情于穷苦的知识分子。然而杜甫的阶级偏见从诗里也确实表现出来了,他对"南村群童"的愤怒未免太大,这些孩子很像是农村贫家的孩子,杜甫为什么一定要骂他们"忍能对面为盗贼"呢?这里的"盗贼"二字应该批判。可能杜甫当时的境况很狼狈,风把他的茅屋破了,一个穷书生,手足无所措,认为孩子们欺负他,所以说他们"忍能",失掉了他本来能够有的"堂前扑枣任西邻"、"不为困穷宁有此"的胸怀。这首诗的"盗贼"二字我们一望而知杜甫是迁怒于小孩,问题还不算大,到了像这样的诗:"前年渝州杀刺史,今年开州杀刺史,群盗相随剧虎狼,食人更肯留妻子!"我们读了一定要引起思考,不能为杜诗的艺术力所迷惑住了。这首诗的艺术力确实相当强,尤其是第四句,我们不能不这样想。这首诗的"群盗"指的是什么?杜甫有一首《喜雨》的诗,末两句是:"安得鞭雷公,滂沱洗吴越!"原注云:"时闻浙右多盗贼"。这所谓"盗贼"指的是台州袁晁起义。那么"群盗相随剧虎狼"的"群盗"也很可能不是"盗",这首诗的表现方法就难免不是诗人的阶级偏见所产生的夸张法。总之这样的诗,它的艺术力量是大的,因为它的思想性有疑问,它对我们所引起的美感也就带一个问号,我们不会受它的鼓动。就如现代鲁迅的小说,因为它属于批判现实主义的范畴,它所引起我们的美感也因其思想性的局限而受了一定的限制,《祝福》是一个显著的例子。《祝福》的主人公祥林嫂,她前后两次的夫家都是农民,最后一次"大伯来收屋,又赶她",这是当时农村里可能有的事情,但不属于中国社会本质方面的问题,这样写,显得祥林嫂的死由和她的夫家更有直接关系,也就是和劳动人民有直接关系,那么《祝福》的反封建的对象就不明确了。我们对《祝福》的主题发生了疑问,它的美感作用当然就相对地减少了。作品的美感作用和它的教育作用是分不开的,它对我们起的教育作用不大,就一定是它在思想性方面存在着问题,当我们接触它时,它首先就引起我们用理智去分析它,它的艺术性虽强,而其感染力也就松弛了。反之,如果作品对我们有了强烈的教育效果,首先必是我们感到它美,美感吸引了我们,我们不暇去分析它所包含的思想,我们在它面前如饥者之于食,渴者之于饮,所以然当然是它满足了我们精神上的要求,是它的内容和形式的统一,——内容是它的思想性。这样对美的欣赏过程,可以肯定没有例外,所以思想是作品的灵魂。我们要进一步研究思想的标准是什么。辩证唯物主义提出了客观的标准。

我们要把思想的标准说明白,也就是说,什么叫做客观的标准。

毛泽东同志告诉我们:"人民,只有人民,才是创造世界历史的动力。"毛泽东同志又说:"阶级斗争,一些阶级胜利了,一些阶级消灭了。这就是历史,这就是几千年的文明史。"这是对社会发展规律的生动的说明。到今天,在我们中国,因为事实摆在面前,知识分子又都经过思想改造,原来是地主阶级的知识分子,是资产阶级的知识分子,现在则地主阶级消灭了,资产阶级进入灭亡的阶段了,谁有觉悟谁就争取做工人阶级的知识分子,那么历史的主人是谁呢?是劳动人民,古代只有农民阶级,现代有无产阶级。辩证法又指出了"同一性"的规律,"假如没有和它作对的矛盾的一方,它自己这一方就失去了存在的条件。""没有地主,就没有佃农;没有佃农,也就没有地主。没有资产阶级,就没有无产阶级;没有无产阶级,也就没有资产阶级。"这叫做同一性。由同一性就说明了阶级斗争的规律。所以阶级斗争是一部文明史。文学艺术是社会现实的反映,虽然在辩证唯物主义出现以前,作家总带有主观性,也就是剥削阶级的偏见,在一定的条件下还是能反映真实的,真实是必然会被反映的,像杜甫的"彤庭所分帛,本自寒女出,鞭挞其夫家,聚敛贡城阙"便反映得很好。一部《水浒传》,金圣叹也看出来了,在贯华堂本第十八回前面他批道:"何涛领五百官兵、五百公人,而写来恰似深秋败叶,聚散无力;晁盖等不过五人,再引十数个打鱼人,而写来便如千军万马,奔腾驰骤"。对避罪在逃的武行者又这样批(贯华堂本第三十一回):"写武松到处有人拜门生,可谓荣华之极","官司榜文,有如无物"。这就表现了两件事,一是《水浒》的真实性,人民的力量胜过官军;一是《水浒》的倾向性,歌颂人民。这就是从文学艺术的具体作品反映了阶级斗争,反映了作家对待人民的态度。像这样的作品就是富有人民性的作品,就是表现了进步思想的作品,一般叫做现实主义的作品,而它的手法,如《水浒》,在很大的程度上是浪漫主义的。关于"人民性"的概念,又必须有具体的分析,毛泽东同志指示我们:"人民这个概念在不同的国家和各个国家的不同的历史时期,有着不同的内容。"比如《红楼梦》是伟大的现实主义作品,它在它的时代里起了很好的反对封建主义的作用,无论在男女问题上,父子关系上,仆婢制度上,科举制度上,宗教迷信上,官僚制度上,都表现了作者的民主主义的思想,这就符合了它的历史使命,它对"人民性"三个字毫无愧色,它的进步意义是极大的。我们不能因为《红楼梦》对农民的描写反映了它的作者的反封建思想是属于资产阶级反封建的范畴就贬低它的价值。毛泽东同志指示我们:"无产阶级对于过去时代的文学艺术作品,也必〔须〕首先检查它们对待人民的态度如何,在历史上有无进步意义,而分别采取不同态度。"我们就是在这个意义上提出衡量作品的思想性的客观标准,就是科学的标准。所谓具有进步的思想的作品,必是它表现了人民性,必是它在具体的历史时期反映了新兴的事物。

在对待民间文学和作家文学时,我们也决没有成见,但必须指出,民间文学的悲剧有不妥协性,如《孔雀东南飞》的两个少年男女,作家的悲剧人物如贾宝玉就表现了生活的依赖性,这反映了群众比个人有力量。又如《陌上桑》的喜剧风格可以说是健康的,罗敷这个人物写得很天真,表现了群众创作的美,而辛延年的《羽林郎》则文人的"温柔敦厚"气甚重,其实就是没有反抗性,——在剥削阶级文人的思想意识里,根本不存在"反抗"的意义,胡姬口里一面说"爱后妇",一面说"重前夫",正是作者的"理想"。今天有的说诗者硬说胡姬"表示出阶级敌意",是离开诗的形象附会其说。

同是知识分子的作家,同是美,必须分别其思想性的差异。拿杜甫和庾信比较,最有意义。庾信的美是容易动人的,所以杜甫说:"庾信平生最萧瑟,暮年诗赋动江关。"杜甫又爱好庾信的"清新",所谓"清新庾开府"。杜甫的诗也有"清新"和"萧瑟"的地方,特别表现在秦州诗方面,是杜甫学习了庾信的风格。但两人的作品所表现的思想,有战斗性的差异。对同样的山川,庾信的美是:"关山则风月凄怆,陇水则肝肠断绝。""于时瓦解冰泮,风飞电散。浑然千里,淄渑一乱。雪暗如沙,冰横似岸。逢赴洛之陆机,见离家之王粲,莫不闻陇水而掩泣,向关山而长叹。"这就是杜甫所说的"清新",所说的"萧瑟"。然而庾信在他所处的环境面前是低了头的,用他自己的话:"不暴骨于龙门,终低头于马坂。"杜甫的美则是:"磨刀'呜咽'水,水赤刃伤手! 欲轻'肠断'声,心绪乱已久! 丈夫誓许国,愤惋复何有? 功名图麒麟,战骨当速朽!"他的词汇是"战骨"。他不记得陆机,他不记得王粲,他的形象是一个士兵在陇水磨刀。下面我们抄他的《秦州杂诗》三首:

南使宜天马,由来万匹强。
浮云连阵没,秋草偏山长。
闻说真龙种,仍残老骕骦。
哀鸣〔呜〕思战斗,迥立向苍苍。

莽莽万重山,孤城山谷间。
无风云出塞,不夜月当关。
属国归何晚,楼兰斩未还。
烟尘一长望,衰飒正摧颜。

闻道寻源使,从天此路回。
牵牛去几许,宛马至今来。
一望幽燕隔,何时郡国开。
东征健儿尽,羌笛暮吹哀。

这些诗也是清新,也是萧瑟,然而诗人是"哀鸣〔呜〕思战斗",是"老骕骦"跋涉于中国的边境上,把他的爱国之思唱成了千秋绝调。确乎只有庾信暮年诗赋可以和杜甫的这些律诗比风格。

然而读庾信文章容易迷失方向,杜诗则给人以警惕,而且要人总是向着光明望。没有杜甫的美,就不好批评庾信的美,批评得不公平是不能解决问题的。有了庾信的美,又最容易说明杜甫的美,否则现实主义的美就没有了对照似的。庾信的美的消极作用,在于一方面他明明是说他"肝肠断绝",而一方面他又实在是写得风景迷人,如他写关外的寒冷,用典故来大逞其想像,"龟言此地之寒,鹤讶今年之雪",这就描写成了童话般的美丽,而且毫无政治标准,简直有一种精神上的胜利法。他说着"草无忘忧之意,花无长乐之心",实在他忘了忧,他是"鸟多闲暇,花随四时。"我们说读庾信的文章容易迷失方向就指此。杜诗的"无风云出塞,不夜月当关",诗人写其所见,等如在国防前线站岗的士兵之所见,所以接着就是"属国归何晚,楼兰斩未还。"杜诗之美足以惊天地而泣鬼神!"牵牛去几许,宛马至今来",这不很像庾信的修辞法吗?然而杜甫是现实主义的,他反映了他的时代,在国家民族的命运面前表现他是一个主人翁,他接着就写:"一望幽燕隔,何时郡国开。东征健儿尽,羌笛暮吹哀。"

　　陶渊明当然是一位大家。他在中国文学史上是作家离开民间文学而独立创造个人风格的第一个人,他又是以饱满的哲学思想濡着诗人的笔的第一个人。但陶渊明表现了很大的局限性,他的局限性在于他脱离政治,在于他的哲学思想是形而上学的。在今天看来,陶诗的美显然为陶渊明的思想的局限性驱逐到读者的意识范围以外去了。为什么说陶渊明的哲学思想是形而上学的?陶渊明自己说了:"人生归有道,衣食固其端,孰是都不营,而以求自安?"他就是追求抽象的"有道"。他的耕田就和佛教徒的乞食一样,不能不这样做,目的是"归有道"。他的《挽歌诗》第三首就是他对他自己"归有道"的写照:"荒草何茫茫,白杨亦萧萧。严霜九月中,送我出远郊。四面无人居,高坟正嶕峣。马为仰天鸣,风为自萧条。幽室一已闭,千年不复朝。千年不复朝,贤达无奈何。向来相送人,各自还其家。亲戚或余悲,他人亦已歌。死去何所道,托体同山阿。"旧日说诗者这样认识陶渊明挽歌的价值:"其于昼夜之道,了然如此。古之圣贤唯孔子、曾子能之,见于曳杖之歌、易箦之言。"以孔子、曾子来和陶渊明相比,是很对的,陶渊明的挽歌于庄子哲学的气氛之外就是孔子的"礼",主要是后者,"他人亦已歌"一句就是根据"礼"来的,所谓"里有殡,不巷歌。"他想像人生应该是这样合乎"礼"的了,"死去何所道,托体同山阿",而生者之中,"亲戚或余悲,他人亦已歌",这也叫做"哀而不伤"。陶渊明的挽歌就是他的"人生归有道"的注脚。我们从陶渊明的一生没有看出他的政治斗争,他的诗里对当时的政治没有表现他的具体意见,当刘裕伐后秦破长安的时候,他有《赠羊长史》衔使秦川的诗,他只是讲些抽象的道理,说什么"愚生三季后,慨然念黄虞。得知千载上,正赖古人书。"这样就是书呆子,脱离了当时的政治。在和他时代相近的鲍照的诗里还有"岁暮并赋讫,程课相追寻。田租送函谷,兽藁输上林。河渭冰未开,关陇雪正深。笞击官有罚,呵辱吏见侵"的反映,就这个现实主义的意义说,陶诗却是空白。而所有陶诗又都是写了个人的具体生活的,思想感情极真实,我们不能不承认他是第一流的美。然而陶渊明的思想有极大的局限性,因之他的作品的美到今天和我们就很生疏了。即如我们所引的他的挽歌诗,从抽象的儒家思想来说,这首挽歌的美的价值极大,是形象思维的范本,从严格的现实主义的原则说,它却比不上陆游

《示儿》的美,陆游的《示儿》到今天还是足以鼓动人心的,他嘱他的儿子"王师北定中原日,家祭毋忘告乃翁。"陶渊明《挽歌诗》第二首也写到家祭,他是这样写的:"在昔无酒饮,今但湛空觞。春醪生浮蚁,何时更能尝。肴案盈我前,亲旧哭我傍。欲语口无音,欲视眼无光。昔在高堂寝,今宿荒草乡。一朝出门去,归来良未央。"这说明他死了还是一位隐士的灵魂,他到底是什么时代的人呢?难怪他自己说:"不知有汉,无论魏晋。"这样的思想今天就不能引起我们的共鸣,我们对于陶诗的美当然也就归于淡漠了。

那么我们对于作品的思想性的要求是不是太严格了呢?我们对于作品的思想性的要求是根据我们前面所讲的思想的标准来的,标准只有一个,就是科学的标准,客观的标准,体现在文学艺术上是一般所提出的现实主义的标准。在这个标准之下,对具体时代具体作家具体作品又要作具体分析,所以我们对庾信的美的消极性的评价是公正的,把他和杜甫比较,是根据了一定的条件的;依照旧日的批评标准,陶诗和陶渊明的哲学思想叫做"双绝",今日就要减色,陶渊明的诗比起鲍照的诗来就显得缺乏现实性,根据历史主义的原则,应该如此分析。我们在前一章讲"生活和美"时,曾举了反映隐居生活的诗、别情诗、山水诗、边塞诗等四类,根据历史主义的原则,我们应该承认这四类诗的美,对它们的思想性不作苛刻的指摘,这样也正是不违背一般所提出的现实主义的原则,倒是符合现实主义的原则的。现在讲作品的思想性和作品的美,就要根据大家公认的现实主义的标准,对作品的思想性作具体的分析,不发生严格不严格的问题。

同时,我们分析作品的美,倒是不能降低艺术标准。如有名的新民歌《我来了》:"天上没有玉皇,地上没有龙王,我就是玉皇!我就是龙王!喝令三山五岳开道,我来了!"这首诗的气魄确实好,但它缺乏形象性,它抒情而无抒情的背景,用旧话说它不是即景生情。抒情诗的美都是情和景分不开,有景而无情不可,有情而无景亦不能产生效果。今天的《我来了》和古代的《击壤歌》倒很相似,从艺术形象性方面说。我们读《击壤歌》:"日出而作,日入而息,凿井而饮,耕田而食,帝力于我何有哉?"它也是有情而无景的,虽然它指出了许多的具体事物。

确立了作品的思想性的标准,又不降低我们对艺术的标准,然后是一个什么局面呢?将见美的天地非常之广,古今可以同日而语,而我们又总是跨过前人的。比如我们读毛泽东同志咏北戴河的词:"大雨落幽燕,白浪滔天,秦皇岛外打渔船。一片汪洋都不见,知向谁边。"这是如何博大的胸怀,它令我们记起孔丘的抒情的话:"鸟兽不可与同群,吾非斯人之徒欤而谁欤?"这两番的语言都表示人最同人亲近,所以毛泽东同志临沧海而怅望,孔子对原野而兴嗟。毛泽东同志的词在下面说:"萧瑟秋风今又是,换了人间。"这又令我们发深省,这是表现我们今天的社会是革了命的,人民大众翻了身,和孔夫子"天下有道,丘不与易也"的思想有质的差异。同样的对比更见于毛泽东同志写游泳的词,古代孔子川上之叹,何碍于我们今天的美呢?"江山如此多娇,引无数英雄竞折腰。"我们今天的天地非常之广。

在这一章里最后我们谈一个问题,作品所反映的作者的立场对作品的美有极大的关系,作品的思想性在很大程度上决定于作者的立场。比如《水浒》人物,李逵的形象无论如何是美的,他的立场光明,虽然他的有些行动我们可以不同意。他劈死"小衙内",一个小孩,为什么要遭你的大斧呢?我们不同意。当朱仝问他:"小衙内在何处?""李逵道:'被我把些麻药抹在口里,直抱出城来。如今睡在林子里,你且请去看。'朱仝乘着月色明朗,迳抢入林子里寻时,只见头劈做两半个,已死在那里。当时朱仝心下大怒,奔出林子来,早不见了三个人。四下里望时,只见黑旋风远远地拍着双斧叫道:'来,来,来,和你斗二三十合!'"这确实是真实的李逵的形象,出在他口里的话,和平日"江州杀人"的李逵也很有不同,"被我把些麻药抹在口里,直抱出城来。如今睡在林子里,你且请去看。"这很像古希腊的神话,没有恐怖气氛。"话说当下朱仝对众人说道:'若要我上山时,你只杀了黑旋风,与我出了这口气,我便罢。'李逵听了,大怒道:'教你咬我鸟!晁、宋二位哥哥将令,干我屁事。'"谁不承认这个形象美?作者和李逵是站在一个立场上,是人民的立场,所以写起来光明正大,虽然李逵这一行动我们可以不同意。在"黑旋风沂岭杀四虎"那一回,老虎吃了他的母亲,"四下里看时,寻不见娘。""寻到一处大洞口,只见两个小虎儿在那里舐一条人腿。李逵心里忖道:'我从梁山泊归来,特为老娘来取他。千辛万苦,背到这里,却把来与你吃了!那鸟大虫拖着这条人腿,不是我娘的是谁的?'"真是英雄的话语,美丽的性格。关于"小衙内"而回答朱仝的话,同样是英雄的话语,美丽的性格。《水浒传》凡写李逵的地方,都表现作者的立场的正确,极力要把这个英雄人物写得真实,因之能感动我们。若站在资产阶级的立场上,就容易以"人道主义"来排斥《水浒》了。我们再研究"母夜叉孟州道卖人肉"这一回,这一回充满了人情气氛,没有丝毫的恐怖气氛,应该和希腊神话比美,因为希腊神话以写恐怖而并不恐怖著称。而《水浒》特有《水浒》的光明正大的人民立场。好比"人肉作坊"这个名词,"人肉作坊"里究竟死了谁呢?其实没有谁。就我们所知道的,鲁智深在那里经过一回,"正要动手开剥,小人恰好归来,见他那条禅杖非俗,却慌忙把解药救起来,结拜为兄。"这当然是浪漫主义。"只可惜了一个头陀,长七八尺,一条大汉,也把来麻坏了。小人归得迟了些个,已把他卸下四足。"这是为后来替武松打扮出家作张本,读之有趣,没有另外的头陀在那里"卸下四足",只是文章写得妙罢了。"张青便引武松到人肉作坊里,看时,见壁上绷着几张人皮,梁上吊着五七条人腿,见那两个公人,一颠一倒挺在剥人凳上。"这几句文章,金圣叹批了三个"妙"字,更加一批道:"特详之,以为昔之鲁达,今之武松,已开剥之头陀,未开剥之公人,一齐出色也。"总之剥人凳上并没有恐怖的故事,这是《水浒》的伟大的美。后来武松向张青说道:"武松平生只要打天下硬汉。这两个公人,于我分上,只是小心,一路上伏侍我来。我若害了他,天理也不容我。你若敬爱我时,便与我救起他两个来,不可害他。""当下张青叫火家,便从剥人橙〔凳〕上,挽起两个公人来。孙二娘便调一碗解药来,张青扯住耳朵,灌将下去。没去半个时辰,两个公人,如梦中睡觉的一般,爬将起来,看了武松说道:'我们却如何睡在这里?这家怎么好酒,我们又吃不多,便怎地醉了?记着他家,回来再向他买吃。'"读之哪里有一点"剥人凳上"的味道?我们必须把《水浒》的美表彰出来。《水浒》之所以美,在于它的伟大的人民的立场,它写人民决不能写出不美的东西来。

第七章　内容和形式

我们在上一章讲作品的思想性,是注重内容问题。这一章的题目是"内容和形式",重点是讲形式问题。马克思主义在任何方面都是主张内容和形式的统一,因为真理本来是如此,无论自然现象,无论社会现象,都是内容决定形式,同时形式正是表现内容的,离开形式就不能谈内容。好比太阳,它有它的内容,它也就有它的形式;流水,它有它的内容,它也就有它的形式,如果水化为蒸气,形式变了,它就和流水不一样了。人的思想是内容,表达思想的语言是形式,没有要表达的思想就没有语言,没有语言的思想也是不能设想的。社会科学当中的美学,特别有阐明内容和形式的统一的任务。内容是重要的,因为内容是灵魂;在重内容的前提下重形式,更是当然,因为形式好比人的五官四肢,我们所看见的本来是有生命的身体了。

主题思想可以是同一的,好比同一个爱国主义,而表现的形式可以为音乐,可以为绘画,可以为诗歌,可以为戏剧、小说等。这一层是首先要指出的。

中国的音乐是发达的。古代音乐的成就很高,从孔子的盛谈音乐可以看得出来。中国的诗歌,中国的散文,中国的绘画,都是发达的。在雕塑方面则中国不能和古希腊相比,一说古希腊的艺术就一定要想到它的雕刻,在中国就不是这样,甚至可以不想起这门艺术,中国的戏剧也不象希腊很早就有,独立的戏剧如话剧到今天不茂盛。这两件事我们要注意,在美的部门里,中国缺少西方雕刻的美,中国戏剧的美也和西方戏剧的美不尽同。我们认为这两件事是有联系的,并非偶然,独立的戏剧美利用空间表现人的动作,不过其动作是连续的,是发展的,西方的雕刻也正是从空间表现人的动作集中在一顷刻之间,它以静而写动。中国的画和西方的画也不同,这又是当然的,因为中国缺少西方雕刻的美,而西方的画和西方的雕刻是一个系统,不过后者限于在空间起作用,前者则把空间的作用移到平面上去。可否这样说,中国的美,音乐的性质贯穿到各个部门,戏剧不用说,散文在相当程度上也依靠音乐?是的,比如中国的赋,其实质是散文,而赋的形式是韵文,有节奏和韵律的作用。中国的画,它和音乐也和谐得很,从古以高山流水作为知音,诗人兼画家的王维也就是音乐能手,"独坐幽篁里,弹琴复长啸,深林人不知,明月来相照。"诗中有画,也有音乐。根据以上所说,我们讲艺术形式,应该承认民族的特点,不可以言必称希腊,把西方的一套硬搬过来,虽然西方的东西对我们今天有很好的借鉴和促进的作用。

西方的东西对我们起了什么借鉴和促进的作用呢?最显著的是散文,"五四"以来新的文体是西方的文体对我们的文体起了促进作用,在我们的前面摆出了无限的发展前途,同时应当吸收过去文章所有的优点,无愧为民族的风格。其次,西方的话剧告诉我们以戏剧发展的方向,戏剧应该有它的独立的美的功能。还有,中国为什么产生"五四"以来的新诗?这件事明明和西方的诗有关系。新诗之出现于中国,是不是象话剧应该出现于中国一样？我们的回答都是肯定的。

形式问题，在各民族首先还是有共同要说的话，比如雕塑和绘画有联系，音乐和文学有联系，戏剧不同于其他文学形式，韵文不同于散文，叙事诗不同于抒情诗，在任何民族的艺术科学里是同样的规律存在着。这叫做普遍性的问题。特殊性的问题都是从普遍性的问题来的。中国戏剧的前途是一个特殊性的问题，提出而且企图解决这个特殊性的问题，当然要在普遍性的问题的基础之上，首先问戏剧的特点是什么。中国诗的前途也是一个特殊性的问题，提出而且企图解决这个特殊性的问题，当然要在普遍性的问题的基础之上，首先问诗的特点是什么。

我们就谈戏剧。戏剧这个艺术形式，它的特点是什么呢？尽管中国的戏曲以歌唱为其重要的因素，它和词一样是按谱填词的，但它不是词，词和诗一样不需要当时的动作，戏曲则离了人物当时的动作不能存在。所以动作就是戏剧的特点，为各民族所共同。在西方向来以元曲《赵氏孤儿》作为中国戏的代表，就因为《赵氏孤儿》容纳了许多的动作，把这些动作搬到舞台上来，织成矛盾的焦点。当程婴决定把自己的婴儿代替赵氏孤儿，把赵氏孤儿带到太平庄见公孙杵臼，求公孙杵臼收藏赵氏孤儿，养他成人，为他父母报仇，这个动作就足以构成戏剧。在程婴是经过思想矛盾得到了解决的，因为屠岸贾有令如果搜不出赵氏孤儿，要杀尽"半岁之下，一月以上"的小孩，程婴牺牲自己的小孩，"一者报赵驸马平日优待之恩，二者要救普国小儿之命。"乃至公孙杵臼问他："程婴，你如今多大年纪了？"程婴说他四十五岁。公孙杵臼就告诉他："我再着二十年呵，可不九十岁了，其时存亡未知，怎么还与赵家报的仇？程婴，你肯舍的你孩儿，倒将来交付与我。"这一来扶养赵氏孤儿的任务就交给了程婴,但又有了矛盾,程婴顾虑公孙杵臼"怎熬的这三推六问,少不得指攀我程婴下来,俺父子两个死是分内,只可惜赵氏孤儿终归一死。"公孙杵臼请程婴放心,"老夫一死,何足道哉?"矛盾解决了。到了屠岸贾杖打公孙杵臼,要他招承,而且又令程婴行杖,戏就到了顶峰了,一个动作又一个动作,以至"土洞中搜出个赵氏孤儿来了也",屠岸贾拔出剑来,把他(程婴的孩子,程婴在场)"一剑!两剑!三剑!"这就是戏剧。所以戏剧和别的文学形式不同,它不但要语言,它尤其要动作,它不但靠剧作家编剧,它还靠演员表演。在《窦娥冤》里,窦娥"捱千般打拷,万种凌逼,一杖下,一道血,一层皮",关汉卿的语言是最动人的,不必看戏,读起剧本来,就受其吸引。而当州官问:"你招也不招?"窦娥:"委的不是小妇人下毒药来。"州官:"既然不是,你与我打那婆子。"窦娥:"住住住,休打我婆婆,情愿我招了罢。是我药死公公来。"这在舞台上效果就很大,这就不以语言为主要作用,而靠表演动作,这说明戏剧的特点。

　　戏剧的形式好象是很自由的,生活把整个的空间都给了它,还不由它来去无牵挂吗?其实戏剧同雕塑一样,比起其他艺术形式来,限制性是最大的。一个人体,立在空间,并不给与环境,这是雕塑,雕塑正要在这个限制之中驰骋它的美。绘画就尽有环境的余地,它所受的限制就小一些。还有,雕塑就是雕塑,戏剧也就是戏剧,上面不能有作者,诗歌和小说可以而且有时必要把作者加进去,这在表现上就自由得多了,如杜甫的《石壕吏》,杜甫自己加进去了,鲁迅小说《祝福》,作者也加进去了。《石壕吏》是可以改编成戏剧的,鲁迅小说《祝福》已改编为电影,在舞台上、银幕上当然就不能有杜甫、鲁迅出场,而杜甫写《石壕吏》、鲁迅写《祝福》的思想感情必定要体现出来,这就完全靠人物本身的动作,而且靠故事来导引动作,发展动作。上面的话就是说,诗和小说里的"我",在戏剧里取消了。因为有"我",到处遇见生活,也就是到处有故事,象旅行者一样,见山说山,见水说水,王维的《终南山》就从终南山一直写到海,把樵夫、把自己都写进去了。如果是戏剧,不能因为有山,就有樵夫的,要有樵夫的戏才有樵夫。所以戏剧的樵夫不容易出现,也就是戏剧里的生活不容易出现,一出现就是一个问题。又不要为问题而出现生活,是生活自己出现。还有,戏剧是当观众而演的,而戏剧不是对观众说话,它的话不能有那么多,它的人物确乎是雕塑艺术的性质,应该离开语言而有力量。戏剧当然有语言,伟大的戏剧作家莎士比亚就因为他的伟大的诗的语言,但同诗歌和小说比,戏剧近乎雕塑,它不容许有长篇的独白,戏剧艺术不是向观众说话的形式。莎士比亚的戏剧,有时就因为伟大的诗人的语言,看得出是莎士比亚自己在做诗了,戏剧就显得夸张。总之戏剧是生活本身的集中,动作是主要的,故事是主要的,语言当然重要,但它不同于诗和小说以语言为唯一的能事了。

小说的形式,比起戏剧来,可以说是自由得很,没有故事都行,只要有生活,只要掌握了表现生活的语言。《红楼梦》是伟大的小说,它的艺术特点是什么?它的艺术特点就是它的伟大的小说的语言。《红楼梦》当然有故事,但它的故事是表面性的东西,只供作者一个写作的线索,再加之以生活的实际如此,这就是故事,其实随便从哪里写起都行。至于贯穿全书之"一僧一道",更是表面之表面,算不得真正的故事了。《红楼梦》第四十六回能说明这部小说的伟大艺术,它决不是戏剧的美,它是小说的美,也就是语言的美。这一回出现了不少的人物,都不是戏剧的出现,是小说的出现。比如鸳鸯,平儿,袭人,都在园子里会见了,鸳鸯的嫂子也来了,这四个人物出现得多么自然,要来就来,要去就去,就靠她们自己说话,她们的话就是她们各自的灵魂的跳跃,在任何艺术创作里难得有这样真实的人物,作者的安排布置都是多余的,作者只是应接不暇。我们读:"他(鸳鸯)嫂子自觉没趣,睹气去了。鸳鸯气的还骂,平儿袭人劝他一回,方罢了。平儿因问袭人道:'你在那里藏着做什么?我们竟没有看见你。'袭人道:'我因为往四姑娘房里看我们宝二爷去了,谁知迟了一步,说是家去了。我疑惑怎么没遇见呢?想要往林姑娘家去,又遇见他的人,说也没去。我这里正疑惑是出园子去了,可巧你从那里来了。我一闪,你也没看见。后来他(鸳鸯)又来了,我从这树后头走到山子石后,我却见你两个说话来了,谁知你们四个眼睛没见我。'一语未了,又听身后笑道:'四个眼睛没见你,你们六个眼睛还没见我呢。'三人吓了一跳,回身一看,你道是谁,却是宝玉。袭人先笑道:'叫我好找!你在那里来着?'宝玉笑道:'我打四妹妹那里出来,迎头看见你走了来,我想来必是找我去的,我就藏起来了哄你。看你扬着头过去了,进了院子,又出来了,逢人就问,我在那里好笑,等着你到了眼前,吓你一跳。后来见你也藏藏躲躲的,我就知道也是要哄人了。我探头儿往前看了一看,却是他们两个,我就绕到你身后头。你出去,我也躲在你躲的那里了。'平儿笑道:'咱们再往后找找去罢,只怕还找出两个人来,也未可知。'宝玉笑道:'这可再没有了。'"这就完全是小说,在小说的叙述里可以这样捉迷藏似的让人物一个一个地出现,而目的不是为得捉迷藏,是人物出来好说话,是作者刻划人物。如果换一个戏剧舞台的空间,人物就只好捉迷藏,没有说话的余地,当然也就没有这样捉迷藏的戏了,那只能是游戏。《红楼梦》第四十六回可不是游戏,作者的一枝笔有千钧之重,通过贾赦要讨鸳鸯做小老婆这件事,刻划了许多典型,数一数有鸳鸯,平儿,袭人,鸳鸯的嫂子,凤姐,邢夫人,这些都是大篇幅。贾赦写得不多,不多而把他的丑完全暴露出来了,而且这一回处处和他有关。贾琏也只写了几笔,几笔也就是贾琏的丑相。贾宝玉在这一回不是主要的,但也少不了他,他的出场也是刚刚合式。其余出场的人物就不数了。典型环境中的典型人物,作者对其小说人物的倾向性(如正义感是在鸳鸯一面),不需要故事,只靠对话,这就是《红楼梦》的伟大的小说的美,就是小说语言的美。

  现代鲁迅的小说也完全是小说语言美。和《红楼梦》又有差异,鲁迅小说中人物对话倒是戏剧性的,决不说到一大篇,短短的话加在动作当中,他的小说的特点充分表现在叙述上,任何鲁迅小说的叙述语言是小说独有的美了。如《药》里刻划丁字街口市民看杀头的文章,我们在"民族形式和美"那一章里曾经引过,那就完全从语言来写动作,这些动作本身是不能产生戏剧效果的,而用语言描写出来,就是惊人之笔,表现了小说的倾向性,同时读者所获得的是美感,因为语言的形象性。又如这一段:"'这给谁治病的呀?'老栓也似乎听得有人问他,但他并不答应;他的精神,现在只在一个包上,仿佛抱着一个十世单传的婴儿,别的事情,都已置之度外了。他现在要将这包里的新的生命,移植到他家里,收获许多幸福。太阳也出来了;在他面前,显出一条大道,直到他家中,后面也照见丁字街头破匾上'古□亭口'这四个暗淡的金字。"这是小说美,小说美是纸面上语言的渲染,不是人物在空间的动作了。在《明天》里这样描写黑夜:"这时的鲁镇,便完全落在寂静里。只有那暗夜为想变成明天,却仍在这寂静里奔波;另有几条狗,也躲在暗地里呜呜的叫。"这个景是布不出来的,完全是小说的语言美。以语言来刻划人物心理,也是小说形式的特长,如写宝儿抬出去埋葬了,那一夜的单四嫂子:"他现在知道他的宝儿确乎死了;不愿意见这屋子,吹熄了灯,躺着。他一面哭,一面想:想那时候,自己纺着棉纱,宝儿坐在身边吃茴香豆,瞪着一双小黑眼睛想了一刻,便说,'妈——爹卖馄饨,我大了也卖馄饨,卖许多许多钱,——我都给你。'那时候,真是连纺出的棉纱,也仿佛寸寸都有意思,寸寸都活着。"这样的形象是找不到舞台的,只有小说的语言才有用武之地。又如《故乡》里写行舟,这样的一句:"我躺着,听船底潺潺的水声,知道我在走我的路。"这写得多美,非小说语言就刻划不出这个形象。凡这些都说明用小说形式来反映生活,有极大的自由性,简直可以说不受限制。有时候一种动作不是戏剧所能表演,而小说容易描写,如写阿 Q 在游街示众,"阿 Q 忽然很羞愧自己没志气:竟没有唱几句戏。他的思想仿佛旋风似的在脑里一回旋:《小孤孀上坟》欠堂皇,《龙虎斗》里的'悔不该……'也太乏,还是'手执钢鞭将你打'罢。他同时想将手一扬,才记得这两手原来都捆着,于是'手执钢鞭'也不唱了。

'过了二十年又是一个……'阿 Q 在百忙中,'无师自通'的说出半句从来不说的话。"这个复杂的过程写出来毫不费力。"车子不住的前行,阿 Q 在喝采声中,轮转眼睛去看吴妈,似乎伊一向并没有见他,却只是出神的看着兵士们背着的洋炮。"这在戏剧里也不能反映,而在小说里格外容易添进去,使得故事不单调,也增加人物性格的真实性。有时一种动作是可以表演的,但不如用语言的描写有效果,也就显得小说的长处,如《孔乙己》里写孔乙己打断腿之后的走路:"他从衣袋里摸出四文大钱,放在我手里,见他满手是泥,原来他便用这手走来的。"这里"用这手走来的",写来全不费工夫,表演起来就麻烦了。又如《头发的故事》里描写北洋军阀时代北京的双十节:"早晨,警察到门,盼咐道'挂旗!''是,挂旗!'各家大半懒洋洋的踱出一个国民来,撅起一块斑驳陆离的洋布。这样一直到夜,——收了旗关门;几家偶然忘却的,便挂到第二天的上午。"这是旧中国的政治面貌,寥寥几笔勾画得多么真实,只有小说的语言办得到。小说的语言又从用比喻上显其优点,如鲁迅在《故乡》里刻划闰土:"他只是摇头;脸上虽然刻着许多皱纹,却全然不动,仿佛石象一般。"这个闰土就画得好。《祝福》里的柳妈又是这样刻划的:"柳妈的打皱的脸也笑起来,使她蹙缩得象一个核桃"。《端午节》里写金永生:"我午后硬着头皮去寻金永生,谈了一会,他先恭维我不去索薪,不肯亲领,非常之清高,一个人正应该这样做;待到知道我要向他通融五十元,就象我在他嘴里塞了一大把盐似的,凡有脸上可以打皱的地方都打起皱来。"凡这些,都能表明语言艺术较之绘画、雕塑、以及舞台表演为不受限制,容易逗想象。

  从上文比较戏剧和小说的话,我们是不是认为戏剧的范围小些,小说的天地大些?是的,戏剧因为需要适当的故事,适当的动作,取材的范围是要狭窄些,在生活的素材中难得找戏剧。如果有了戏剧,那它的效果就不是小说所能及,尽管它不需要华丽的语言,也并不象中国戏的传统需要音乐的帮助,它也不象绘画一定需要彩色,它的人物的动作就是一座不朽的雕像立在空间。我们看易卜生所创造的娜拉,当她的丈夫海尔茂最后从信箱里取出信来,走进书房去看,这其间,娜拉的形象是典型的戏剧形象,只有在空间表演得出来,不是语言所能为力的。娜拉正朝着门厅跑出去,海尔茂猛然推开门,手里拿着一封拆开的信,站在门口。海尔茂:"娜拉。"娜拉叫起来:"啊!"海尔茂:"这是谁的信?你知道信里说的什么事?"娜拉:"我知道。快让我走!让我出去!"娜拉想出去投水自杀。她以为海尔茂看了柯洛克斯泰的信之后,"奇迹来了!"满心以为海尔茂一定会对柯洛克斯泰说,"尽管宣布吧"。说了这句话之后,还一定会挺身出来,把全部责任担在自己的肩膀上,对大家说,"事情都是我干的。"这是娜拉认为大祸临头的时候要发生的"奇迹"。"为了不让奇迹发生,我已经准备自杀。"而"奇迹"没有发生,海尔茂是这样对娜拉说:"你这坏东西——干得好事情!"娜拉:"让我走——你别拦着我!我的坏事不用你担当!"海尔茂:"不用装腔作势给我看。(把出去的门锁上)我要你老老实实把事情招出来,不许走。你知道不知道自己干的什么事?快说!你知道吗?"娜拉(眼睛盯着他,态度越来越冷静):"嗯,现在我才完全明白了"。这个语言是平常的,这个戏剧的形象就是一座雕像,靠演员的表演,如果读剧本就靠读者的想像,这个说话的娜拉该有多么深刻的性格,是从她的环境发展来的。往下娜拉的动作都不是语言所能够说明,都是空间的不朽的雕像,易卜生的好故事,易卜生的好戏剧。最后娜拉的出走,也并不是浪漫主义,是现实主义,如恩格斯所说:"挪威的小资产阶级妇女,比起德国的小市民妇女来,也要高出不知多少。不管易卜生的戏剧有着怎样的缺点,它们却反映了一个世界,一个虽然是属于中小资产阶级的,然而比起德国的来,却要高出不知道多少的世界;在这个世界里的人物,还有着自己的性格,有着开创的能力,能够独立地行动,虽然从外国人的观点看来不免有点儿奇怪。"娜拉对海尔茂说:"我马上就走,克立斯替纳一定会留我过夜。"海尔茂:"你疯了!我不让你走!你不许走!""你不许我走也没用。我只带自己的东西。你的东西我一件都不要,现在不要,以后也不要。"海尔茂:"你怎么疯到这步田地!"娜拉:"明天我要回家去——回到从前的老家去。在那儿找点事情做也许不太难。"海尔茂:"喔,像你这么没经验——"娜拉:"我会努力去吸取。"这是易卜生的现实主义。最后娜拉走了,在舞台上娜拉从门厅走出去的形象,联系着全剧的动作,要靠演员的表演,如果读剧本,靠读者的想像,正如读一座雕像,剧本里的话是极其简单的。如果写小说,语言就有无限的渲染的本领。

诗是语言艺术的集中的表现。各民族的诗反映着各民族的语言的特点,各民族的语言的特点形成各民族的诗律。各民族的诗律虽不同,而诗律是公认的"整齐一律"和"平衡对称"在语言中起着作用,就是节奏和韵这两件事。语言有节奏,有韵,便是诗的形式。很明白,诗,因为节奏和韵,把语言和音乐这两个种类的美结合起来了。音乐的感性是可闻的,不象雕塑和绘画的感性是可见的,可见的感性因空间而起作用,可闻的感性因时间而起作用。空间的东西,无论平面或立体,是有量的;时间的东西则必须加一个量进去,否则像一条直线似的,无限地延长,所以音乐需要节拍。赫〔黑〕格尔说得好:"在空间上并列的东西一目就可了然,但是在时间上这一顷刻刚来,前一顷刻就已过去,时间就是这样在来来往往中永无止境地流转。就是这种游离不定性需要用节拍的整齐一律来表现,来产生一种定性和先后一致的重复,因而可以控制永无止境的向前流转。"[1]音乐的节拍,在诗里就是节奏;诗里的韵,是于相等于音乐的节拍之外又加了一种语言的节拍,在一首诗里起整齐一律和平衡对称的作用。语言本身是有音乐性的,一篇散文也应该念起来顺口,念起来顺口就是听起来悦耳,但散文好比一条水流,汩汩流水最是滔滔不绝,就是赫〔黑〕格尔所说的音乐的时间延续性,所以散文不能用几个句子就成功一篇文章,散文也做不到一下子把故事交代出来,它需要逻辑,把句子组织起来。若诗,像"关关雎鸠,在河之洲。窈窕淑女,君子好逑。"这四句就成功一章,它是语言和音乐的结合,用节奏和韵控制无止境的流转,即刻是起点,即刻又落地了。再来一章"参差荇菜,左右流之,窈窕淑女,寤寐求之。……"就不外乎是重复。故事诗如《孔雀东南飞》,因为写故事,诗是写得长了,但它同样地是利用节奏和韵,我们看它的起头:"孔雀东南飞,十里一徘徊。十三能织素,十四学裁衣,……"一句,二句,三句就入了题。如果是散文,靠逻辑的组织,决不能那么快写到主人公十三岁能做什么了。再看《木兰诗》的开头:"唧唧复唧唧,木兰当户织。……"其实"唧唧复唧唧"五个字有什么意义?而因为合乎诗的节奏的规律,就能像波浪似的把"木兰当户织"的形象推涌出来了。这五个字的形象,用散文是无论如何不容易导引出来的。接着"不闻机杼声,惟闻女叹息"也是

---

[1] 黑格尔:《美学》,第一卷,309页,人民文学出版社。——作者原注

一样,因为是诗的原故,才这么容易入题。所谓诗者,在这里就是五言诗的节奏和韵脚而已。"东市买骏马,西市买鞍鞯。南市买辔头,北市买长鞭。朝辞爷娘去,暮宿黄河边。"这六句在散文里就不能有的,因为诗的原故,唱一句东市买,再唱一句西市买,于是又南市买,北市买,不嫌其单调,平衡对称,而又整齐一律。而"朝辞爷娘去"马上就转入"暮宿黄河边",在散文的逻辑性上就不允许,因为诗的节奏的原故则两句的唱和最为自然。后文写木兰归来,"将军百战死,壮士十年归。"于一般的五言诗的节奏之外,又加了对仗法。汉语的对仗法,也正是整齐一律和平衡对称的应用。因为节奏和韵(包括换韵),诗能长。因为节奏和韵,诗更能短,两句可以为诗,如《易水歌》:"风萧萧兮易水寒,壮士一去兮不复还!"三句可以为诗,如《大风歌》:"大风起兮云飞扬,威加海内兮归故乡,安得猛士兮守四方!"这两首歌基本上是七言节奏。到了四句为诗,那就太普通了,唐人绝句太有名了。就语言的量说,四句也算少得很,然而任何一首绝句都是完整的。其所以完整的原故,是因为节奏和韵,如果把它改成散文,就是取消它的节奏和韵,那它可以成为意义相等的四句话,绝对地不是完整的艺术品了。如李白的《静夜思》:"床前明月光,疑是地上霜。举头望明月,低头思故乡。"又如他的《早发白帝城》:"朝辞白帝彩云间,千里江陵一日还。两岸猿声啼不住,轻舟已过万重山。"这都是语言和音乐的结合的美,诗的音乐表现在节奏和韵,在绝句里又加上了平仄的音乐。所有的诗的共同规律,是节奏和韵两件事,不论平仄。律诗于平仄之外,又要求对仗,是从汉语的特点来的,根据汉语语法规律,汉语容易作对仗,扩大了整齐一律和平衡对称的作用。总之如果问,诗和散文的区别在哪里？那就只能概括为一句，散文是语言的艺术，诗是有节奏和韵的语言的艺术。一九五八年劳动人民大量创作新民歌，正是证明用汉语写的诗的节奏性和韵脚的作用，平仄不能算作因素。节奏和韵，是音乐把节拍的必要性加给语言，因而在形式上产生完整的量，同时一首诗所表现的内容又必适合其形式，就是内容本身要完整。无论古代有名的诗，或是今天的新民歌，都是如此。我们看唐人的绝句，它最表现诗的完整性，如王维的《送元二使安西》："渭城朝雨浥轻尘，客舍青青柳色新。劝君更尽一杯酒，西出阳关无故人。"这样的诗，读到第三句还不知道它的度量，仿佛它还很有篇幅似的，一到第四句，它就圆满了，无论内容和形式，两方面都没有丝毫的遗漏。新民歌如《四川出现双太阳》："阳春三月好风光，四川出现双太阳，青山起舞河欢笑，人民领袖到农庄。"读到第三句，仿佛还有很多的文章似的，一读第四句，内容和形式都圆满了。这叫做诗的完整。我们所讲的适合于古今中外的诗。

上面我们谈了普遍性的美的问题。我们谈这些普遍性的问题，其目的是想指出两件重要的事，一，根据戏剧的特点，我国戏剧还应该发展话剧；二，根据诗的特点，中国的新诗将如何？

我们说我国戏剧还应该发展话剧，并不同"五四"初期新文学运动者那样蔑视我国传统的戏剧，它有宾白，有歌唱，它是现实主义和浪漫主义结合的表演艺术和创作方法，我们欣赏我们自己的民族形式。"五四"初期新文学运动者受了西方现实主义文学的鼓舞，首先介绍易卜生到中国来，这确实有必要，应该供我们借鉴，可是兹事体大，没有辩证唯物主义历史唯物主义的立场、观点和方法，在半封建半殖民地的中国，就等于无源之水，其涸可立而待,所以胡适也是介绍易卜生的,他还写了《终身大事》的戏,何曾挽救他自己陷入帝国主义"文化"的泥坑？同时胡适也不懂得文学艺术的民族形式,他把构成中国戏的民族形式的各种因素笼统地叫做"遗形物",这是典型的资产阶级的方法,即形式主义的方法。现在我们确立了辩证唯物主义的立场、观点和方法,对具体问题作具体分析,一方面承认中国老百姓所喜闻乐见的中国戏的民族形式,一方面主张应该发挥戏剧美的特点,它是表现动作的,把中国戏所加进的音乐美给分解出去,那么它就能够和现代生活的内容完全统一起来。舞台上就是说普通话,没有唱辞,服装也就是普通的服装,走路也就是普通人的走路。一句话,就是话剧。易卜生的戏确实供我们借鉴。易卜生的戏反映了挪威小资产阶级的力量,"在这个世界里的人物,还有着自己的性格,有着开创的能力,能够独立地行动。"我们今天是工人阶级领导全体劳动人民、知识分子走社会主义的道路,我们掌握了辩证唯物主义历史唯物主义的哲学,我们的力量该是多么强,我们应该发现无愧为伟大时代的戏剧动作,每一动作就是一座伟大的雕像,再加之以舞台的语言,这是完全可能的。我们曾经称赞过《挡不住的洪流》,称赞过那里面的《草苗争长》,那里面的《激流》,这些都是散文报道,但其中充满了戏剧性,把我们生活上的戏剧集中起来,移到舞台空间,都足以顶天立地。我们是应该前无古人的。从中国共产党领导中国革命以来,该有多少"生的伟大,死的光荣"的舞台形象？我们必须努力,必须创造,必须指出方向来。黑格尔在区别诗和音乐的时候,认为诗高于音乐,他又区别散文和诗,认为散文是艺术达到最高的阶段,"到了这最高的阶段,艺术又超越了自己,因为它放弃了心灵借感性因素达到和谐表现的原则,由表现想像的诗变成表现思想的散文了。"①这话里面包含了一定的内容,应用到中国戏的发展上,中国戏应该离开音乐,离开歌唱,向散文的阶段发展,就是向话剧发展。同时我们欣赏我们的民族形式,我们主张百花齐放,推陈出新。

根据诗的特点,中国的新诗将如何?中国的新诗已经自己闯出了一个方向,新民歌又证明五七言体是汉语歌唱的最自然的节奏,这两个东西,新诗和新民歌,都是告诉我们中国诗应该离开词曲发展的道路,回到诗是有节奏的语言的道路。一句话,诗要节奏和韵,但它不要音乐的谱子。历史上中国的诗,由诗而发展为词曲,是把诗的路变为歌唱的路,也就是走音乐的路,词离诗的路还不甚远,但已离开不少,曲则已经不是诗了,是歌舞剧了。今天的诗是还了原,事实明明摆在面前:旧诗一直有人在做;新诗虽是和外国诗有关系,但它到底不能学外国诗的格律,它应该是汉语的有节奏和韵的一种体裁,另外也可以有不要韵的新诗;再就是新民歌。词,我们当然承认它的民族形式的性质,它是中国诗的一种,但在路程上,词是背离了诗的发展的道路,那是无疑义的,所以它一变就变成曲了,曲就决不是诗了。诗如果朝音乐方面走,确不是进步的路,赫〔黑〕格尔的意见应该供我们参考,只是我们不同意他的音乐——诗——散文这一条直线,我们认为音乐,诗,散文,永远是三样的美,同时散文的发展更无止境也是事实。关于旧诗和新民歌的民族形式的性质,我们已讲得不少,现在应该讲一讲新诗。有人认为新诗相当于

---

① 黑格尔:《美学》,第一卷,109页,人民文学出版社。——作者原注

词,因为新诗也是一种长短句,这是不正确的说法,他们不知道词是中国诗走音乐的道路的结果,新诗是离开音乐的谱子而走散文造句的道路,就是自由诗。自由诗,它当然还是要节奏的,不过它不是歌咏的节奏,是朗诵的节奏。既然是诗,它当然还要韵。不要韵的自由诗可以有,不过这种自由诗很难,名叫自由,它最不自由,它好像一座雕像一样,不要衬托而本身完整,不是任何时间的动作都能在空间站立得起来的。在古典文学里可以找出自由诗的例子,陈子昂的《登幽州台歌》就是。这首诗是散文造句的路子。这首诗有雕塑的美,刻划一瞬间。从美学的角度来研究新诗,和从文学史的角度来研究新诗,其所要说的话不同,从美学的角度,就是要指出新诗也正是内容和形式的统一。"五四"以来新诗的美足以和散文抗衡,而且两方面的发展将都是无限的。下面我们举出七首新诗来证明新诗的美,证明它是内容和形式的统一。一首是陈然烈士的新诗(《革命烈士诗抄》):

我的"自白"书

任脚下响着沉重的铁镣,
任你把皮鞭举得高高,
我不需要什么自白,
那怕胸口对着带血的刺刀!

人,不能低下高贵的头,
只有怕死鬼才乞求"自由";
毒刑拷打算得了什么?

死亡也无法叫我开口!

对着死亡我放声大笑,
魔鬼的宫殿在笑声中动摇;
这就是我——一个共产党员的自白,
高唱葬歌埋葬蒋家王朝。

这是诗歌走散文的路,这是新诗,它有节奏,有韵。这首新诗的美不是旧体诗所能代替的了。

我们举戈振缨的一首(一九五六年九月号《人民文学》):

多情的水啊

……那已是十几年前
激烈的战斗刚刚结束,
空中的硝烟还未消散,
被汗水湿透了鬃毛的战马,
驮我跑到马恋河边。

多么清澈的河水啊!
水底映着碧蓝的天,
我跳下马来弯身掬起河水,
送到嘴边一口喝干。

空中的硝烟慢慢消散,
军号催我继续向前,

翻身又跨上我的骏马,
……一去十年不曾回还!

今天在报上又见到你的名字:
马恋河上正在把水库兴建……
兴奋地注视着手里的报纸,
我的心又回到了马恋河边:
仿佛我又饮了几口河水,
透明的水啊,也许比当年更加清甜!

马恋河啊,在走向共产主义的路上,
　你将青春长驻;
在我的记忆里,
　你那多情的水啊,
　我也永远不会把它喝完!

这也是诗歌走散文的路。这首新诗的美不是旧体诗所能代替的。

我们从《工人诗歌一百首》(一九五八年四月号《诗刊》)里举出孙友田的两首诗来:

在地球深处

从矿上出来了一群姑娘,
　她们嘻嘻哈哈,边走边唱,
　谁会相信这群毛丫头,

敢和那乌黑的煤层打仗!

记得她们初下井,
胆小害怕炮声响,
放炮员一喊:"放炮啦!"
她们就忙把耳朵捂上。

黑色的金子多难采呵!
淘气的小伙子故意不帮忙,
姑娘们咬咬牙接受磨练,
不愿当"碴",愿当"钢"。

采出一吨煤不怕流一身汗水,
严冬的日子也湿透了几层衣裳,
炮声中她们高喊:"再来一个!"
手里的电钻呀,笑得嘎嘎地响。

把皮带扎在腰里,
把小辫子盘在头上。
"小伙子,你们不服气吗?
好! 那咱就较量较量!"

把青春献给生产的洪炉,
她们的劲头如同炉火烧得正旺。
她们挖掘的那些煤块呀,

正在地球深处闪闪发光。

工业子弟兵

我把枪擦了三遍告别了同志,
从兵营来到矿工城,
在前线我领着一连人打了十年仗,
在这里我是个新兵。

戴上矿工帽像戴上钢盔,
"钢盔"上少了一颗红星,
在那红星的位置上,
我插上了一盏发亮的矿灯。

进入了深深的矿井,
看到了金闪闪的煤层。
我举起一块煤向党宣誓:
在地下的战斗里定要建立功勋!

"给我风镐,师傅!"
突突突,向煤层发起冲锋,
嘭!嘭!这一百公尺的地下,
我又听到前面的炮声……

脸上淌着黑亮的汗水,
抱着风镐,露着热腾腾的前胸。

亲爱的祖国呵,您看!
您的工业子弟兵多么豪迈英勇!

这都证明诗歌走散文的路的成功。诗歌走散文的路,它同有节奏的语言,有韵的语言,并不矛盾的。

我们举一首歌唱青海果洛草原的诗(一九六〇年二月二十一日《人民日报》):

多么幸福的草原呵

多么幸福的草原呵!
祖国像蔚蓝的天空!
毛主席是温暖的太阳。
多么幸福的草原呵!
公社像欢腾的海洋,
社员是自由的金鱼儿。
多么幸福的草原呵!
公社的牛羊像绿草一样多,
牧人是绿草中的花朵。

这首诗没有作者的名字,是群众创作。这是多么新鲜的新诗,它具有旧体诗所不能表现的美。

我们举臧克家的一首:

国　　宝

――咏毛主席1929年10月在闽西用的公文箱

你是一个国宝，
看了令人起敬意，
在那些艰苦的日子里，
常常陪伴着毛主席。

你了解他的辛苦，
你知道他的意志，
铁肚皮虽然很小，
装满了革命大计！

你传过多少捷报，
叫人民皆大欢喜，
在军书傍午的时候，
你日夜不得休息。

你的口守得很严，
从不走漏秘密，
白纸上那些黑字，
叫事实证明它伟大的意义！

　　臧克家最近写了一篇文章，题目是"精炼・大体整齐・押韵"，是他对于新诗形式的意见。他的这一首《国宝》就是他自己的实践。

我们举郭沫若的近作一首:

玉兰和红杏

在大觉寺的玉兰花下,遇着一群红领巾。

他们围上来,向我说:"郭伯伯,你写首诗吧!"我便口占了这诗的开头四行。继又往妙高峰看红杏,在林学院又遇到很多在那儿实习的同学,附近四十七中的同学们也有不少人赶来了。有的老师也赶来了。他们的欢笑声,比满山的红杏还要笑得响亮。归途,把这诗补足成了十六行,献给那群红领巾小朋友和林学院、四十七中的师友们。

两个月前,在广州,看见了玉兰开花;
两个月后,在北京,又看见玉兰开花。
"玉兰花呀,"我说,"你走得真好慢哪!
费了两个月工夫,你才走到了京华。"

满树的玉兰花,含着笑,回答我的话:
"同志,你可不知道,我们走得多潇洒。
我们走过了长江大桥,走过了三门峡,
我们一路走,一路笑,一路散着鲜花。"

"是呀,是呀!"满山的红杏都露出了银牙:
"玉兰姊说的话,当真的,一点也不虚假。
我们从东到西,从南到北,走遍了天下。

我们把东风,亲手送到了,城乡的每户人家。"

今天我偶然来到了大觉寺和妙高峰下,
看见了北京的玉兰开花,北京的红杏开花。
"多谢你们呀,红杏和玉兰,东风的使者!
我虽然是个聋子,到处都听到春天的喇叭。"

一九六二、四、八。

最后我们谈中国散文的形式。散文形式应该包括两个问题,即语言问题和文体问题。语言问题,即是汉语的特点问题,我们在好些部分已经涉及到,将来还要专门讲文学语言问题,现在要讲的中国散文的形式,是指出中国古代文章和"五四"以后的文章,文体上有大大的变化,我们不可以忽视这一个客观的事实。这个变化之所以产生,是由于"五四"以后的文章加了新式标点符号和提行分段的组织法的原故。这看起来是一个形式问题,这个形式问题乃不是表面的可有可无,它很像一件武器的形式,关系到锐利的作用,又像物体的方圆,有易推动和不易推动的作用。中国原有的文章,取的是一条线的形式,它的标点符号只有"句"和"读",也并不明白地打出来。这种文章是很不容易写的。写得好也产生一种美感,好像一条龙,长就是它的生气。如果把它割断,就割断它的生气了。《红楼梦》第一回第一句:"此开卷第一回也。"从逻辑的意义说,这一句应该作为一段,因为"此"就指了下面第一回的文章。然而就《红楼梦》的文气说,这一句不能从下面的文章分开,要一气读下去。若我们现代的文章,如鲁迅的《阿Q正传》,它的第一章最后一段就是这样的一句:"以上可以算是序。"我们读起来很有风趣。如果了解古文,就更知道鲁迅是因为古文的"是为序"的句法,乃故意在他的《阿Q正传》的"序"里来这一句。然而鲁迅的这一个句子和前面的文章分开了,一句是作为一段,"以上"两个字代替了前面所写的许多。这是学外国文章的提行分段组织法。文章的加新式标点符号和提行分段组织法,非常有必要。因此我们的文气也变了,再也不像古代文章是一篇一气读下去,而是一段一段,一目了然。"五四"以前的文章是线的美,我们今天的文章是面的美。我们且看鲁迅的杂文《论雷峰塔的倒掉》,全文以十段组织之,像一个美丽的图案,最后一段只有两个字,一个句号:"活该。"如果把这第十段"活该。"移到第九段最后一句"莫非他造塔的时候,竟没有想到塔是终究要倒的么?"的下面,是不许可的,不但这两个字造成的一句话是有统率全篇的力量,在逻辑上是一段,就文气说,鲁迅写到"莫非他造塔的时候,竟没有想到塔是终究要倒的么?"也确实是兴会淋漓地停住了,而连忙又兴会淋漓地起一段:"活该。"根据全篇的阵容,这一段构成最后的一段,处于一个总结的地位。鲁迅这篇文章的阵容,处处摆得好看,其为面的美,决不是古代文章线的美,第四段,也只是一个句子:"现在,他居然倒掉了,则普天之下的人民,其欣喜为何如?"谁读着谁都爱这个段落的美。段落的美,就不仅仅是句子的美了。在古代的文章里,没有这个段落的美,只有字的美,句的美,篇的美。古代文章里,也有起头的美,煞尾的美,但总起来还是线的美,不是图案的面的美。在写小说的时候,现代文章的面的美更显得有必要,如鲁迅的《一件小事》,第三段本来是写人力车的车把带着一个老女人,将她摔倒了,在古代文章里就一定是这样交代出,入题就写老女人受跌,而鲁迅是这样写:"……忽而车把上带着一个人,慢慢地倒了。"岂作者先不知道"跌倒的是一个女人"吗?当然不是,只因为现代文章是提行分段的组织法,先没有详细描写之必要,少量的交代也没有详细描写的可能,只写一句"忽而车把上带着一个人,慢慢地倒了"就行,完成一段。往下另起一段,再详细地描写:"跌倒的是一个女人,花白头发,……"下面写车夫放下车子,"扶那老女人慢慢起来,搀着臂膊立定,问伊说:

'您怎么啦?'

'我摔坏了。'

我想,我眼见你慢慢倒地,怎么会摔坏呢。装腔作势罢了,这真可憎恶。车夫多事,也正是自讨苦吃,现在你自己想法去。

车夫听了这老女人的话,却毫不踌躇,仍然搀着伊的臂膊,便一步一步的向前走。我有些诧异,忙看前面,是一所巡警分驻所,大风之后,外面也不见人。这车夫扶着那老女人,便正是向那大门走去。

我这时突然感到一种异样的感觉,觉得他满身灰尘的后影,刹时高大了,而且愈走愈大,须仰视才见。而且他对于我,渐渐的又几乎变成一种威压,甚而至于要榨出皮袍下面藏着的'小'来。

我的活力这时大约有些凝滞了,坐着没有动,也没有想,直到看见分驻所里走出一个巡警,才下了车。

巡警走近我说,'你自己雇车罢,他不能拉你了。'

我没有思索的从外套袋里抓出一大把铜元,交给巡警,说,'请你给他……'

风全住了,路上还很静。我走着,一面想,几乎怕敢想到我自己。以前的事姑且搁起,这一大把铜元又是什么意思?奖他么?我还能裁判车夫么?我不能回答自己。"

这充分表现现代文体的面的美,古代文体的线的美当然容纳不了这个面的美。因为提行分段而且用了引号的原故,小说里的对话,就不需要把说话的谁都指明出来,如果读者一看就知道是谁说的话。如《一件小事》里老女人说的一句"我摔坏了",照鲁迅的写法就行。这很加了小说的戏剧作用。在古代线的美里就不能容纳这个格式,谁的话就一定在前面有一句谁道来。极其简单的原因就是:古代文章没有加标点符号,也没有提行分段的组织法。我们今天的形式是进步的。对这一点,当代的小说作家还有疑问,有说明之必要。

第八章　美的创造和美感

我们现在讲美的创造和美感。在以前各章所讲的，本来都是美的创造和美感的事情，然而我们还有特别提出"美的创造和美感"这个题目之必要。

先讲美的创造。

我们说过，辩证唯物主义的美学，其起着中心作用的是阶级分析方法。我们在讲民族形式的时候又说，毛泽东同志提出革命的现实主义和革命的浪漫主义相结合的创作方法，正有关乎传统的民族形式的发展。阶级分析方法，这是最重要的，再加以革命的现实主义和革命的浪漫主义相结合，便是我们今天创造美的准则。本着我们的准则，就能够"创造出各种各样的人物来，帮助群众推动历史的前进。"所以在我们的美学里，是有"创造"这一个词汇，而且我们重视"创造"的意义。于是有下面的问题必须说明白：

一，在车尔尼雪夫斯基的美学论文里，他主张用"再现"的词汇，对"创造"一词他每每加了引号，恩格斯所下的现实主义的定义，"现实主义是除了细节的真实之外，还要真实地再现典型环境中的典型性格"，也用的是"再现"，我们现在用了"创造"，是不是将会产生艺术高于生活的倾向呢？

二,还有,毛泽东同志说,"文艺作品中所反映出来的生活却可以而且应该比普通的实际生活更高,更强烈,更有集中性,更典型,更理想,因此就更带普遍性",这是不是认为艺术比生活更美呢?

如果发生了上面的两个倾向,那是不正确的。辩证唯物主义的美学肯定,如毛泽东同志所说,"人民生活中本来存在着文学艺术原料的矿藏,这是自然形态的东西,是粗糙的东西,但也是最生动、最丰富、最基本的东西;在这点上说,它们使(一切)文学艺术相形见绌,它们是一切文学艺术的取之不尽、用之不竭的唯一的源泉。"生活和美的关系就是如此。"但是人民还是不满足于前者而要求后者。这是为什么呢?因为虽然两者都是美,但是文艺作品中反映出来的生活却可以而且应该比普通的实际生活更高,更强烈,更有集中性,更典型,更理想,因此就更带普遍性。"这决不是说艺术高于生活,决不是说艺术比生活更美,这是说明人民对美的要求,这是说明美之所以为美,人民对美的要求就是人民对生活的要求,美之所以为美就是有它反映生活的规律,毛泽东同志概括为六个"更"字。艺术美确是能满足人民的要求,它不是普通实际生活的一张照片。"更高"、"更强烈"、"更有集中性"、"更典型"、"更理想"、"更带普遍性",是"文艺作品中反映出来的生活"和"普通的实际生活"的比较,不是"艺术"和"生活"的比较,在这比较当中就是没有"更美"的字样,这不很明白吗?根据辩证唯物主义的美学,不能有比生活更"美"的东西,只是要求表现生活的本质方面。对人类社会作阶级的分析,就能发现生活的本质方面,就能发现人民群众是推动社会前进的力量。所以毛泽东同志说:"革命的文艺,应当根据实际生活创造出各种各样的人物来,帮助群众推动历史的前进。"在我们今天是不怕有"理想"的,是不讳说"创造"的,因为我们是自觉地受社会发展规律的指导,我们的理想,我们的创造,都是为得革命的实践,为得社会主义建设的实践。在美学上也正是"从群众中来,到群众中去",我们反对空中楼阁,反对闭门造车,总而言之反对主观的东西。更不像历史上剥削阶级的"美"是以粉饰为能事(因为是剥削生活,当然要粉饰的),我们的美,可以用新民歌的四句话来形容:"如今唱歌用箩装,千箩万箩堆满仓,别看都是口头语,撒到田里变米粮。"列宁说得好:"观念的东西转化为实在的东西,这个思想是深刻的:对于历史是很重要的。"①辩证唯物主义的哲学是行动的指南,辩证唯物主义的美学也应该指导美的创造,反对庸俗唯物主义。毛泽东同志提出革命的现实主义和革命的浪漫主义相结合,根据我们的体会,有两层意义,一层意义是总结了从古以来艺术的表现手法的经验,尤其是中国的传统手法,这一层我们在"民族形式和美"那一章里已经讲了;再一层意义就不是艺术手法的事情,是辩证唯物主义世界观的大事,等于列宁所说的"观念的东西转化为实在的东西",我们要敢于有革命的浪漫主义,革命的现实主义要与革命的浪漫主义结合起来,毛泽东同志早期的一篇理论文章《星星之火,可以燎原》就最有说服力。当然,艺术手法也和世界观有关,和时代有关,我们今天的时代已经不是历史上的现实主义的范畴所能范围得了,美学上我们应该说"创造","再现"就有些不合乎要求了。

---

① 《列宁全集》第38卷,117页,人民出版社1959年版。——作者原注

为什么车尔尼雪夫斯基把"创造"一词用了引号呢?比如他说:"现实生活的美是超过'创造'的想像之产物的美了。"①车尔尼雪夫斯基是对的,我们只读他的话:"历史并不自以为可以和真实的历史生活抗衡,它承认它的描绘是苍白的、不完全的,多少总是不准确或至少是片面的。美学也应当承认:艺术由于相同的理由,同样不应自以为可以和现实相比,特别是在美的方面超过它。"②这在历史唯物论出现以前是最正确的见解。我们也可以推知他所指"创造"到底是什么?比如他说:"在诗歌作品中,坏事(通常)总是坏人所作,好事总是好人所为。在生活中,人常常不知道谁该责备,谁应赞美;在诗中,荣誉和耻辱总是分得很清楚的。可是,这到底是长处呢还是缺点?——有时是长处,有时是缺点;但多半是缺点。这样一种习惯做法的结果是不是把好坏两方面都理想化了,或者更简单地说,是不是把它们夸张了?"③这种"理想化",这种"夸张",可以说是历史上西方的美的倾向。车尔尼雪夫斯基对莎士比亚就有过微辞,他说"莎士比亚失之于华丽和夸大"。④他又说他对俄国的东西"有些偏爱","普希金、莱蒙托夫和果戈里〔理〕的中短篇小说有一个共同的特点——叙述简洁明快。"⑤我们认为这不是"偏爱",俄国作家所反映的,是要接近生活些。可是他又说过,"很多人要求讽刺作品中包含'可以使读者倾心相爱的'人物,这原是一个极其自然的

---

① 车尔尼雪夫斯基:《艺术与现实的美学关系》,76页。——作者原注
② 同上,97页。——作者原注
③ 同上,75页。——作者原注
④ 同上,55页。——作者原注
⑤ 同上,75页。——作者原注

要求；但是现实却常常不能满足这个要求，有多少事件并没有一个可爱的人物参与在内；艺术几乎总是顺从这个要求，例如在俄国文学里面，不这样做的作家，除了果戈理，我们不知道还有没有什么人。就是在果戈里〔理〕的作品中，'可爱的'人物的缺乏也由'高尚的抒情的'穿插所弥补了。"我们认为这也完全是正确的，可是真实地"再现"生活，在历史上确实是难能可贵。车尔尼雪夫斯基主张美是生活的再现，而对"创造"一词每每加以引号，正因为历史上的美每每是"美"于生活的，历史上的美学也提不出美应该从属于生活，所谓"创造"，就是"美"于生活、不从属于生活的意思。车尔尼雪夫斯基在他的美学论文的最后说："再现生活是艺术的一般性格的特点，是它的本质；艺术作品常常还有另一个作用——说明生活；它们常常还有一个作用，对生活现象下判断。"①这个论点可谓接近真理，对美的创造立下了很大的功勋。

恩格斯为什么用"再现"呢？这个词汇在恩格斯是有战斗作用的，作家如果能够真实地再现典型环境中的典型性格，"工人阶级对于压迫他们的环境的革命的反抗，他们想恢复自己的人的地位的紧张的企图——不论是半自觉或自觉的——都是属于历史的一部分，因而可以在现实主义的领域中要求一个地位。"而恩格斯所批评的哈克纳斯女士，在她的作品里，"工人阶级显得是消极的群众，不能够帮助自己，甚至丝毫不想尽力帮助自己"，②这就说明对于历史上的现实主义，真实地"再现"生活是如

---

① 车尔尼雪夫斯基：《艺术与现实的美学关系》，102页。——作者原注
② 《马克思恩格斯论艺术》，9页。——作者原注

何地不容易,有其显著的倾向是作家主观的"创造"。

很分明,在我们今天,"再现"一词就不够,我们要创造,主要的原因是我们今天的美和历史上的美其内容完全翻过来了,历史上最宝贵的东西只能包含有人民性,而我们今天是工农兵文艺方向。再现生活,进而说明生活,判断生活,如车尔尼雪夫斯基所主张,也还是从知识分子个人的愿望出发,而究竟什么叫做"生活",车尔尼雪夫斯基还是不能作科学的回答的,我们今天则有了阶级分析方法,我们所说的生活就是人民的生活。我们又明确地认识到"革命文艺是整个革命事业的一部分,是齿轮和螺丝钉",这就是说我们再也不做过去那种空头文学家,或空头艺术家,我们是革命干部,首先要作家自己工农化。深入到普通的实际生活之中,体会了生活之美,如在我国农村合作化之前认识了贫苦农民奔向社会主义的愿望,那就应当根据实际生活,创造出比普通的实际生活更高、更理想、各种各样的典型人物。有时,如车尔尼雪夫斯基所说,"现实中有许多的事件,人只须去认识、理解它们而且善于加以叙述就行",① 在我们今天到处有这样美妙的散文,像《挡不住的洪流》里面的《草苗争长》和《激流》,就是得来全不费工夫,同时呈亘古未有之奇观。在这样的群众生活的基础之上,我们当然要求创造,梁生宝这个典型就是作家柳青创造的。在实际生活当中的梁生宝可能叫做王家斌,如柳青的特写集《皇甫村的三年》里所写的,比起特写集的王家斌来,小说人物梁生宝是"更高,更强烈,更有集中性,更典型,更理想,因此就更带普遍性"。"再现"生活的现实主义是人民生活还在淹

---

① 《艺术与现实的美学关系》,74 页。——作者原注

没的时代所应当提倡的,"再现"就是给作家以提醒,要他们忠实于客观现实,不可局限于个人的主观。我们的时代是人民的时代,我们的美是工农兵方向的美,毫无疑问我们"应当根据实际生活创造出各种各样的人物来,帮助群众推动历史的前进"。按本质说,创造就是创造英雄人物。我们的英雄人物,如梁生宝,是劳动人民。我们如果研究劳动人民李和清(《草苗争长》的主人公),他无疑完完全全是照实际生活的原样子写的,他的生活就是现实和理想结合,他领导他的互助组修马鞍山的路,其所遭遇的困难,克服困难的办法,我们读起来比读《西游记》唐僧取经的遭难显得不可同日而语,因为我们是革命的现实主义和革命的浪漫主义的结合。所以毛泽东同志提倡革命的现实主义和革命的浪漫主义相结合的创作方法,是有社会基础的,是总结群众生活的经验的。在美的创造方面,我们确是怕落后于形势。车尔尼雪夫斯基的"再现",恩格斯的"再现",是因其时的作家还没有认识生活,群众生活还远远没有提到美的课程上来,我们今天则党提出了文化革命的号召,内容是,知识分子工农化,工农大众知识化,我们的美是工农兵的方向了。把劳动人民的典型,创造得比实际生活当中的人物更高,更强烈,更理想,这有什么可怕的呢?在我国古典文学里就有这个宝贵的传统,杜甫的《前出塞九首》就是杜甫写的唐代的农民,这个农民就够理想的了,他有着"豪杰圣贤兼而有之"的品质。所以然是杜甫认识了农民的遭受压迫,认识了农民是爱祖国的。《水浒》英雄,像林冲,鲁智深,武松,李逵,都是从实际生活来的,到今天都经得起我们分析,而这些人物无一不比普通的实际生活"更高,更强烈,更有集中性,更典型,更理想,因此就更带普遍性"。这些人物都不是封建社会的知识分子,把他们理想化了,有什么害处呢?只是对地主阶级有害,所以谓之"诲盗",就是地主阶级怕农民起义。我们看林冲这个典型,一方面是实生活当中的人物,一方面又是理想人物。林冲在实生活当中是忍受"腌臜的气"的,而当他在山寨火并王伦之时,其"胸襟胆气"该是多么符合于革命事业,到今天我们读了还受感动,林教头是真真提高了。林冲难道不是"创造"的吗?说着"创造",当然不排斥"再现",林冲是属于哪一阶层的,我们分析得出来,这就是"再现"的意义,然而我们分明不能说林冲是生活的"再现",只能说是"创造"的人物了。《水浒》的创造,有许多是很明显的,作者一点也不肯吝惜,可谓尽情地创造,如"母夜叉孟州道卖人肉"那一回,金圣叹也多少看出来了,他批道:"于是读者但觉峰回谷转,又来到一处胜地。"这一回没有别的,就是为英雄豪杰吐气,为造反的人民吐气,显得统治阶级风俗败坏,而武松和孙二娘是"大人者不失其赤子之心者也"。我们读,小二小三"扛抬武松,那里扛得动,直挺挺在地上,却似有千百斤重的。那妇人看了,见这两个蠢汉拖扯不动,喝在一边,说道:'你这鸟男女,只会吃饭吃酒,全没些用!直要老娘亲自动手!这个鸟大汉却也会戏弄老娘。这等肥胖,好做黄牛肉卖。那两个瘦蛮子,只好做水牛肉卖,扛进去,先开剥这厮。'那妇人一头说,一面先脱去了绿纱衫儿,赤膊着,便来把武松轻轻提将起来。武松就势抱住那妇人,把两只手一拘,拘将拢来,当胸前搂住。却把两只腿望那妇人下半截只一挟,压在妇人身上。那妇人杀猪也似叫将起来。那两个汉子急待向前,被武松大喝一声,惊的呆了。那妇人被按压在地上,只叫道:'好汉饶我!'"这时便英雄识英雄了,所以下文写武松对张青说:"我看你夫妻两个也不是等闲的人,愿求姓名。"这样的文章,不是明明地和前面写"奸夫和淫妇"的文章作对比,不是作者有意来这一回的创造吗?这种创造有什么害处呢?这叫做歌颂人民。这样看起来,我们的工农兵文艺方向,有远大的创造的前途,我们要前无古人。

在美的问题上我们主张"创造",但我们决没有意思说文学艺术比生活"更美"。我们只是说文学艺术所反映的生活比普通的实际生活更高、更强烈、更理想,因为它是生活的典型。这在我们是合乎逻辑的,是生活所要求的,就是,从群众中来,到群众中去,推动历史的前进。在我们的哲学里,没有比生活"更美"的东西,我们的生活是流血和流汗,是全心全意为人民服务,我们的生活丰富多采。然而历史上确有追求"美"的事实,他们的"美"是比生活更美,首先因为他们的生活是剥削者的生活。我们在讲"生活和美"那一章里,曾经认为历史上某些隐居的诗是应该与〔予〕以肯定的,因为它还是反映了生活,但像王维的《春日与裴迪过新昌里访吕逸人不遇》,则是比生活更美,是剥削阶级粉饰其剥削生活。我们把王维的这一首诗抄下来:

  桃源一向绝风尘,柳市南头访隐沦。
  到门不敢题凡鸟,看竹何须问主人。
  城上春山如层〔屋〕里,东家流水入西邻。
  闭户著书多岁月,种松皆作老龙鳞。

谁都不能否认这一首律诗的艺术手段,它的特点就是它写得比生活更美,是粉饰生活。诗里面用了"桃源"的典故,但它不能和陶渊明的《桃花源记》相比,因为《桃花源记》是陶渊明对生活的理想,虽然它是一种空想,不可实现,陶渊明确实是抒写了他的真实的愿望的,所以《桃花源记》不失为一篇浪漫主义的作品。我们必须注意,在我们的美学里,不能说出比生活"更美"的话,只有在剥削阶级的艺术美的范围里才有不少比生活更美的东西,这种东西就叫做"唯美"。我们再读一首王维的《渭川田家》:"斜光照墟落,穷巷牛羊归。野老念牧童,倚杖候荆扉。雉雊麦苗秀,蚕眠桑叶稀。田夫荷锄至,相见语依依。即此羡闲逸,怅然歌式微。"这就是鲁迅所说的:"是的,中国的劳苦大众,从知识阶级看来,是和花鸟为一类的。"所以"大抵将他们写得十分幸福","平和得像花鸟一样"。在中国文学史上还有庾信,我们曾经批评他的美是一种精神胜利法,这就更有危险,比如庾信的《慨然成咏》:"新春光景丽,游子离别情。交让未全死,梧桐唯半生。值热花无气,逢风水不平。宝鸡虽有祀,何时能更鸣。"本来是失身异族的生活,而所有的美丽的形象庾信都拿来写自己了,这不叫做精神胜利法吗?所以从剥削阶级说,他们是有比生活更美的东西,他们的美是为自己的生活辩护,为自己的生活粉饰。工农兵方向的美则不能说比生活"更美",它是整个革命事业的一部分,是整个革命机器中的齿轮和螺丝钉。

以上是关于美的创造要说的话。

我们今天不怕有理想,我们要创造。至于美的规律、美的修养上面,我们倒是要向前人学习,前人有丰富的经验供我们继承和借鉴,我们要学习在具体的创作中如何产生美。这就说到"美感"的问题了。尽管美感有阶级性,我们今天再也不会对"宠柳娇花寒食近,种种恼人天气"有若何同感,但要说昨夜雨疏风骤今天早晨海棠怎么样,"知否知否?应是绿肥红瘦!"古人的这个写法还是值得我们学习。这就是艺术的形象性。艺术是以其形象性产生美感。从希腊的亚里斯多德起就认为人有模仿的天性,对于模仿的作品从天性上感到愉快,所以人从小孩时起就喜欢模仿。各民族各时代对谜语都感兴趣,令人喜悦的谜语也就是对事物唯妙唯肖的模仿。模仿当然要模仿得像,这是艺术的形象性的第一步。到了把海棠描绘为"绿肥红瘦",那就把人的思想感情加到形象里面去了,才真正是艺术产生的美感。美感而打动人心,产生了教育作用,那是艺术的上乘。我们举两个例子,都是描写一群人。一是鲁迅的《药》里的形象,我们曾经引述过,现在再录一遍:

> 老栓也向那边看,却只见一堆人的后背;颈项都伸得很长,仿佛许多鸭,被无形的手捏住了的,向上提着。静了一会,似乎有点声音,便又动摇起来,轰的一声,都向后退;一直散到老栓立着的地方,几乎将他挤倒了。

这是"五四"新文学给读者以教育,美的教育。所有中国历史上的美所不能产生的美感,鲁迅小说里破天荒地有了。当时的读者谁都为这"一堆人"所刺激着,他们是烈士就义的"看客","颈项都伸得很长,仿佛许多鸭,被无形的手捏住了的,向上提着。"这个形象教育人们考虑辛亥革命以后中国再革命的问题。中国革命的问题没有解决,鲁迅小说的形象就涂抹不了。鲁迅对小品文的美曾经说过有名的话:"生存的小品文,必须是匕首,是投枪,能和读者一同杀出一条生存的血路的东西;但自然,它也能够给人愉快和休息,……它给人的愉快和休息是休养,是劳作和战斗之前的准备。"这话也就说明了鲁迅小说的教育作用,它明明是武器,它也给人愉快和休息,因为它是美。美是给人以一幅生活的图画,在这里有欣赏。通过这幅图画,作者对生活有了说明,也有了判断,如车尔尼雪夫斯基所说的。"作者的观点愈隐蔽,对于艺术作品就愈加好些。"①这是恩格斯的话,也无非是说明美感教育的特点,作者的观点愈隐蔽,必是他所给人的生活图画愈深刻。

再一个例子是柳青《创业史》所描写的站了一长排队的人的形象:

> 在南街十字附近,在供销合作社的烟、酒、醋、酱门市部门前,刚开始舍得吃了的庄稼人,站了一长排队。黄堡的杂货铺很多,到处什么都可以买,价钱一样,掏钱拿货,快得很。但庄稼人宁愿在供销合作社的门市部前面站队。他们相信党和政府,也就相信公营商业的道德。庄稼人最怕吃亏了。不管是什么时候,他们对商人始终保持着高度警惕。……
>
> 现在,烟酒门市部前边排队的几十个惇厚庄稼人,也在谈论蛤蟆滩的灯塔农社。人们传说:主任姓梁,名叫生宝,很年轻,才二十几岁,早先名气不甚大。……
>
> "他爸叫啥呢?"前头的山羊胡子老汉扭头问。
>
> 后头的一个戴毡帽的罗锅老汉,感叹说:"噫!他

---

① 《马克思恩格斯论艺术》,10 页。——作者原注

爸没名！听说跑了一辈子南山，官名叫啥，人都不知道喀！你看吧！这社会，就要在咱穷庄稼人里头出人物哩！"

（略）

排队买东西的第十七个老汉，个子本来很高大，因为罗锅腰，显得低了，不被人注意。他穿着笨手笨脚的新棉袄新棉裤，左胳膊上挂着一个竹篮子，里头平放一个空豆油瓶。他低头用右手指抹眼泪，抹掉又溢出来了。

大伙终于注意了这个奇怪的老汉。为什么在大伙高兴的时候，他流泪？而且看样子流上没完罗。

所有的人都看见：这个老汉满面很深的皱纹，稀疏的八字胡子，忧愁了一辈子的眼神，脖颈上有一大块死肉疙瘩。看来，几十年沉重的劳动，在这个人身上留下过多的痕迹，很明显，很突出。上万赶集的庄稼人里头，这样的人也是少数！

终于，有人认出来了——这是梁生宝他爸嘛！

（略）

当排队的庄稼人顾客知道这是灯塔农社梁主任他爹的时候，一致提议让老汉先打油回去；老汉上了年纪，站得久了腿酸。梁三老汉不干，大伙硬把他推拥到柜台前面去了。

梁三老汉这个形象真是美，真是感人，就是美感的教育作用。

抽象的东西决不能产生美感。说教决不能产生美感。要生活集中在一个形象里才能产生美感。划时代的美感，必有其划时代的教育作用。

我对建立辩证唯物主义美学的愿望和实践[①]

读了校科学委员会交给我看的金恩晖先生的《论美学及其科学的研究途径》一文,我感得我有写这一篇文章的必要。金恩晖先生对我提的意见,应该答复的我当然要答复,但更重要的是,我学习伟大的毛泽东思想有体会,今天在中国完全有条件建立辩证唯物主义美学,因此我决心作了初步的实践,金恩晖先生的意见有的就是有关对毛主席的话的理解,这是大事情,我必须再作说明,所以我就把我这篇答辩性的文章采用了现在这个题目。因为我的关于美学的一篇论文(我的论文是我在吉林大学中文系讲美学课所编讲义的一部分,用论文形式在学报上发表了两篇)引起了金恩晖先生的这一篇长文章,我从感情上尊重它,在学术问题上交换意见应该是有好处的。

金恩晖先生的文章里有这几句话我认为是不错的:"从历史上看,美学的发展,就是同哲学的发展、同艺术的繁荣这两方面都同时有着密切的关系与联系的。古希腊美学理论的产生,一方面是由于出现了象埃斯库罗斯、索福克勒斯、欧里庇得斯那样优秀的悲剧文学家,另一方面几乎与此同时,还出现了一批天才

[①] 载吉林大学《社会科学学报》1962年第4期,署名冯文炳。

的哲学家,艺术的空前繁荣,引起了哲学家们密切地注意,德谟克利特、苏格拉底、柏拉图、亚里斯多德那样的哲学家,都以艺术为对象探讨过美学问题。中国古代的文学、音乐、美术、舞蹈等许多艺术部门的成就,一经春秋战国时代哲学家们的点化,就哺育出我国最早的一批美学理论。"以上是我借金恩晖先生的话作我这篇文章的起头。在我们今天的新中国,人民的政治觉悟空前提高,与之同时马克思主义理论成了人们的精神食粮,尤其是马克思主义的普遍真理同中国革命和建设的具体实践相结合的毛泽东思想,就是向来不识字的劳动人民,都懂得它是"道也者,不可须臾离也",表现在生活上乃有一九五八年的大跃进,反映在文学艺术方面突出的是新民歌。我常引用了这一首《起重工》的歌来说明问题:"嗨唷!嗨唷!齐声唱,千斤钢板轻轻扛,脚上踏出上天路,历史重担肩上抗。"这是中国的工人阶级受了辩证唯物主义历史唯物主义的推动唱出的英雄的歌声,为人类过去历史上所没有出现过的美。而今天在我们中国,这样的美,几乎遍地有,当然也还要有心人才能珍视它。鲁迅在一九三一年说:"所可惜的,是左翼作家之中,还没有工农〔农工〕出身的作家。"这真表现了鲁迅的感情。他希望,他相信,将来一定有工农出身的作家。鲁迅当时又叹惜所以没有工农出身的作家的原故,他说:"一者,因为工农〔农工〕历来只被压迫,榨取,没有略受教育的机会;二者,因为中国的象形——现在是早已变得连形也不象了——的方块字,使工农〔农工〕虽是读书十年,也还不能任意写出自己的意见。"①从一九五八年出现的新民歌大量是口头创作

---

① 《鲁迅全集》第4卷,226页。——作者原注

来说,诗歌的工具是语言,并不是"方块字",——这确是人民创作的空前繁荣应该引起理论家们密切注意的事实。这个事实应该纠正过去的许多的理论,关心工农作家出世的鲁迅在他没有看见大量事实以前他的理论也是不能符合实际的,如他在一九二七年曾说"绅士们惯吟五言诗、七言诗;因此他们(老百姓)所唱的山歌野曲,大半也是五言或七言。"①鲁迅的意思是说中国的五七言诗的体裁是知识分子创造的了,老百姓也学着做。一九五八年的新民歌证明中国诗的五七言体是从汉语的语音和语法规律决定的,是群众在劳动当中根据汉语的特点自然形成的,并不是"绅士们惯吟五言诗,七言诗"因而老百姓也学着知识分子做五七言诗。知识分子在这一点上倒是学习了劳动人民,因为同样用的是汉语。老百姓不认识方块字不妨害其有口头创作,人类的语言最初本来是从劳动中产生的,是群众的创造。我在《美学两大事》一文里讲汉语诗歌的民族形式的时候就是具体地说明了这个问题。是新民歌的出世逼得我不能不研究这个问题的。我在我的文章里说过:"口头创作是一把钥匙,它把今天的问题和古代的问题都给揭开了。美是劳动人民的事,就诗歌说,是劳动和语言一起产生的东西,就是劳动者的口头创作。"我因为研究了新民歌的美,附带地解决了一个谜,就是,从劳动人民的口中,汉语有它自己的语法规律,合乎实际的汉语语法并不是现在一般所讲的那样的欧化的语法,这在《美学两大事》一文里也已说到了。这件事给了我极深的教育。我提到这件事,是因为它对我们今天讲美学可以有极大的帮助。我有胆量来讲美

---

① 《鲁迅全集》第3卷,318页。——作者原注

学,是我掌握了一把钥匙,就是马克思说的:"人体解剖对于猴体解剖是一把钥匙。"研究现代能够帮助我们了解古代。一般讲艺术的起源,是从原始艺术讲起,这当然是一个方法。而在我们新中国则从现代的新民歌就可以解决艺术起源的问题。难道不是如此吗?新民歌不证明是群众、是劳动创造美吗?劳动人民不理睬语法专家的欧化语法,自己出口成章,令久已忘记汉语美的人(我自己几乎是一个,至少在以前我不知道汉语有自己的语法规律)惊异于劳动人民口中的汉语美,劳动人民的口中何其善于表现出汉语的特点!就是这个特点成功了五七言诗!就是这个特点系统地反映了汉语的语法规律!在研究新民歌语言的基础之上我曾写了一篇《毛泽东同志著作的语言是汉语的语法〔语法的〕规范》,是我比较研究的结果,新民歌的语言和毛主席著作的语言反映了汉语语法的同一个规律。中国的新民歌对马克思主义导师关于人类语言产生的理论作了生动有力的说明。新民歌开了马克思主义美学研究的直捷门径,它告诉我们,就以语言为工具的美的部门说吧,语言是从劳动产生的,也就是从人类生活的需要来的,而正是适应生活需要的语言产生了诗歌的美!我认为这就是马克思主义的美学理论。谁能否认这个宝贵的理论?谁能否认这是马克思主义理论联系实际的研究原则?马克思主义的导师为什么总要我们重视现代的实际?而我们又为什么总是脱离实际呢?

我之所以迫不及待地对新民歌作了研究,最初还不能考虑到它是我们建立辩证唯物主义美学重要的根据,最初乃是它教育我要好好地重新学习毛主席《在延安文艺座谈会上的讲话》。我把我在纪念《讲话》发表二十周年的时候写的《仰之弥高,钻之弥坚》的文章里的一段话抄了来:"我是一九五八年读了新民歌之后才体会到毛主席《讲话》里面这些话的意义:'提高要有一个基础。比如一桶水,不是从地上去提高,难道是从空中去提高吗?那末所谓文艺的提高,是从什么基础上去提高呢?从封建阶级的基础吗?从资产阶级的基础吗?从小资产阶级知识分子的基础吗?都不是,只能是从工农兵群众的基础上去提高。也不是把工农兵提高到封建阶级、资产阶级、小资产阶级知识分子的"高度"去,而是沿着工农兵自己前进的方向去提高,沿着无产阶级前进的方向去提高。而这里也就提出了学习工农兵的任务。'这些话我以前是不加思索地读过去了,因为不知道如何去思索。等到读了一首又一首的新民歌,我乃知道要重新来读《讲话》,用功来思索。好比最初我在《吉林日报》上读到《喜的月亮少半边》这一首:

  日落西山月夜天,
  地里人们干的欢,
  笑的青山直张嘴,
  喜的月亮少半边。

  它大令我惊异,又叫我生起一种新的美感,是我第一次和劳动人民的灵魂有了接触。做了一天的活,到了黄昏时,看见张着嘴似的青山就有'笑得〔的〕青山直张嘴'的形象,看见半边月就连忙唱出'喜的月亮少半边',这样的欢天喜地的感情,知识分子诗人无论如何不能有。如果没有劳动人民的感情,就等于和劳动人民没有共同的语言,怎么能空谈'提高'和'普及'呢?我思索毛主席'提高要有一个基础'的话,'而这里也就提出了学习工农兵的任务'的话,我真是汗流浃背,我以前的思想意识里,虽说不知道思索,无形中恐怕有一个'高度',就是知识分子方向的'高度'。我认识到我对思想改造缺乏实践。新民歌首先是以劳动人民的思想感情教育了我。我真切地认识到劳动人民的灵魂的美丽。"这是我的真情实话。我过去对"五四"以来的新诗是很热心的,后来也感到新诗里面有了问题,但不知道问题的关键在哪里,现在我把问题看得很清楚,通过知识分子的新诗和工农群众的新民歌,明明有两样的思想感情,所有中国现代的问题,都决定于这个感情变化的问题。所以毛主席在《讲话》里循循善诱地把他自己的变化过程告诉了我们。我在最初接触新民歌的时候感到这件大事。在这个基础之上,我决定要研究美学,我感到在我们新中国到了建立辩证唯物主义美学的大好时机,从一九四二年《讲话》发表以来到一九五八年的采风运动,文艺工农兵方向出现了新的阶段,工农兵自己的美给知识分子做出榜样了。经过学习和研究,我确切地认识到新民歌给了我一把钥匙。此后我对毛主席《讲话》的学习也达到了新的阶段,我有把握以它为建立辩证唯物主义美学的指导思想。《讲话》里指出了"两者都是美"。那末一者是生活美;一者是艺术美,就是反映生活的艺术美,不能作为唯心论者的"艺术美",这是最重要的。这就说明了我们美学的对象,它是文学艺术,它是以人类的社会生活为源泉的。文学艺术反映生活的规律又怎样呢?《讲话》里说:"文艺作品中反映出来的生活却可以而且应该比普通的实际生活更高,更强烈,更有集中性,更典型,更理想,因此就更带普遍性。"我认为这六个"更"字的关系就是文学艺术反映生活的规律。这个规律,不但我们马克思主义者讲美学要懂得,过去时代进步的文学艺术家都是要遵守的,好比戏剧作家易卜生,他所创造的娜拉,也必是"比普通的实际生活更高,更强烈,更有集中性,更典型,更理想,因此就更带普遍性。"《讲话》里接着更这样说:"革命的文艺,应当根据实际生活创造出各种各样的人物来,帮助群众推动历史的前进。"到这里,马克思主义的美学,纲领都有了。我们的创造要"根据实际生活",我们的创造要"帮助群众推动历史的前进"。这样讲美学,史无前例。这就叫做辩证唯物主义美学。辩证唯物主义美学指导的美,是从群众中来,到群众中去。必须注意,《讲话》里这段话的前一段还有着指示:"中国的革命的文学家艺术家,有出息的文学家艺术家,必须到群众中去,必须长期地无条件地全心全意地到工农兵群众中去,到火热的斗争中去,到唯一的最广大最丰富的源泉中去,观察、体验、研究、分析一切人,一切阶级,一切群众,一切生动的生活形式和斗争形式,一切文学和艺术的原始材料,然后才有可能进入创作过程。"这就是要对生活用阶级分析方法。有了阶级分析方法,我们才真正懂得生活了。掌握了阶级分析方法,美学才能达到辩证唯物主义的美学,由它所指导的美是人民时代的美,它能"帮助群众推动历史的前进"。我们今天的美,较之"五四"初期的美,好比鲁迅小说的美,已是大大地前进了,这在我的论文里都说得极其明白。"五四"初期鲁迅的小说,和今天柳青的《创业史》,是两种性质的美,鲁迅是批判的现实主义,他没有写正面人物的倾向,他的小说人物从生活中来,但不是从阶级分析方法来,今天柳青小说的人物都是经过阶级分析方法来的,他笔下的贫农都是社会的当家作主的主人翁。象这样的文艺实际,我在我的美学论文里是重点突出,为什么金恩晖先生都视而不见呢?

在我的美学论文里,其主要精神是理论联系实际,我们的时代产生了我们的时代的美,它是毛泽东思想指导下的产物,我所作的研究,只不过意识到这个事实,把事实指明出来,辩证唯物主义美学就摆在眼前。金恩晖先生向我提意见的文章里,没有结合实际的味道,把我在我的论文里所结合的实际都给扔掉了,这是我首先不能同意的。

我对主席思想的体会,如上文所述。金恩晖先生以之为批评对象的我的那篇论文里也正是如此。我所根据的主席的美学思想,如果把《讲话》原文摘要录出来,应该从两段话中分别录出,摘录(一):

> 人类的社会生活虽是文学艺术的唯一源泉,虽是较之后者有不可比拟的生动丰富的内容,但是人民还是不满足于前者而要求后者。这是为什么呢?因为虽然两者都是美,但是文艺作品中反映出来的生活却可以而且应该比普通的实际生活更高,更强烈,更有集中性,更典型,更理想,因此就更带普遍性。革命的文艺,应当根据实际生活创造出各种各样的人物来,帮助群众推动历史的前进。

摘录(二):

> 中国的革命的文学家艺术家,有出息的文学家艺术家,必须到群众中去,必须长期地无条件地全心全意

地到工农兵群众中去,到火热的斗争中去,到唯一的最广大最丰富的源泉中去,观察、体验、研究、分析一切人,一切阶级,一切群众,一切生动的生活形式和斗争形式,一切文学和艺术的原始材料,然后才有可能进入创作过程。

摘录(一)共是四个句子。在金恩晖先生的文章里也引用了主席这段话,但他只引了三句,他把"革命的文艺,应当根据实际生活创造出各种各样的人物来,帮助群众推动历史的前进"这一句割掉了。这就不符合主席的意思,这第四句是很重要的,同上三句是一贯的。对于摘录(二)的重要意义,金恩晖先生完全没有认识。摘录(一)是理论,摘录(二)是实践。在我的论文里,是体会得摘录(一)和摘录(二)的精深,把它贯彻到全篇的。

在我的论文里,阐述了车尔尼雪夫斯基"美是生活"的论旨之后,由它过渡到毛主席的美学思想,我这样写:"辩证唯物主义美学可以肯定'美是生活'的论旨,但按照严格的科学的说法则是:'人类的社会生活虽是文学艺术的唯一源泉,虽是较之后者有不可比拟的生动丰富的内容,但是人民还是不满足于前者而要求后者。这是为什么呢?因为虽然两者都是美,但是文艺作品中反映出来的生活却可以而且应该比普通的实际生活更高,更强烈,更有集中性,更典型,更理想,因此就更带普遍性。'"在这里我认为是应该引用主席话的三句,不能把"革命的文艺,应当根据实际生活创造出各种各样的人物来,帮助群众推动历史的前进"这一句写出来,因为车尔尼雪夫斯基的思想不能达到这个高度,不能比。而前面的三句则可以比,因为说人类的社会生活是文学艺术的唯一源泉,较之后者有不可比拟的生动丰富的内容,这就是车尔尼雪夫斯基的思想,毛主席同样肯定的。比较起来,毛主席就是更提出了六个"更"字。车尔尼雪夫斯基的美学论文里没有这样的提法。这个原因在哪里呢?我认为六个"更"字是具体作品和它所反映的具体生活的关系,车尔尼雪夫斯基当然是知道的,我们只看他说了这样的话:"不言而喻,在这一点上,现实中没有和艺术作品相当的东西"[①],——这就是说通过艺术形式所反映出来的生活,现实中没有与之相当,这就有着"更"字的意义。但这是说作家如果懂得现实生活的话,是以现实生活为内容的话。而在车尔尼雪夫斯基的历史条件之下,懂得生活是不容易的,他认为有着"人类的局限性","自然和现实生活是超乎这种局限性之上的"[②],"现实生活的美和伟大难得对我们显露真相"[③]。在这种条件之下,他就不能提"文艺作品中反映出来的生活却可以而且应该比普通的实际生活更高,更强烈,更有集中性,更典型,更理想,因此就更带普遍性。"我在我的论文里说过,"他不是不重视艺术,他不能不更加重视他所没有完全分析清楚的社会生活。"其实他就是重视艺术,他重视艺术是反映生活的。我由车尔尼雪夫斯基的"美是生活"过渡到毛主席的六个"更"字处,然后加以说明:"这里有三个要点,一、要求文学艺术美的是谁呢? 是人民;二、生活美;三、反映生活美的美。车尔尼雪夫斯基的美学没有明确的'人民'的概念,因为他不懂得阶级分析方法。"我认为这是我的心得,我对车尔尼雪夫斯基

---

① 《艺术与现实的美学关系》,95 页,三联书店 1958 年版。——作者原注
② 同上,80 页。——作者原注
③ 同上,82 页。——作者原注

的学习有心得,我对毛主席的美学思想有体会。我认为车尔尼雪夫斯基如果懂得了阶级分析方法,他的"美是生活"的"生活"里面当然就有"人民"的概念,他对反映生活美的美就会提出六个"更"字。请注意,这里我是由车尔尼雪夫斯基的美学思想过渡到毛主席的美学,所以这样作了比较,至于主席把革命的文艺归结为"帮助群众推动历史的前进",这对车尔尼雪夫斯基谈不到,我就不以之相提并论了。虽然如此,如果在车尔尼雪夫斯基美学思想之上,懂得阶级分析方法,有了"人民"的概念,也正符合了毛主席的美学思想。金恩晖先生对我提的意见:"按着冯文炳先生这种解释,毛主席美学观点之所以是'按着严格的科学的说法',恐怕就在于毛主席提出了'要求文学艺术的是……人民','车尔尼雪夫斯基的美学里没有明确的"人民"的概念,因为他不懂得用阶级方法';其次,毛主席还指出了美学领域内存在着'生活美'和'反映生活美的美'——艺术美,大致如此而已。人们也许要问:难道除了有了'人民'的概念,'用了阶级分析方法'以外,毛主席对美学的巨大贡献,仅仅在于他证明了生活美和艺术美是存在着的吗?(着重点是金恩晖先生原有的)冯文炳先生在这里是有些理解得简单了点。"这是他的意见的纲领。我认为金恩晖先生既不认识阶级分析方法的重要,也不注意《讲话》中处处给我们指示出"人民生活"的意义,毛主席美学的重要内容,在金先生的思想领域里并没有占有地位,只是因为在我的论文里"人民"的概念,阶级分析方法,太显著了,于是不能不在金先生的批评我的文章里顺带一下。而接着无中生有地来这么的话:"毛主席对美学的巨大贡献,仅仅在于他证明了生活美和艺术美是存在着的吗?"往下就大谈其"在古今中外的美学史上,能够承认生活美和艺术美是存在的,还大有人在。"这样的文章是没有什么意义的。"生活美和艺术美是存在着的",在我的论文里哪里有这样的字句呢?我从主席的三句话里得出三个概念,一个概念是"人民";一个概念是"生活美"(因为在前提出了"人民","生活美"的生活是指人民生活);一个概念是"反映生活美的美",这等于说美学的对象是艺术美,反映生活的艺术美,以及两者之间的关系——六个"更"字。

以上是我答复金恩晖先生批评我对毛主席美学思想的理解。这是大事情,我必须答复。

还有关于我引用毛主席的话讲美的政治性,金恩晖先生认为"冯文炳先生的有关引申,恐怕就未必是毛主席的原意"。我也必须答复。我在讲美的政治性的开头这样写着:"美的政治性是客观存在。毛泽东同志指示我们:'在现在世界上,一切文化或文学艺术都是属于一定的阶级,属于一定的政治路线的。为艺术的艺术,超阶级的艺术,和政治并行或互相独立的艺术,实际上是不存在的。'受了欧洲资产阶级学术思想影响深的人,很难懂得这个道理,他们认为,不正是和政治没有关系因而才叫做'美'吗?'花影不离身左右,鸟声只在耳东西',人们不是好不容易离开了令人窒息的政治空气置身于美丽的自然之中,才感到美的存在吗?这个质问的庸俗性也是很明显的,追求人类解放事业的无产阶级战士,自身关在反革命的监狱里,美并没有关在门外,方志敏烈士的《可爱的中国》,正是在监狱里写的。如果科学地研究美的属性,放在特别重要地位的就是它的政治性。"看看金恩晖先生的意见:"冯文炳先生根据毛主席的文艺思想来解决美学问题,用心是很好的;然而,我觉得却不太好直接地把毛主席这段话中的'文化或文学艺术'解释成就是'美',从而推断出毛主席曾主张美(重点金文原有)是上层建筑,美从属于政治,为一定的政治服务。即使单从字面上看,毛主席也未曾写过'文化或文学艺术'就是'美'这种或者类似这种字样"。贯穿在我的论文里,没有从概念上空谈美的地方。我所谓"美的政治性"的"美",是指具体作品表现的艺术美来说,所以接着我举了方志敏烈士《可爱的中国》的美。在《讲话》里,毛主席说了"两者都是美"的话,"两者"之一是文学艺术,可见毛主席说文学艺术是美,为什么金恩晖先生说"即使单从字面上看,毛主席也未曾写过'文化或文学艺术'就是'美'这种或者类似这种字样"呢?我认为这里并不是"字面"问题,是哲学问题,是思想方法问题,根据我的体会,马克思主义者不会抽象地讲"美",要讲具体的美,主要的是艺术美,同时又规定了艺术美的性质,它是以人类的社会生活为源泉的。因此,就一篇具体作品的美说,它是社会科学的对象,它是上层建筑,更不必说研究艺术美的美学了。为什么我们不能"推断出毛主席曾主张美是上层建筑,美从属于政治,为一定的政治服务"呢?我的美学论文,在讲"自然美"的时候,也还是突出了"人化了的自然"的意义,引用了马克思的极其深刻的指示:"由于这种生产,自然就成为他的(人的)作品和他的现实。"我们的美学是社会科学。

上面是我这篇答辩性的文章的主要部分。金恩晖先生的文章我读了几遍,我感得他把我的意思都误解了,他一味地在"美"这一个字面上做文章。我在上文已经指出,在我的美学论文里,没有从概念上空谈"美"的地方,我一开始就讲"美是客观存在",我讲美是客观存在一开始就是"客观上存在着自然美",意思是说象鸟兽草木之美属于自然界耳目共有的事。我根本不从"观念"出发。当我开始在课堂讲课的时候,同学们对我的讲法也是不满足,他们问我,"美"是什么呢?应该先讲讲!我就告诉同学说,我们是马克思主义者,不应该先讲"美"是什么,好比我们不应该先问"绿"是什么,最好先看一看树叶子,因为树叶子是绿的,这样对"绿"就有感性的认识了。同学们慢慢也就习惯我的方法了。我讲"客观上存在着自然美",为什么引庄子的话呢?这是因为庄子有诡辩味道,他好象不承认"客观上存在着自然美"似的,故我举出他口中描写自然美的话来,就是"鹄不日浴而白,乌不日黔而黑",这样的话显得鸟儿清洁爱美。因为我是在语言文学系讲课,举的例子总要从例子本身表现着语言美,这是我的教学方法,让学生不感得枯燥。实际上,自然美是客观存在,属于耳目共有之事,不是靠我引庄子的话才得出这个结论来的。引了庄子的话以后,并不如金恩晖先生所说,"冯文炳先生恐怕也还需要加以自己的分析和进一步的论证才是"。不需要。因为我并不是以"美"为对象,(金恩晖先生以我为〔为我〕是的!)不是证"美"的客观性,我只是举出鹄之白与乌之黑来指出鸟儿的羽毛之色罢了,就是客观上存在着自然美。这还不是我的论自然美的主要点,主要点在接着论"人化了的自然"的地方,那才需要论据,要分析,还要结合文艺作品的例证。讲到底,我不以自然美为我研究的对象,我研究的对象是有阶级性的东西,是艺术美。

我以五点(自然美,艺术美,美的规律,美的继承性,美的政治性)来说明美是客观存在,是我考察了所有有关于成为美和发生美感的事情之后,并把不属于美的范围的东西(如道德、法律范围的)和美作了比较,我认为是实事求是,并不如金恩晖先生的文章所批评的"只是以'开中药铺'的方式罗列了一些资料和现象,满足于列举式的归纳法"。金恩晖先生为得要批评我的五点之无济于事,他举出一条"美的时代特征","冯文炳先生并未指出这一问题,显然有点顾此失彼了。总之,象这样论述不够严密之处,还可以找到的,因篇幅所限,就不一一枚举了。"这只能证明我的五点的严密,因为金恩晖先生举不出别的来,他举的"美的时代特征"这一条太笼统,反映着时代的特征的,不只是人类所产生的美和美学。

我总答一句,在我的论文里,我所讲的美学的对象是艺术以及艺术和现实的关系。明白得很,这和金恩晖先生的要求是一致的。

最后我想对金恩晖先生的文章标着"美学和哲学"项目内说几句话。我在我的论文"美学"那一节里谈了孔子,把孔子和黑格尔作为唯心论的美学的代表。我为什么这样做呢?讲黑格尔是为得讲车尔尼雪夫斯基,那是很显然的。讲孔子也是为得讲车尔尼雪夫斯基,因为我认为孔子也是以生活为美的,不过他把生活当作"天"的显现,所以"天"虽不言,四时行,百物生,换句话说,一切是"天命"。但孔子对门弟子不讲鬼神,向他问"死"他也不答,这就是说他不讲人生以外的话,他重视生活。所有孔子讲美之处,都是与生活分不开的。如子路鼓瑟,孔子听了就思考子路的为人了,很发生感慨,因而"门人不敬子路"。这不是把美和生活联在一起吗?从今天看来,我不认为这是好的,我认为这是中国美学不发达的原因,也是美学不足以推动美的发展的原因,不象希腊的亚里斯多德等以艺术为对象讲美学。而古代孔子在美的问题上是向后看,正和近代写了美学讲义的黑格尔是一样,因为所有的唯心论者都不懂得社会生活向前发展的规律,美是反映社会生活,因而也不懂得人类的美是向前发展的。这就过渡到车尔尼雪夫斯基的美学。由车尔尼雪夫斯基的美学再过渡到毛主席的美学,即辩证唯物主义美学。问题太复杂,我的话又简单了些,"这样读者就不大容易捉摸出论文所企图说明的主要内容是什么",这是金恩晖先生向我提的意见。我所企图说明的,主要是说在美的问题上要向前看,到今天就是文艺的工农兵方向。